월야환담

월야환담 광월야 · · 2

홍정훈 장편 소설

초판 1쇄 찍은 날 2017년 05월 08일
초판 1쇄 펴낸 날 2017년 06월 23일

지은이 홍정훈
펴낸이 서경석

편집책임 이창진 | 편집 조현우 | 디자인 신현아

펴낸곳 도서출판 청어람
등록번호 제387-1999-000006호 | 등록일자 1999. 5. 31
어람번호 제8-0093호

주소 경기도 부천시 부일로 483번길 40 서경B/D 3F (우) 14640
전화 032-656-4452 | 팩스 032-656-4453
http://www.chungeoram.com | E-mail chungeorambook@daum.net

ISBN 979-11-04-91296-2 04810
ISBN 979-11-04-91294-8 (SET)

광월야 · 2 ·

월야환담

홍정훈 장편 소설

차례

第6夜

이단의 사원

1

사람들의 발길이 닿지 않은 야생림 길목 사이로 두 청년이 걸어 들어가고 있었다. 일반적인 등산객 복장은 아니다. 둘 다 각종 장비를 들고 있기 때문이었다.

"왜 평소처럼 바이크를 타고 들어가지 않지? 좀 험한 코스지만 못 탈 것도 없잖아?"

빛바랜 듯한 회색 머리칼에 한쪽 눈에 안대를 두른 청년, 서현이 카메라를 수풀을 향해 겨누면서 그렇게 물어보았다. 그가 들고 있는 장비는 주로 인계철선이나 부비트랩 같은 걸 찾아내기 위한 것이었다. 자연계에 비정상적인 일직선이나 원형, 올가미, 사각 형태가 존재하면 카메라에 연결된 컴퓨터가 그걸 감지하도록 되어 있었다. 적외선을 투사하게 되어 있어 나뭇잎과 수

풀 사이에 숨어 있는 기물도 찾을 수 있었다. 하지만 사람이 찾는 것보다 조금 더 빨리 찾아준다는 것뿐이지 완전히 믿을 수 있는 장비는 아니다.

등산용 GPS 장치를 들고 태블릿 PC에 나오는 지도와 주위 지형을 검토해 보던 청년이 한숨을 내쉬었다. 머리칼에 녹색을 부분 부분 넣은 게 눈에 띄는 청년이었다. 그 옛날 테헤란로 한복판을 폭파시켜 버린 데다가 최근엔 국회의사당을 돌파한 사이코패스 테러범, 한세건이 바로 그였다.

"이 일대는 유실지뢰가 많아. 사실 네놈의 그 자전거를 앞세워서 몸으로 지뢰를 해체하는 것도 생각해 봤는데. 너야 괜찮지만 자전거가 부서지면 다시 만들어야겠지?"

사람보다 자전거를 더 소중히 여기는 태도가 거슬린다.

"대체 어디에 얼마나 있을지 모르는 지뢰를 둘이서 언제까지 찾아보자는 거야? 이제 2킬로미터 들어왔어."

아무리 전문가라 해도 지뢰를 처리하는 건 쉬운 일이 아니다. 특히나 그게 오랜 세월 묻혀서 유실된 것이라면 더욱더. 하지만 바이크를 타고 달리는 것보단 그나마 장비로 검사하면서 걸어 들어가는 게 안전했다.

"찾았다."

세건이 또 발목지뢰를 하나 찾아내었다. 플라스틱 케이스에 폭약이 들어 있는 거라 금속 탐지기에 걸린 게 아니다. 그냥 발견했을 뿐이다.

"젠장. 나도."

서현도 목함지뢰를 카메라로 찾아내었다. 이렇게 지뢰가 쏟아지고 있으니 뭐 불평할 수가 없다. 열심히 찾을 수밖에.

"모내기하는 기분이군."

한세건이 투덜거리며 거리를 벌린 뒤 지뢰를 향해 돌을 던졌다. 지뢰가 터지며 마치 딱총 터지는 듯한 경박한 소리가 났다.

"아, 이래서 언제 들어가? 젠장. 그 의사 놈!"

서현은 투덜거리며 이 자리에 없는 강의찬에 대해서 울분을 토로했다.

2

국회의사당 공격 사건 당일.

의사 강의찬은 말없이 TV를 보고 있었다. 진료 시간이 끝났지만 그는 병원에서 퇴근하지 않고 컴퓨터를 통해 방송되고 있는 모습을 지켜보고 있었다. 국회의사당에 공격이 가해지고 봉쇄된 도로 너머에서 연거푸 불기둥이 치솟아 오르는 장면이 나오고 있었다. 확인된 국회의원 사망자만 20여 명, 현재 신원과 위치가 확인되지 않은 자 중 상당수가 살해당했을 거라 생각하면 50여 명이 넘는 국회의원이 죽었을 것이다.

"쯧… 선배님도 참……. 화끈한 걸 좋아하시는군."

그는 박우춘 씨가 이번 일을 저질렀다는 걸 잘 알고 있었다. 현재 방송은 통제되어서 제대로 된 상황을 전달하지 않고 그저 국회에서 끔찍한 테러가 일어났다고만 하고 있다. 국민들이 동요할까 봐 통제하는 것도 있고, 방송국 인물 중 온전한 방송 장비를 가지고 접근할 수 있는 이가 없다는 것도 있었다.

그러니 다들 여의도 샛강 너머, 대방동 쪽이나 여의대로 밖 여의도공원 등에서 불기둥 치솟아 오르는 걸 보며 추측 보도를 할 수밖에 없었다. 그러나 강의찬은 이미 이 사건의 내막을 잘 파악하고 있었다.

"저런 상황이라면 박우춘 선배는 죽었겠군……. 명복을 빌어줘야 하나."

강의찬은 잠시 묵념을 할까 생각했지만 곧 고개를 저었다.

"뭐, 선배에게는 사는 것보다 죽는 게 더 행복한 일이겠지. 그렇지 않습니까?"

그는 어느새 자신의 진료실 문 앞에 서 있는 흐릿한 유령 같은 형체를 돌아보았다. 젊은 외국인 여성의 모습을 한 그 형체는 고개를 끄덕였다.

"강의찬 너는… 접근해서는 안 될 이들에게 접촉했다."

강의찬의 질문에 대한 답이 아니다. 하지만 설령 동문서답이라 하더라도 강의찬은 그 짧은 답을 통해 상대의 본의를 파악할 수 있었다.

그들은 강의찬이 서현과 한세건을 불러들인 것을 좋아하지 않는다.

"그렇군요. 선배는… 당신들의 뜻을 이루기 위한 희생양으로 쓰였어. 하지만 놀랍군요. 선배는 '우리'의 일원이 아닌데 선택

되다니. 왜입니까?"

"그의 간절한 염원이 그분의 눈에 들었지. 그분은 자애로우시다. 간절히 원하는 자의 청원을 외면하지 못하는 분이시지."

유령 같은 형체의 여성은 그렇게 말했다.

말을 듣는 순간 강의찬은 어울리지 않게 웃을 뻔했다. 그러나 웃을 상황이 아니다. 유령 같은 형체가 소용돌이치면서 그 힘을 집결시키기 시작했으니까. 딱히 영성을 가지지 않은 자라도 오한이 들 정도로 심한, 부정하고 사악한 힘이 여인의 형체로부터 뿜어져 나왔다.

"너는 네 사명을 다하지 않고 오히려 적을 불러들였다. 다른 이의 염원을 짓밟았지. 그러니 네게 주어진 삶을, 그분의 은혜를 거두어 가겠다."

"……."

강의찬은 말없이 소용돌이치는 여성의 형체를 바라보았다. 그는 어깨를 으쓱해 보였다.

"그러니까 제게 잠시만이라도 변명할 기회를 주시렵니까?"

"아니, 그럴 수 없다. 너는 아직……."

여인의 형체가 말을 하는 그때였다.

갑자기 병실의 문이 벌컥 열렸다. 그러자 유령 같은 형체가 마치 강풍 맞은 촛불처럼 크게 흔들렸다.

"응?!"

"젠장."

문을 열고 들어온 이들은 서현과 한세건이었다. 그들은 유령 형태의 존재가 강의찬과 함께 있는 걸 보고 깜짝 놀랐다.

"이……."

한세건은 즉시 자신의 그림자에서 장검 한 자루를 뽑아 휘둘렀다. 스코티시 브로드 소드, 두꺼운 칼날을 가진 검에 녹티스의 그림자가 어려서 유령 형체의 여성을 베어 넘기려 했다. 그러나 그 유령은 벽으로 녹아들어 사라져 버렸다.

퍽!

한세건이 휘두른 검이 책장을 잘라 버리고 부서진 파편들, 잘린 종이책들이 흩날렸다.

강의찬은 방금 전에 유령에게 살해 위협을 당했음에도 불구하고 무심한 표정으로 자신의 머리에 날아드는 두 동강 난 의학잡지 쪼가리를 그대로 맞았다.

"예상보다 빨리 왔군."

"할 말이 그거뿐인가?"

서현은 태연자약한 강의찬의 목을 향해 관수를 겨누었다. 우습게 보일지도 모르지만 서현의 신체 능력을 감안하면 저걸 앞으로 내찌르는 것만으로도 강의찬의 목이 떨어져 나갈 것이다. 그러나 강의찬은 어깨를 으쓱해 보였다.

"이래 봬도 나는 슬퍼하고 있다고. 선배가 죽고 그가 저지른 일이 서린이에게 심각한 부담이 될 거라는 것에……."

"……."

서린이 테트라 아낙스이고 그 테트라 아낙스가 무슨 일을 하는지 잘 알고 있지 않으면 하기 힘든 소리다.

“그 표정이 슬퍼하는 거라면 당신 정말 연기력이 빵점인 거야.”

서현이 이죽거리자 강의찬은 어깨를 으쓱해 보였다.

“선천적으로 무표정이라고 생각해 주게.”

“아, 그래?”

다음 순간 일어난 일은 한세건의 상상을 초월한 일이었다. 서현이 잽싸게 움직여 강의찬의 사타구니를 퍽 걷어찬 것이다.

“아… 윽……”

강의찬이 사타구니를 부여잡고 주저앉자 그 모습을 서현이 꼼꼼히 살펴보았다. 잠시 후 질린 표정을 지은 서현이 일어났다.

“어… 미, 미안. 정말 무표정하구나.”

강의찬은 정말 그런 상태에서도 표정 변화가 크지 않았다. 그걸 본 서현은 강의찬의 말을 믿어주기로 했다.

“야. 지금 표정 알아보려고 찬 거야? 터지면 어떻게 하려고.”

서현의 발차기를 맞았던 뱀파이어들이 거의 토막 났던 걸 떠올리니 중요한 부위를 맞은 강의찬이 걱정된다. 강의찬이 보통 인간이 아니라는 건 알겠지만 신체에 있어서는 뱀파이어나 라이칸스로프가 아니니 서현에게 맞을 경우 치명상이다. 무엇보다 지금은 강의찬이 알고 있는 걸 들어야 할 시간이다. 여기서 강의찬을 죽여 버리면 애써 찾은 실마리를 흙탕물에 통째로 던져 버리는 꼴이 되리라.

다행히 강의찬은 무사했다.

“아, 염려 마. 난 중요 부위 차기 일급 기사 자격증도 있다고.”

서현이 허풍을 떨었다. 그런 자격증이 있을 리 만무하다. 하지만 세심하게 조절해서 찬 것은 사실인지 강의찬은 자신의 사타구니를 만지며 무사한지 상태를 확인해 보았다.

"하… 하마터면 내가 내 병원 손님이 될 뻔했군."

잠시 소강상태가 되었다.

한세건은 병원 정수기에서 찬물을 떠다 주고 강의찬이 회복되길 기다렸다. 방금 전까지 칼을 목에 들이대던 사람들이 이러고 있으니 뭔가 이상하지만 강의찬이 농담을 하는 게 아니라는 건 이제 모두 다 알겠다.

"그래서. 왜 우리에게 이걸 부탁한 건데?"

"당신들을 믿어도 되나 싶어서……."

"좋게 말하면 그렇고 나쁘게 말하면 미끼였겠지."

서현이 그렇게 물어보자 강의찬은 고개를 끄덕였다.

"부인할 수는 없겠군. 당신들이 만약… 내가 기대한 만큼의 힘이 없다면 그 여자 유령이 당신들을 직접 죽여 버렸을 테니까. 그러지 않은 걸 보면 능력적인 면이나 뭐, 충분히 믿을 만한 것 같군. 설마 내 사타구니를 찰 줄은 몰랐지만."

강의찬은 그리 말하고 책상에 손을 가져다 대었다. 서현이 움찔했지만 한세건은 심드렁하게 말렸다. 어차피 안에서 권총을 꺼내든 뭘 꺼내든 지금의 강의찬으로는 서현이나 한세건의 적수가 되지 못한다. 그건 방금 전 서현의 사타구니 차기에서 명약관화해졌다.

과연 강의찬은 다른 마음을 먹은 게 아니다. 그는 책상 안에서 작은 액자 하나를 꺼냈다.

액자에는 흑백사진 하나가 곱게 보관되어 있었다.

못해도 5~60년은 지난 것 같은 그것에는… 웃고 있는 젊은 선교사 한 명과 젊은 여성, 그리고 꾀죄죄한 한국인 아이들이 있었다.

한국전쟁 이후, 파괴된 한국에서 전쟁고아들을 거두어 키우는 선교사…….

사진만 보아도 그 전후 사정이 이해가 되었다. 하지만 뭔가 다른 점이 하나 있다면, 선교사와 함께 있는 여인의 모습이 방금 전에 보았던 그 유령과 흡사하다는 것이다. 그리고 선교사의 머리 모양이 심히 일자머리다. 앞머리는 단정한 일직선이고 옆은 좀 길다. 70년대 프랑스 청춘 영화의 주인공 같은 헤어스타일이다.

"진마 앙리 유이?"

한세건은 그 모습을 보고 혀를 찼다. 사법사 앙리 유이는 본래 인간 마법사였으나 불사의 힘을 얻기 위해 고대종의 피를 마시고 뱀파이어가 되었다고 한다. 또 다른 사법사이자 뱀파이어 진마인 팬텀과 함께 어린 시절을 보냈고 테트라 아낙스의 수제자이기도 했던 그는 현재로서는 테트라 아낙스의 수제자 자리를 걷어차고 나와 아웃로, 즉 테트라 아낙스의 질서를 거부하는 대적자가 되어 있었다.

테트라 아낙스의 질서를 파괴하고자 하는 이에게 이번 사건(국회의사당을 공격하는 사건)은 매우 군침 당기는 일이겠지만… 박우춘 씨는 자신이 상세한 지시를 받지 않고 독자적으로 움직였다고 주장했다.

그렇다고는 해도 참 신중하지 못한 놈이다. 이미 서현에게 자객이 덤벼들었을 때부터 용의자 선상에 올랐던 녀석인데 이제 아예 확인 사살을 해주다니. 테트라 아낙스에게 대항하려면 좀 조신하게 일처리를 하는 게 어떨까? 아니, 그 반대인가? 어차피 테트라 아낙스는 예지 능력자, 아무리 숨긴다 해도 모를 리 없다. 그래서 차라리 이렇게 노골적으로 화끈하게 일을 벌이고 있는 건가?

"역시 그렇군."

강의찬은 그 사진을 알아보는 서현과 한세건을 보고 자신의 추측이 맞았다고 생각하고 고개를 끄덕였다.

"뭐지, 이 사진은? 어떻게 당신 손에 있는 거야?"

"그건 음… 내 아버지의 사진이지. 여기 있는 이 고아가 내 아버지야."

강의찬은 그렇게 말하고 다리를 꼬았다. 아직도 사타구니 사이가 아픈지 흠칫거린다.

"나와 내 아버지, 그리고 여기 사진에 있는 고아들, 이들뿐만이 아니야. 세계 곳곳에는 이미 이 선교사의 손길이 닿아 있다."

강의찬은 단언했다.

3

픽업트럭 한 대가 아르쥬나가 있는 상점가로 들어오고 있었다. 픽업트럭의 뒤에는 바이크 한 대와 자전거가 실려 있었다.

"음. 늘 바이크를 타고 와서 몰랐는데 지독하게 막히는군."

세건은 그리 말하고 운전석에 앉아 있는 강의찬을 바라보았다. 여차하면 강의찬의 목을 날리기 좋도록 조수석에는 서현을 앉히고 그는 강의찬의 뒤쪽에 앉아서 시트 너머로 총을 겨누고 있는 상태다.

앙리 유이가 키운 초상 능력자, 강의찬의 아버지를 포함한 이들에 대한 설명은 이렇게 될 것이다. 즉, 강의찬의 아버지는 사법사 집단인 네크로폴리스의 추종자라고 할 수 있었다. 뱀파이어나 라이칸스로프가 아니더라도 사악한 마법사인 사법사들은 자신의 힘을 증대시키기 위해 기꺼이 사람을 죽이고 제물로 바치는 괴물이다.

"나는 사법사가 아니네. 지금 내가 병원을 쉬면 무수히 많은 남자가 고통받게 될 거야."

강의찬은 마치 성직자라도 된 양 자신의 의무를 주장했다. 남성기를 복원하는 데 있어서 타의 추종을 불허하는 기술을 가지고 있는 그가 말하는 것도 일리가 있었다. 특히 그가 시술하는 해면체 복원술은 외국에서도 사람들이 줄지어 찾아올 만큼 유명하다.

"어차피 결혼 적령기 남성이 더 많잖아. 몇몇이 그렇게 자연

도태 해주지 않으면 다른 젊은이가 불쌍해."

한세건은 강의찬의 말을 무시하고 아르쥬나 쪽으로 차를 대게 했다. 그러자 강의찬은 한숨을 내쉬었다.

"아르쥬나라니… 그 마녀의 영역에는 좀……."

그때 누군가가 창문을 노크했다. 보니 아르쥬나의 아르바이트생이 난처한 표정을 짓고 있는 게 아닌가?

"저기, 이런 커다란 트럭을 여기다 대시면 곤란한데요. 우리 물건도 빼야… 앗, 서현 씨?"

아르바이트생은 서현과 한세건을 알아보고 반가워했다. 그때 또 다른 인물이 아르쥬나의 뒷문을 열고 모습을 드러내었다. 앞치마를 두르고 있는 김성희가 소매의 밀가루를 털면서 걸어 나왔다.

"아… 이런. 잠시 자리 좀 비켜줄래?"

"네… 사장님."

아르바이트생은 김성희에게 고개를 숙이고 자리를 비켜주었다. 그러자 강의찬이 한숨을 내쉬었다.

"자의가 아니었습니다."

서현과 한세건을 상대할 때와 달리 지나치게 공손한 태도다.

"아, 실례지만 누구신지?"

"강의찬입니다. 제 부친께서 신세를 많이 졌다고 들었습니다……."

"…아."

김성희는 미소를 지어 보였다.

"아버지 안 닮았네요."

"그런 이야기 많이 듣지요."

아무리 봐도 20대 후반 30대 초반으로 보이는 김성희가 싱긋 웃는다. 이야기를 들어보면 강의찬의 아버지와 연배가 비슷한 것 같다.

"…나이를 물어보고 싶다."

서현이 중얼거리자 한세건이 서현의 발등을 밟았다.

"하지 마."

그때 김성희가 안으로 안내했다.

"이럴 게 아니라 안으로 들어오세요. 그리고 그를 그렇게 위협할 필요 없어. 자, 모두 마음 편하게~"

마음 편해질 리가 없지만 강의찬은 먼저 성큼성큼 김성희를 따라 들어갔다.

아르쥬나의 테이블에 앉아서 남이 듣든 말든 이야기를 하는 건 이제 익숙해져 있었다. 서현과 세건, 그리고 김성희는 테이블에 앉아 강의찬의 이야기를 들었다.

강의찬은 뭔가 숨기는 기색 없이 자신의 상황, 자신의 부모, 앙리 유이의 계획에 대해서 설명해 주었다.

"나는 잘 모르지만 이 선교사는… 한국전쟁 이후, 고아 중 특별한 재능을 가진 아이들을 끌어모아 몇 가지 시험을 했습니다. 그 결과 이 사진에 찍힌 아이들 모두, 강력한 초상 능력이 있음이 드러났지요."

"그런데 그렇게 연구해서 그냥 내버려 뒀다고? 사법사 조직이나 뱀파이어 클랜으로 받아들인 게 아니라?"

세건이 물어보았다. 앙리 유이가 키운 고아들, 초상 능력을 가진 이들을 지금까지 자유롭게 내버려 두었을 리가 없다. 기껏 초상 능력을 발현시켰다면 당연히 앙리 유이의 조직에 헌신하고 있지 않겠는가? 설마 능력만 발현시키고 자유롭게 내버려 두었단 말인가?

"음, 저는 술도 담배도 안 하고 매일매일 유기농 식단을 챙겨 먹는답니다. 그런 몸에 안 좋을 것 같은 짓을 할 리가 없지요."

뭐랄까. 악의 비밀 결사에서 자라난 자가 웰빙 라이프를 챙기는 소리? 지금 그런 소리가 강의찬의 입에서 흘러나왔다. 서울 도심 한복판에서 외국계 대기업을 통째로 폭파시켰으며 이제는 거기에 더해 국회의사당을 침탈하고 국회의원을 두 자릿수 이상 참살한 걸로 되어 있는 한세건이 보기에도 이건 좀 비상식적인 소리다.

"어떤 이유에서인지 그 선교사, 당신들이 말하는 앙리 유이는 이 연구를 중도에 포기하고 떠났습니다. 이 사진 속의 아이들, 제 아버지를 포함한 이들 중 일부는 여전히 그를 추앙하고 있지만 2세대 중에는 저처럼 그에게서 벗어난 이도 있지요."

강의찬의 말에 의하면 앙리 유이는 애써 초상 능력자들을 모아 연구를 하다 도중에 그만두었다. 그렇게 모은 초상 능력자들은 뱀파이어 클랜들 사이에서는 매우 소중한 자원이라고 할 수 있었다.

원래부터 초상 능력자인 이들은 대부분 별다른 무리 없이 뱀파이어가 되고, 그렇게 뱀파이어가 된 이들은 빠르게 혈인 능력을 각성한다. 테트라 아낙스가 뱀파이어의 수를 제한한 지금 클랜의 일원은 소수 정예여야 한다. 초상 능력자들은 뱀파이어들에게 있어서 재능을 보장받은 이라고 해도 과언이 아니다.

마법사들에게나 뱀파이어들에게나 선천적 초상 능력자는 그리 값싼 존재가 아닌데도 방기하다니 있을 수 없는 일이다. 그러나 강의찬의 행동을 보면 그가 앙리 유이의 영향을 받지 않고 있다는 건 확실해 보였다.

"그럼 어째서 서린에게… 아무런 손도 안 썼지?"

세건이 물어보았다. 강의찬은 서린이 아주 어릴 적에 이미 그와 만났다. 릴리쓰의 아이 리림이 아직 어릴 때 만났는데 아무런 손을 쓰지 않다니?

"아까 말했지 않나? 대체 내가 그 아이에게 손을 써야 할 이유가 어디 있지? 난 이 미친놈들이 우글거리는 세계에 머리를 들이밀 이유가 없어. 부유하고 유능하고 학자로서의 명예, 전문의로서의 사회적 지위도 누리고 있지. 차라리 독사 굴에 거시기를 넣고 말지, 이런 미친놈들이랑 얽히고 싶지 않아. 아버지가 그쪽 계통 사람이라서 태생적으로 어쩔 수 없긴 하지만 나는 의사이지, 사이코 마법사나 사이비 종교 교주 같은 게 되고 싶진 않으니까."

"……."

마치 한세건 들으라고 하는 말 같았다. 한세건은 월야의 세계에서 발을 뺄 기회가 많았지만 억지로 들이밀고 들어왔고 강의찬 이자는 애초에 부모부터 이 세계에 깊이 관여되어 있었지만 자의로 발을 빼고 있었다.

"서린이 라이칸스로프라는 건 알았지만 최소한의 편의를 제공해 주었을 뿐 가급적 파고들지 않았다. 파고들고 싶지도 않았어. 사실 그래서 이곳에 오고 싶지도 않았……."

"그래도 가끔 들러주시지 그랬어요. 서린이에게 많은 도움이 되었다고 듣고 있는데 제가 설마 야박하게 굴겠어요?"

김성희가 의미심장한 미소를 지으며 강의찬을 바라보았다. 그러자 강의찬이 독사 앞의 생쥐처럼 바짝 굳었다.

"아… 아닙니다. 저는 진짜로 이쪽 계통에 회의를 느끼고 있기 때문에… 위험한 정보에도 가급적 고개를 돌렸습니다. 그래서 사실 많은 정보를 제공할 수는 없습니다."

왠지 김성희는 어렵게 대한다. 워낙 세련된 미녀로 보이니 대부분의 남자가 그녀 앞에서 약해지겠지만 이 남자의 경우는 다른 이유에서로 보인다. 김성희에게 공포를 느끼고 있는 것 같다.

"정말 모른다고?"

세건이 반신반의했다. 눈앞에 진리가 있다면 설사 언론인이 아니라 하더라도 호기심을 느끼는 게 인간이다. 하물며 선천적인 혈통을 타고난 초상 능력자가 이런 것에 대해서 아무것도 모른다는 걸 믿으란 말인가?

"마법 등은 생리적으로 싫어하기 때문에… 군자는 이치에 닿지 않는 것들은 멀리해야 하는 법이다."

군자는 괴력난신을 논하지 않는다인가?

"그런데 어째서 이번엔 적극적으로 움직였지?"

"필요에 의해서. 왜냐면 이 여자가… 움직이기 시작했으니까."

강의찬은 그리 말하고 탁자에 내려둔 사진의 한 점을 가리켰다. 그곳에는 시대에 걸맞은 옛날 양장 차림의 젊은 여성이 있었다. 선교사의 아내쯤으로 보이는 젊은 백인 여성이다.

"내 아버지 세대의 사람들, 그러니까 여기 고아들은 자유롭게 살거나 아니면 사법사가 되었다. 하지만 검은 영으로부터 마도서를 스스로 만들 수 없는 사법사들은 그 자식 세대들을 사법사로 만들기보다는 내버려 뒀지. 자신들의 마도서를 쪼개서 나눠주지 않으면 자식 세대를 사법사로 만들 수 없고 마도서를 쪼개는 건 자신의 능력 약화를 초래하니까."

여기서 말하는 마도서라는 것은 실질적인 책이 아니라 검은 영에서 인간이 이행할 수 있는 술법의 정보가 담겨 있는 저주받은 검은 영체 그 자체를 말하는 것이다.

사법사들은 검은 영으로부터 마도서를 받는 각인의 의식과 선대 마법사로부터 마도서를 양도받는 분할의 의식을 가지고 있다. 이 중 전자는 굉장히 위험하고 지금에 와서는 고위 사법사들 외에는 실전된 지식이라 한다. 그렇다면 힘을 아끼기 위해서 자식을 굳이 어둠의 세계로 끌어들이지 않았다는 건데…….

"우리 아버지 세대는 그래서 자식들을 내버려 두었지……. 베이비 붐 시대에 자식이 없으면 남들의 의심을 사니까 설사 자식에게 애정이 없다 하더라도 필요했다. 그러나 이 여자는 달라.

자식들조차 어둠의 세계의 종으로서 의무를 짊어지고 있다고 믿더군."

"그러니까 그동안 잘 살다가 갑자기 이 여자 망령이 날뛰기 시작해서 골치 아파졌으니, 서린에게 은혜를 베풀었던 대가로 우리에게 이 여자를 처치해서 당신의 안락한 삶을 보장해 달라 이건가?"

서현의 말을 들은 강의찬이 고개를 끄덕였다.

"서린이보다 빠릿빠릿하군. 좋아. 그래서 당신들에게 의뢰를 하고 싶어."

"……."

서현과 세건은 서로를 쳐다보았다. 왜 또 둘을 세트로 묶어서 의뢰를 하겠다는 건가?

그래서 그 결과 지금 서현과 세건은 과거 앙리 유이가 만들었다던 고아원을 찾아 이동 중이었다. 문제는 그 고아원이 있던 곳의 마을이 폐촌으로 처리되고 댐에 의해서 일부분이 수몰되어 사람들이 모두 벗어났다는 것이다. 이제는 길도 연결되지 않았고 장마철마다 유실 지뢰가 떠내려와서 사람이 함부로 접근할 수 없는 지뢰밭으로 변해 있었다.

"헬기를 대절해서 날아갈 수는 없나?"

서현이 세건에게 질문을 던졌다. 헬기가 비싸긴 하지만 서현이 볼 때 세건은 거의 한국의 마약왕이라 해도 과언이 아닐 정도로 돈이 많다. 장비들에는 돈을 아끼지 않지만 그 외에 지출

하는 건 거의 없으니 쌓일 수밖에… 그 정도 재력이면 하루쯤 헬기를 대절해도 이상하지 않을 텐데?

"헬기를 빌리려면 단순히 돈만 있어서 될 일이 아니야. 외판원으로 위장하는 것보다 훨씬 힘든 일이지. 대한민국은 위에 북한이라고 꼴통 국가가 하나 있어서 항공기 관리가 엄격하다."

한세건은 서현의 말을 일축했다. 어지간한 건 암거래로 다 구할 수 있는 한세건이지만 헬기 대절은 불가능하다. 테러범으로 수배된 신분인 그는 다른 가짜 신분을 많이 가지고 있지만 가짜 신분으로 헬기 대절을 하려면 그에 합당한 이유와 보다 자세한 세무 자료를 증빙해야 했다. 그냥 평범한 다단계 제품 외판원으로 위장하는 것과 헬기를 대절하는 자로 위장하는 건 난이도 면에서 상당한 차이가 있었다.

"나무 위를 밟고 위로 달리는 건?"

"너나 가능하겠지."

한세건은 고개를 가로저었다. 나무 위에는 지뢰가 없겠지만 공용 도로에서 10킬로미터가량 떨어진 거리다. 10킬로미터 내내 나무 위로 달리는 곡예를 펼칠 수는 없다.

"오늘은 여기서 철수하지. 곧 밤이다."

세건은 그렇게 결정을 내리고 물러났다. 그 모습을 보며 서현은 안대를 들어 보였다. 새빨갛게 활활 타오르는 맹수의 눈이 빛을 발한다.

"해가 떠 있을 때만 작업하나? 내 눈은 밤이래도 꽤 쓸 만할 텐데?"

"아니, 철수한다. 무엇보다… 만약 이게 정말 앙리 유이와 관여된 곳이라면 뱀파이어 놈들이 가만히 있을 리가 없지. 밤에 숲에서 뱀파이어를 만나는 건 피하고 싶어. 아무리 내가 예전보다 실력이 늘었다고는 해도 신중해서 나쁠 게 없지."

세건은 자신의 실력을 절대 과신하지 않는다. 아무리 실력에 자신 있다 해도 총칼을 맞으면 다치는 건 어쩔 수 없다.

그리 말하며 힐끔 서현을 돌아보았다. 한때 적이었던 놈, 그리고 지금도 비록 카타볼릭 상태지만 위험한 놈이다. 이런 녀석과 인적 드문 곳, 지뢰가 깔려 있는 숲에서 싸우게 된다면 자신이 없다. 차라리 도시라면 세건 쪽이 유리하겠지만…….

"아, 그렇긴 한데 뭔가 하나 잊어먹지 않았어?"

서현은 장비를 챙기고 세건의 뒤를 따르며 물어보았다. 그러자 세건이 코웃음 쳤다.

"뭘 말하고 싶은 건데? 앙리 유이와 관련된 뱀파이어 놈들이 낮에도 움직일 수 있다는 거? 뭐, 오면 우리야 좋지. 우리가 올바른 길로 가고 있다는 증거니까. 안 그래?"

그렇게 말한 세건은 수풀을 제치고 차량을 주차시킨 길목으로 걸어 나왔다. 그런데 세건의 발이 멈춰 섰다.

"너도 느꼈냐?"

"…당신보다는 내가 더 감각이 좋지? 난 아까 전에 물어볼 때 이미 알아챘어."

서현과 한세건은 누군가가 자신들이 진입한 곳에 대기하고 있다는 걸 깨달았다. 과연, 약점을 들쑤시니 바로 방어하려 나섰음에 틀림없다.

서현과 한세건은 즉시 숨을 죽이고 서로 수신호를 나누기 시작했다. 서로를 적대하고 있었지만 수신호는 어렵지 않게 통했다. 서현은 손도끼를 꺼내 들고 조심스럽게 먼저 수풀 사이로 나아갔고 세건이 그 뒤를 뒤따랐다.

그런데… 선두에 섰던 서현의 움직임이 멈췄다. 그는 잽싸게 손에 들고 있던 손도끼를 뒤로 집어 던지고 밖으로 뛰쳐나갔다. 세건도 그 모습을 보고 즉시 총을 치웠다.

길가에는 경찰차와 견인차가 와 있었다. 갓길에 주차했는데 견인차가 오다니 대체 무슨 일인가? 하지만 문제는 그것만이 아니었다. 견인차 주위를 완장을 찬 청년들이 에워싸고 있다.

그리고 그 청년과 명백히 한편으로 보이는 경찰이 함께 서 있었다.

"갓길에는 주차해도 되는 거 아닌가요? 여기는 국도로 알고 있는데."

"아니, 지금 사유지 침입한 거 아시죠? 마침 견인하기 전에 여기 번호로 전화를 걸려고 하던 참인데……."

경찰은 그리 말하며 서현과 한세건을 위아래로 훑어보았다. 여자가 끼인 2인조라면 모를까, 남자 2인조는 아무래도 수상하게 마련이다. 특히 이런 숲에서는……. 그러나 그때 서현이 카메라 장비를 들어 보이고 말했다.

"아, 저희는 그러니까 식물 사진을 찍으러 나왔을 뿐이에요."

적외선을 방사하는 써멀 라이트와 이미지 프로세서가 붙어 있지만 기본적으로 이 카메라 장비는 기존에 있는 디지털 카메라를 이용한 것이다. 몇 가지 장비가 덧붙여져 있을 뿐, 겉으로는 아무런 하자 없는 카메라맨으로 보인다. 그렇다면 남자 2인조라 해도 납득이 간다.

"카메라 메모리를 좀 볼 수 있을까요?"

경찰들은 끈질겼다. 어떻게든 뭔가 옭아매려고 하는 것 같다. 물론 여기서 카메라 메모리를 넘기면 사실 아무것도 안 찍었다는 걸 만천하에 공개하는 꼴이라 그것만은 막아야 했다. 서현은 될 수 있는 한 최대로, 당혹해하는 청년의 표정을 연기하며 물어보았다.

"아니, 저기… 대체 무슨 일이에요? 뭐, 근처에 시체라도 나왔어요? 왜들 그렇게 민감하게……."

연기가 먹혀들어서일까? 몰려온 청년들과 경찰들의 표정에 이채가 감돌았다. 과연 자신들이 이렇게 극성을 부려서 도리어 다른 사람들의 이목을 끌까 걱정하는 기색이었다.

"사유지인 걸 알았으니 갈게요. 가면 되잖아요? 거참 이상하네."

이 정도로 연기를 잘하면 어디 영화 같은 데 주연으로 발탁되어도 손색이 없을 것 같다. 경찰들은 서로 눈치를 보더니 손짓했다.

"그냥 가세요."

"아, 네. 알겠습니다."

서현과 세건은 즉시 차에 올라타서 시동을 걸었다.

“……”

“응? 왜?”

“…아니, 가자.”

세건은 아무 말 없이 차를 출발시켰다.

세건은 국도 갓길에 차를 멈춰 세우고 내비게이션의 전원을 완전히 끈 뒤 전파탐지기를 켰다.

“이 자식들 발신기를 달았어. 5분 간격인 것 같은데?”

“그걸 아나?”

서현은 기가 막혀서 한세건을 바라보았다. 그러자 한세건이 어깨를 으쓱해 보였다.

“요샌 알겠더라고.”

“……”

자신이 더 민감하다고 단언했던 서현이지만 한세건의 말을 들으니 번데기 앞에서 주름잡았다는 걸 알겠다. 아무래도 세건의 몸을 휘감고 있는 저 혼팅이 전파에 굉장히 민감한 반응을 보이는 것 같다.

“시트 뒤로군.”

세건은 이내 단추형 발신기를 찾아냈다. 과연 대단한 감각이다.

“지금 떼면 오히려 의심을 살 것 같은데. 보통의 평범한 젊은이들이 그런 걸 발견할 수 있을 리가 없잖아.”

“그렇긴 하지. 이 발신기를 가지고 놈들이 당연하다고 느낄 법한 위치에 가져다놓는 게 좋겠군. 하아. 확실한 것은 인간, 경찰이 관여하고 있다는 건가. 공권력이 개입되니까 좀 꺼려지는군."

세건은 그렇게 말하고 있지만 지금 이 순간 신문, 라디오, TV, 인터넷 할 것 없이 모든 매체가 갑자기 국회를 털어버린 테러리스트 한세건에 대한 이야기로 도배되고 있었다. 국회의원 사망자가 50여 명 정도, 부상자는 200명에 달하며 그렇지 않은 이들도 현재 PTSD 증세를 보이고 있다고 한다. 물론 저 일을 저지른 건 한세건이 아니지만 한세건이 스스로 오명을 뒤집어쓸 각오를 하고 범죄 성명을 발표한 것은 사실이다.

공권력을 아주 우습게 보고 있지 않고서야 저지를 수 없는 일이 아닌가.

"그래서 말인데 너. 이거 저 아파트 주차장 안에 넣고 와."

"…아……."

서현은 세건이 자신에게 발신기를 던지는 걸 보고 뭐라 말로 못 할 난처한 기분을 겪었다. 아파트 주차장 안으로 발신기를 넣는 건 타당한 일이긴 한데… 마치 심부름 시키는 것 같아서 기분 나쁘다.

"그러고 나서 밥을 먹지. 패스트푸드 정도면 되겠지?"

"…그런 걸로 내가 좋아할 거라고 생각하면 큰 오산이다! 나는 그런……."

"응? 뭐가? 그냥 근처에 있어서 그러는 건데?"

"……."

서현의 입이 한일자로 굳게 다물어졌다. 오해한 걸까? 아니면 놀리는 건가? 서현의 반응이 뜨뜻미지근하자 핸들 바를 끌어안은 세건이 피로와 염세에 찌든 표정으로 투덜거렸다.

“난 식도락을 별로 좋아하지 않아. 식도락이고 뭐고 간에 그냥 식당에서 오래 기다리는 걸 싫어한다. 먹는 데 즐거움을 느끼는 것 자체가 시간 낭비지. 하지만 단백질을 먹어주지 않으면 근육이 잘 붙지 않으니까. 늘 단백질 3, 지방 1에서 2, 탄수화물 5를 기준으로 먹어주는데 거기에 적합한 게 패스트푸드야. 간단히 끼니를 때울 수 있고 조리 시간도 짧으니까. 에너지 바를 먹기도 하지만 에너지 바보다는 패스트푸드가 훨씬 저렴하고 먹는 데 피로감도 덜 들지. 음식을 맛으로 먹는 건 아니지만 너무 맛이 없으면 먹는 데 피로감이 느껴지거든. 알겠나?”

그렇게까지 말하는 걸 보니 서현이 오해한 모양이다. 서현은 고개를 끄덕였다.

“어, 미안. 놀리는 줄 알았어.”

“아, 물론 내가 패스트푸드를 끼니로 먹는 것과 별개로 이건 놀리는 게 맞다. 전범.”

“…….”

“빨리 다녀와.”

서현은 속으로 욕을 하며 자전거를 차에서 내렸다.

발신기가 아파트에 정차하자 그들도 더 이상 의심을 그만둔 모양이다. 하지만 그렇다고 바로 다시 사유지로 돌아가는 건 위험한 짓 같았다. 틀림없이 경비가 삼엄하게 강화되어 있을 것이다. 그래서 서현과 세건은 우선 강의찬과 다시 만나서 이야기를 해보기로 했다.

"그래. 사유지란 말이지. 뭐, 그렇겠지. 그 고아원 멤버 중에는 부유한 사람도 많으니까. 당장 내 아버지만 해도 유수의 제약 회사 오너고."

강의찬은 사건 진행에 대해 보고하자 예상했었다는 듯 답했다.

주위 테이블에서 여학생들이 수다 떠는 소리가 강의찬의 목소리를 묻었다.

"부유한 제약 회사 집안 아들치고는 저렴한 장소를 택했군."

세건은 투덜거리며 주위를 둘러보았다. 흔한 샐러드 바가 붙어 있는 피자리아다. 피자와 샐러드를 먹을 수 있는 곳으로 젊은 층에게 인기지만, 자리가 불편해서 나이가 좀 있는 사람들은 오지 않는 곳이다.

"이런 곳이면 그 여자 유령이 나타나지 않으니까. 사람이 많은 곳이 나에게는 안전하다."

"당신이 가진 능력은 뭐지? 당신도 뭔가 이능력자라며? 전투에는 쓸 수 없는 능력인가?"

"내가 가진 능력은… 재생 부여다."

"재생 부여? 보통 사람에게 재생 능력을 부여할 수 있단 말인가?"

"그걸로 고자가 되거나 거세가 된 사람들을 되살릴 수 있는 거지. 남성기의 해면체는 정말 스펀지 같은 조직이라… 통상적인 외과 수술로는 완전히 되살리기 쉽지 않아. 특수 능력으로 사람을 구하고 있었다고 할 수 있겠지."

"딱히 이견은 없지만……."

특수 능력으로 사람을 구했다. 뭐, 그렇게 말할 수도 있겠구나. 세건은 고개를 끄덕였다. 이 남자가 내뿜는 오만함, 그 자신감의 근거가 이런 거였나? 자신을 남성들을 번뇌에서 구원하는 구세주쯤으로 여기고 있음에 틀림없다.

세건은 왠지 이 남자가 마음에 들지 않았다. 태생적으로는 평범한 인간이던 세건이 월야의 주민으로 억지로 머리를 들이민 데 비해 태생적으로 이미 앙리 유이와 깊은 관계를 가진 그는, '제정신 박힌 이라면 그런 미친 짓 안 하지?' 이렇게 빈정거리면서 빠져나갔다. 아무리 생각해도 이 의사가 옳지만, 마치 세건을 직접 희롱한 것 같아서 화가 났다.

그 오만함이 마음에 들지 않는다. 물론 객관적으로 보면 이 남자는 유능하다. 오만할 자격이 있다.

'역시 나는 언더독 성향이 너무 강하단 말이야. 왠지 세상 모든 걸 다 손에 거머쥔 업독 같은 놈들을 엿 먹여주고 싶다는 생각이……'

세건은 그런 생각을 하다 고개를 가로저었다. 안 좋은 버릇이다. 뱀파이어에게, 세상에게 적개심을 품고 있는 세건이지만 지금까지는 그 자신이 가진 적개심이 얼마나 위험한 것인지 스스로 잘 알고 있었다. 자신의 안에 쌓이고 있는 분노를 함부로 풀어놓았다가는 그저 광인으로서 사라져 갈 것이다.

사이키델릭 문, 뱀파이어의 피에서 정제한 마약으로 능력을 끌어 올려 뱀파이어를 사냥하는 헌터들은 모두 끔찍한 말로를 겪어왔다. 하지만 뱀파이어의 왕좌를 차지한 서린은 되레 세건을 살려두었다. 비참한 파멸의 문턱에서 구원을 받은 이후로… 세건은 더욱더 증오에 쉽게 사로잡히게 되었다.

'그런 사소한 감정 때문에 일을 그르칠 수 없지. 이 의사는 필요해. 설령 그의 존재가, 월야에 억지로 머리를 들이민 나를 조소하는 것이라 해도 그 정도는 참을 수 있잖아? 라이칸스로프 녀석도 참아주고 있는데?'

세건은 스스로의 감정을 죽이며 옆을 돌아보았다.

"음… 이거 마음껏 먹어도 되는 거지?"

서현은 샐러드 바에서 음식을 수북하게 담아서 테이블로 가져왔다. 지금 그들이 처한 상황에 대해서 아무 생각이 없어 보인다. 카타볼릭 상태에 빠져서 그런지 진짜 잘 먹는다.

"이런 데 처음 왔어. 세상에. 이렇게 장사해도 남나?"

"하아."

세건은 손으로 얼굴을 감싸고 한숨을 내쉬었다. 서현은 음식을 먹으면서 강의찬에게 질문을 던졌다.

"그래서, 그 여자 유령의 정체는 뭐야? 생령? 사령? 사진 속의 여자는 이미 죽었나? 아니면 살아 있나?"

"살아 있을 것으로 추정된다."

"생령치곤 특이한 타입이던데."

서현이 스푼을 입에 물고 생각에 잠겼다. 그러자 세건이 휴대폰을 꺼내 보였다.

"그 고아원이 있던 곳의 땅과 인근 야산의 주인이… 등기에는 조복래라고 되어 있는데 누구지?"

"아마 사이비 교단의 신도일걸. 보통은 법인 자산으로 만드는 게 세금에서 더 혜택이 많을 텐데… 뭔가 사정이 있겠지?"

강의찬이 어깨를 으쓱해 보이자 세건이 혀를 찼다.

"또 사이비 교단이냐? 최근에도 몇 개 없앴는데 끝도 없이 생기는군."

세건은 진저리를 쳤다. 뱀파이어의 피나 헌터가 흘린 주술 도구 같은 걸 이용한 사이비 종교, 점술가 같은 이들은 반지하 구석 벽지에 피는 곰팡이와 같아서 잠깐 한눈을 팔면 어느새 빽빽하게 자라나는 것 같았다.

"신에게 안녕을 보장받지 못하면 불안해하는 거겠지. 확신을 가지지 못하고 있는 사람들이 그런 위안에 빠지는 걸 뭐라 하겠어? 게다가 실제로 기적을 보이는데?"

강의찬은 당연하다는 듯 말한다. 문제는 그놈들에게 당신이 노림받고 있는 것 아닌가? 남의 일처럼 말하는군? 세건은 기막혀했다. 이놈이나 저놈이나…….

"작전을 다시 짜야겠어. 사람을 상대하는 건 좀 그렇군."

"뱀파이어는 마구 죽이면서 말인가? 게다가 당신 그렇게 뱀파이어의 피를 채취해서 팔면 그게 다 인간들 마약으로 돌아와서 이 사회를 좀먹는다고. 나보고 전범이라 하지만 당신도 만만치 않은 거 아냐?"

서현이 인간들 상대하길 꺼리는 세건을 보고 빈정거렸다. 그러나 세건은 진지했다.

"그렇게 생각하는 게 뱀파이어들에게 불쾌하게 여겨진다면 기꺼이 그렇게 생각하라지. 왜 뱀파이어들에게 나 자신의 공정성을 어필해야 하지?"

"…그렇게까지 말하면 할 말이 없군. 음, 이거 맛있네."

서현은 세건의 말을 듣고 말문이 막히는지 듣는 둥 마는 둥 접시에 담아둔 음식들과의 전쟁을 시작했다.

세건은 서현을 무시하고 다시 강의찬에게 궁금한 걸 물어보려고 했다. 그때 갑자기 강의찬이 몸을 뒤적이더니 휴대폰을 꺼냈다.

"…모르는 번호인데?"

강의찬은 통화 모드로 바꾸고 테이블 위에 놓았다. 그러자 대뜸 욕설이 쏟아졌다.

—야, 이 새끼야! 차 똑바로 안 대? 얼른 못 빼?

"…음? 공영 주차장에 댔는……."

거기까지 말하던 강의찬의 입을 세건이 손으로 막았다.

"네, 곧 빼러 갑니다."

세건은 그리 말하고 전화를 끊었다.

"지금 타이밍이면 아무래도 그 종교 단체 친구들일 것 같은데. 여자 유령은 댁을 못 잡아도 하수인들은 잡을 수 있을 거 아냐? 안 그래, 의사 양반? 자, 그럼… 가볼까, 라이칸스로프?"

"아직 한 접시밖에 안 먹었는데? 지금 나가면 다시 못 들어오는 거 아냐?"

서현은 그리 말하고 빈 접시를 들어 보였다.

"…닥치고 나와, 등신아. 없이 사는 티 내지 말고. 원래 부자는 샐러드 바나 뷔페에서 풀만 한 접시 먹고 나가는 거야."

세건은 으르렁거리며 일어났다.

공영 주차장에는 이미 상당히 많은 건달패가 몰려 있었다. 그들은 강의찬의 자가용인 붉은색 캐딜락 CTS 위에 올라서서 야구 배트와 쇠파이프로 무장한 채 대기하고 있었다. 주차장 직원들 옆에는 몸에 문신한 남자들이 상의를 탈의하고 함께 붙어 있고, CCTV가 설치된 폴대에는 한 놈이 올라서서 카메라 렌즈에 덕트 테이프를 붙이고 있었다. 아주 범죄 저지를 기세 만만이다. 조폭 영화의 한 장면 같다.

"…음."

강의찬은 눈살을 찌푸렸다. 자신의 애마가 불량배들 발에 깔려서 도난 경보기를 울리며 신음하고 있는 걸 보니 마음이 편치 않다.

"바로 경찰 불러야겠는데?"

서현은 눈앞에서 펼쳐진 모습을 보고 한숨을 내쉬었다. 공영 주차장에 쳐들어와서 이런 행패를 부리는 놈들이라니. 보통 흥신소나 폭력배들과는 좀 경우가 다른 것 같다. 그런 놈들이라면 이런 증거 남는 곳에서 행패는 직접 부리지 않을 텐데 이놈들은 자신들이 잡혀가든 말든 강의찬을 확실히 확보하고 싶어 하는 것 같았다.

사이비 교단의 십자군이라도 되나?

'뭐, 이런 놈들 많이 봤었지.'

세건은 어깨를 으쓱해보였다.

"우리가 신고하는 것도 웃기지만 신고해."

"그치? …가 아니라 당신만 그렇지, 나는 하늘을 우러러 한 점 부끄럼 없다고."

서현은 그리 말하고 휴대폰을 들어 전화를 걸었다. 진짜 경찰에 걸려고 하자 쇠파이프를 든 남자가 대뜸 차량에서 뛰어내려 서현에게 쇠파이프를 휘둘러 왔다. 그러나 서현의 발이 날아드는 쇠파이프를 뻥 걷어차자 저렴한 폭력의 냄새를 물씬 풍기는 남자의 손에서 이제는 피 냄새가 진동한다. 손이 찢어진 것이다.

"…라고 전쟁범죄자가 말했습니다. 어찌나 뻔뻔한지 얼굴이 거울처럼 번드르르 합니다. 하긴 거울 수준으로 광택을 내놨으니 하늘을 우러러 한 점 부끄럼 없겠지. 애초에 양심이라는 게 없으니."

세건은 폭력배의 습격을 본체만체하면서 강의찬의 앞에 섰다. 놈들이 노리는 건 결국 강의찬일 것이니 주의해야 한다.

"이 새끼들이 경찰을 불러?"

"뭔가 좀 한가락 하는 것 같은데… 응?"

서현이 신고하는 시늉을 하자 그걸 막기 위해 몇 놈이 달려들었다. 짝눈을 가진 남자가 발차기를 날렸지만 서현은 그 발차기에 몸을 돌려 걸터앉듯 앉아버리고 남자의 얼굴을 손바닥으로 찍어 뒤로 날려 버렸다.

"…방금 그거 엉덩이로 막은 거냐?"

"시스테마다. 엉덩이로 막은 거 아냐."

"엉덩이로 막은 거 맞잖아? 추해 보여."

"네가 하는 무에타이는 뭐 문외한이 보면 섹시한 줄 아냐? 하긴, 그러니까 나에게 반하지 말라는 소리나 했겠지. 쯧쯧."

"……."

서현과 세건은 서로를 맹렬히 비난하며 상처를 주고받고 있었다. 상처밖에 남지 않는 싸움이라는 게 바로 이런 것이리라.

"이, 이 새끼들이… 우릴 물로 보네."

폭력배들은 서현과 세건의 말다툼을 보고 기가 막혀 했다. 분명히 손대는 족족 반격을 당해서 자신들이 쓰러지고 있으니 기선은 완전히 제압당했는데도 눈앞에서 투닥거리는 꼴을 보니 짜증이 난다. 그런데 그 순간 둘이 일제히 고개를 돌려 폭력배들을 바라보는 게 아닌가?

"정답."

세건이 솔직한 마음으로 폭력배들을 칭찬해 주었다.

"이제 알았냐?"

서현은 그리 말하고 경찰에 연락하려고 했던 휴대폰을 집어넣었다. 아무래도 이제 서현이 저들을 폭행해 버렸으니 경찰을 부르면 곤란할 것 같다.

"…경찰을 안 부르면 내 차는? 어떻게 보상받으라고?"

강의찬이 그 모습을 보고 묻는다. 이런 상황에 차 손상된 걸 걱정하는 건가? 폭력배들은 분개했다.

"이 머리에 피도 안 마른 새끼들이……."

잠시 후 폭력배들은 공영 주차장 한편에서 땅에 머리를 박은 채로 낑낑거리고 있었다. '머리에 피도 안 마른 새끼들'을 응징하려다 자신들 머리에서 피가 마를 날이 없게 생겼다.

서현은 그런 폭력배들 앞에 쪼그려 앉아서 한숨을 내쉰다.

"한국은 어디 남자를 매입하는 매춘업소 없나? 이런 덩어리들도 수요가 있을 텐데. 팔아치우면 좋겠다."

"역시 전범. 발상이 아주 흉악하군. 아예 러시아로 데려가서 팔아버리면?"

세건이 그렇게 반문하자 폭력배들의 등골에 식은땀이 흘렀다. 그냥 농담이나 헛소리라고 치부할 수도 있겠지만 말하는 투를 보니 진심이다.

"그럴 만큼 이문이 남게 생기진 않았잖아. 예쁘장하거나 근육질이어야지… 가 아니라… 아우, 그렇게 말하면 애들이 오해하잖아."

서현은 고개를 절레절레 저었다.

"여기서는 팔 수 있다고 말해야 순조롭게 정보를 뜯어낼 수 있지 않을까?"

"에이, 난 그런 농담 안 하는 타입이야. 사업 이야기를 농담으로 하면 쓰나?"

서현은 해맑게 웃으며 그들을 바라보았다.

"그래서 어서 말하지 않으면 너희 중 한 놈을 죽이고 조리해서 다른 놈들에게 먹여 버린다? 마지막 한 놈은 자기 발가락부터 차근차근 위쪽으로 토막토막 스테이크를 처먹게 될 거야."

농담을 하지 않는다면서 그런 말을 하니 흉악함이 더더욱 배가된다.

"그러면서 너도 한입 먹고?"

세건이 물어보자 서현이 고개를 저었다.

"뭐, 사람이 귀한 건 아닌데. 난 일단 인간은 금식하기로 했어. 사람 잡아먹고 그러면 꼭 그 수준의 놈들을 만난다니까."

이야기를 듣는 폭력배들은 정신이 혼미해질 지경이었다. 대체 이 두 놈은 뭘까? 하는 말을 들으면 흔한 중2병 걸린 미친놈들로 보이는데 그 미친놈들이 실제로 폭력배들을 어린애 다루듯 다뤄서 때려눕히질 않나… 폭력을 과시하는 폭력배들이 뒷일 생각하지 않고 자기들 심성을 통제 없이 발산하는 정신적인 미숙함을 가지고 있다면 이들은 정신적인 결함을 가지고 있는 것 같다. 미치지 않고서야 이런 소리를 할까?

"조, 조복래! 조복래입니다. 그 이상은 저희도 모릅니다."

폭력배들 중 막내가 총대를 메고 불어버렸다. 그러자 서현과 세건은 어깨를 으쓱해 보였다. 조복래라면 그들이 접근했던 곳의 등기상 소유자가 아닌가? 세건의 픽업트럭에 붙어 있던 발신기는 다른 곳에 던져 넣었으니까 그 사건과는 별개로 강의찬을 노리고 왔음에 틀림없다.

"앙리 유이의 아이들과 뭔가 관계가 있는 건… 확실하겠군."

세건은 강의찬을 월야의 주민으로 인정하고, 적어도 자신을 경찰에 찌를 인물은 아니라 보고 서울에 마련한 아지트로 안내했다. 달동네 밑에 있는 낡은 선반 공장을 개조해서 만든 아지트다. 문래동의 공장들처럼, 인디 밴드를 위한 공연장으로도 쓰게 실내가 개조되어 있고 그 한편에는 딱 봐도 비싸 보이는 블레이드 서버와 서버 랙이 설치되어 있었다. 세건은 그 컴퓨터를 켰다.

"AMD CPU를 쓰는군?"

강의찬은 부팅 화면을 보고 놀라워했다. 블레이드 서버, 4개 CPU를 장착한 워크스테이션이다. 서버로 쓰이거나 엄청난 수의 단순 계산을 필요로 할 때 쓰이는 물건을 왜 뱀파이어 헌터가 가지고 있는 것일까?

"나는 언더독 성향이라서. 가격도 적절하고. 전력 대 성능비가 나쁘긴 하지만 충분히 쓸 만한데 왜?"

"아니……."

강의찬은 더 이상 말을 말기로 했다. 그사이 세건은 블레이드 서버를 켜고 그걸로 인터넷 서핑을 해서 어렵지 않게 조복래에 대한 데이터들을 뽑아 정리했다.

조복래는 '새 에덴동산'이란 사이비 교단의 이사장이었다. 교주가 따로 있지만 교단의 재산은 사실상 그가 관리하고 있는 것이었다. 이 교단의 교주는… 예상대로 웬 여자인데 그 여자 유령과 비슷한 용모를 가지고 있다.

"흔한 일이지. 카리스마 있는 영능력자를 내세워 신도들을 관리하고 실질적인 수입은 자기가 거두는……."

강의찬은 자신의 목숨이 노려졌음에도 불구하고 남의 일처럼 말했다.

"어쨌거나 자네들을 고용할 수 있어서 다행이로군."

"잠깐, 우린 당신 경호원이 아니야."

서현이 그리 말하자 강의찬이 어깨를 으쓱해 보였다.

"답례라고 하긴 뭐하지만 만약 의사가 필요하면 언제든지 나를 부르게. 성기 길이를 연장하고 싶을 때도 부르고."

"……."

"필요 없어."

세건이 단언하고 한눈에 봐도 복잡해 보이는 프로그램을 불러들였다. 다쏘사의 설계 프로그램과 유체시뮬레이터다.

"뭘 하려는 거야?"

서현이 물어보자 세건이 답했다.

"유체시뮬레이션으로 유실 지뢰 분포 지도를 만들려고."

"…뭐?"

서현은 그 말을 듣고 깜짝 놀랐다.

"지형이랑 물길, 빗길을 설정하고 물에 의해 쓸려 내려갈 때 유실 지뢰 분포도를 그린다. 저번에 직접 지뢰를 찾았을 때 분포도가 이렇게 나오니까… 이거랑 대조하면서 값을 넣어봐야지."

세건은 그리 말하고 시뮬레이션값을 입력하기 시작했다. 그 모습을 보고 강의찬이 혀를 찼다.

"이 친구는 대단하군."

"그런 줄 알면 숨기지 말고 말해. 당신, 아직도 우리에게 말하지 않은 게 있지?"

세건은 위성 지도들과 대조해 가며 유체시뮬레이터에 값을 넣으며 물어보았다. 그러자 강의찬이 어깨를 으쓱해 보였다.

"오해하지 말게. 그동안 워낙 이쪽에 관심을 끊고 있다가… 최근에 다시 떠올린 거지, 당신들에게 딱히 숨기려고 한 건 아니야."

"…뭔데?"

"그러니까, 음… 아버지가 그 고아원에서 가져온 노트 뭉치를 찾았네."

"……."

서현과 세건이 노골적으로 짜증을 냈다. 최근에 다시 떠올리긴 개뿔이… 아니, 하지만 이 의사에게는 목숨이 걸린 일이니 허언은 아닐 것이다. 자기 목숨 걸린 일도 이렇게 막 대하다니…….

"앙리 유이의 목적은 아무래도 릴리쓰라는 걸 만들려고 한 것 같네."

강의찬은 한눈에 봐도 오래된 노트들을 서류 가방에서 꺼내 탁자 위에 놓았다. 세월의 흐름이 남아 있는 노트다.

"……."

서현과 세건 모두 그 말에는 흠칫 놀라지 않을 수 없었다. 그러고 보니 그 여자 유령, 어디선가 비슷한 걸 본 것 같다 했더니만. 릴리쓰를 흉내 낸 것인가?

"뭐, 나는 전혀 이 세계에 관심이 없지만 말이지. 이거 참. 끌려들어 가는 느낌이군. 내가 지금 병원 문 닫고 이렇게 피해 다닐 때가 아닌데. 지금도 수많은 사람이 나의 손길을 기다리고 있을 텐데 말이지."

"아… 남자 거시기로 당신의 손길이 가서 닿는 거 말인가?"

서현의 말에는 악의가 듬뿍 담겨 있었다. 그러나 강의찬은 당당하게 고개를 끄덕였다.

"그 이상 중요한 일이 어디 있겠나?"

이 남자의 자부심은 그야말로 철옹성인 것 같다.

세건은 시뮬레이션을 돌려놓고 강의찬이 넘겨준 노트를 살펴보았다. 강의찬의 아버지가 남긴 노트… 라고 하면 죽은 것 같지만 그는 지금도 여전히 살아 있다.

앙리 유이는 릴리쓰를 다음과 같이 생각하고 있었다.

—강력한 정보생명체(혹은 신?)

—사법사들이 부르는 검은 신, 검은 영과 흡사한 존재이며 인류의 정신에 이미 코드는 각인되어 있다. 암나사와 수나사가 서로 맞물려 돌아가듯, 그래서 릴리쓰가 인간 여성에 씌면 두 개의 나사가

맞물려져 마물 생산 기지로서 몸까지 변이하게 되는 것.

—이상의 조건에서 생각해 볼 때 인류가 진화하는 데 있어서 그들의 존재가 큰 역할을 하지 않았을까?

—다만 그들의 강렬한 의지가 현생인류를 만들었다고 할 수는 없을 것. 그들은 인류의 창조주가 아니다. 하지만 인간의 영성은 그들에게 큰 영향을 받았다.

—아낙스는 이미 여기까지 다 알고 있다.

노트를 읽으면서 세건은 중요 사항들을 정리해 나갔다. 보아하니 역시… 앙리 유이는 마법사다. 뱀파이어긴 하지만 그의 본질은 마법사, 비의를 연구하고 탐구하는 자라 할 수 있었다.

'이런 놈이 더 위험한 법이지.'

세건은 그리 말하고 힐끔 서현을 바라보았다. 서현은 계속 유체시뮬레이션 데이터를 뽑아내고 있는 워크스테이션 대신 보조용 노트북을 들고 뭔가를 정신없이 보고 있었다.

릴리쓰의 아들, 말하자면 신의 아들이라고 할 수 있겠군. 앙리 유이의 연구 주제를 볼 때 서현은 굉장히 입수하고 싶어서 안달이 난, 보물 같은 존재일 것이다.

'그리 쉽게 당하진 않겠지? 하지만 이번 일에 저 녀석과 함께 행동하는 건 왠지 앙리 유이에게 말려들어 가는 기분인데?'

세건은 다시 노트들을 펼쳐서 정리하기 시작했다.

—아낙스가 릴리쓰를 한 번 봉인하는 데 성공한 것이 프레스터

존의 성구라는 이름으로 발굴되었다. 성구를 발견한 자는 릴리쓰의 육신, 말하자면 암나사만 남아 있는 괴물과 결합해 버려 진마 유다가 되었다. 릴리쓰는 그 후 봉인이 풀려나 다시금 인류 사회에 나타났다.

—릴리쓰를 완전히 소멸시키기 위해서는 그와 대등한 분량의 정보 집결체가 필요하다. 테트라 아낙스가 과거 자신의 혈족을 늘려 텔레파시로 공격한 결과, 반격당해서 그의 혈족들이 시력과 청력, 감각을 잃어버렸다. 그들이 강력한 예지 능력과 텔레파시를 가지게 된 것을 본 아낙스는 향후 의도적으로 시력과 청력을 빼앗은 개체를 만들어 그들을 이용하게 되었다.

—뱀파이어의 혈액을 사용해서 대대로 정보령을 축적시켜 새로운 정보생명체를 만드는 것은? 이론상으로는 뱀파이어와 인간들의 안에는 신의 파편이 존재하고 있다. 릴리쓰와 같은 것… 혹은 그것을 능가하는 것이 잠재되어 있다. 물론 파편은 파편일 뿐이지만.

—릴리쓰가 불멸하고 인간과 결합하는 방식을 재현해 보기로 했다. 윈슬렛이 기꺼이 협력해 주기로 했다. 어리석은 여자 같으니. 자신의 자아를 그렇게 쉽게 버릴 정도니까… 아니, 내가 그만큼 매력적인 건가?

—실험은 반쯤 성공했다. 다만 윈슬렛의 영은 그녀의 육신에 여전히 속박되어 있다. 그녀의 혈육에는 그녀의 정신을 위한 암나사가 만들어져 있어서 자식을 낳는 한 윈슬렛의 영은 불멸하며 옮겨 다닐 것이나… 남자아이들은 별 쓸모가 없다. 릴리쓰가 여자에게만 결합하는 것과 같은 걸까?

—아니, 이 실험은 실패다. 윈슬렛은 쓸모가 없다. 릴리쓰에 비하면 너무나 조잡하다.

—실험은 실패했지만 그녀의 충성심은 고무적이다. 나의 혈족으로 만들어 언젠가 다가올 아낙스의 파멸을 준비해야겠다.

노트는 거기서 끝나 있었다.

세건은 한숨을 내쉬고 노트를 덮었다. 그야말로 장대한 계획의 일부가 적혀 있다. 이 노트가 사실이라면 앙리 유이는 호시탐탐, 아낙스를 초월해 릴리쓰나 다른 신들을 만들기 위해 노력했다는 뜻이 된다. 한국에 남아 있는 그 고아원은 연구의 일환일 테고.

세건은 뭔가 물어보기 위해 소파에 드러누워 잠들어 있던 강의찬을 두들겨 깨웠다. 강의찬이 눈을 비비며 일어났다. 폐공장을 인수해서 만든 아지트라 벽체에 단열재 따위는 없다. 지붕은 샌드위치 패널 한 장, 여름엔 덥고 겨울엔 추운 곳이다. 지금도 강의찬은 자면서 땀을 흠뻑 흘린 상태다.

"뭔가? 덥군."

"당신 아버지는… 어떻지?"

애매한 질문이지만 무슨 의도로 물었는지 단번에 알아챈 강의찬은 술술 답했다.

"우리 아버지는 전형적인 탐욕가지. 메시아인 앙리 유이의 선택을 받아서 재산을 불려 나갔지만 재산이 늘어나다 보니 탐욕에 흔들려 속물로 변해 버렸어. 특히 음… 이런 말 하긴 그렇지만 유흥의 화신이지."

"……."

"아버지로 추정되는 사람이 한국의 대표적인 변태 사이트인 소라넷이나… 디씨인사이드의 유흥 갤러리에 출몰하고 있어."

인터넷에서 사람들이 남을 놀릴 때 '너희 아빠 소라넷'이라는 용어를 쓰긴 하지만 강의찬은 지금 자기 입으로 아버지의 추태를 아낌없이 공개했다. 자기모멸인가? 그렇게 생각하기엔 너무나도 당당하다.

"나중에 상속을 편하게 하기 위해서 그 자료를 모으고 있는 중이지."

확인 사살까지… 어지간히 아버지를 싫어하는 것 같다.

"어차피 독자 아닌가? 상속을 편하게 하겠다니 무슨……."

"혼외자들이 인지청구소송을 하기 전에 정리해야 할 거 아냐. 정관수술을 하긴 했지만 어찌 될지는 모르니까."

"그렇다면 이들과 한패는 아니고 그렇다고 명확한 적도 아니다, 이건가? 당신과 달리? 어쨌거나 슬슬 시뮬레이션 결과들이 나와서 대충 지도는 만든 것 같은데… 당신은 어쩔 거야?"

"…나도 당신들과 함께 가지."

"……."

"내 몸은 내가 지킬 수 있어. 이래 봬도 벤치프레스를 110킬로그램은 친다고. 100미터는 11초 05에 끊고."

확실히 대단한 체력이라고 할 수 있을 것이다. 그 정도 체력이라면 무슨 태릉선수촌의 선수급이다. 겉으로는 그렇게 흉악해 보이지 않는다는 점에서 더더욱 놀랍다.

어슴푸레한 어둠 속, 강물의 수면 위로 빗방울들이 떨어지고 있었다. 바람은 거의 없는데 비는 많이 내린다. 그런 빗줄기 속에서 잉어들이 펄떡펄떡 뛰어오른다. 낚시꾼들이 보고 좋아할 장면이다.

"음……."

서현은 보트 밑바닥에 주저앉아서 손으로 자전거 페달을 돌리고 있었다. 그 크랭크에는 굵직한 오토바이용 체인이 걸려 있고 이 체인이 압축기를 돌리고 있다.

압축기는 강물을 빨아들여서 뒤로 뱉어내고 이것으로 인해서 배가 추진된다. 경정 등에서 쓰는 워터제트 추진기와 이론은 같지만 그 동력은 인력이다. 서현이니까 저걸 팔로 돌릴 수 있는 거지, 보통 사람은 다리로 돌리기도 힘들 정도로 높은 토크를 필요로 한다.

"역시 편하군. 라이칸스로프 엔진. 조용하고 빠르잖아?"

"그렇게 말하니까 뭐랄까. SF 소설에서 나올 법한 작명 같기도 한데."

"좀 더 노력하면 워프도 할 수 있겠어."

세건은 무표정한 얼굴로 농담을 했다. 진담일까?

"그럴 리가 있나. 그보다 강물 쪽으로 접근할 거면 왜 저번에 지뢰를 그렇게 해체한 거야?"

"그걸 했으니까 유체시뮬레이션이랑 대조할 대조값을 얻었지. 헛짓한 거 아냐. 다 필요한 일이었다."

세건은 무뚝뚝하게 앞을 바라보며 GPS로 현재 위치를 확인하고 있었다. 모니터 위에는 이미 세건이 여러 차례 뽑아둔 예상 지뢰 분포도가 겹쳐서 떠오른다. 솔직히 서현은 지금까지 자기가 수완이 꽤 뛰어나다고 생각해 왔고 실제로 그러했었다. 그러나 세건이 보이는 수완은 서현의 예상 이상이다.

"이것도 어떻게 잘 만들었네?"

자전거 크랭크를 붙여서 만드는 인력식 워터제트 추진기…라면 조잡한 만듦새로 되어 있게 마련이지만 그렇지 않다. 세건이 만든 이 추진기는 확실히 스팟 용접으로 물샐틈없이 붙어 있었다. 이번만 쓰기 위해 도색을 안 해서 그렇지, 도색까지 되었다면 어디서 파는 물건이라고 해도 믿었을 것이다.

"뭐, 별거 아닌 잔재주다."

세건은 그렇게 말하고 어깨를 으쓱해 보였다.

손재주가 뛰어나군, 정도로 말할 수 있는 게 아니다. 만약 뱀파이어 헌터가 아니었더라도 세건은 진짜 뭘 해도 잘했을 것 같다.

"좋아, 여기서 정지… 조심해. 강가에는 유실지뢰가 많을 테니까."

"지뢰가 끝없이 나오나?"

"지뢰는 아니고… 흠. 저기 있군."

세건은 낚시꾼들이 자주 앉은 흔적을 발견하고 그쪽으로 보트를 댔다. 사람들이 많이 오간 길이라 지뢰가 없을 거라고 확신했고 그 예상은 들어맞았다.

"깔끔하네. 괜히 숲길 쪽으로 갔었잖아? 사유지라더니만 낚시꾼들 많이 왔었나 본데?"

서현은 여러 가지 낚시 용품이랑 쓰레기들이 강가에 버려져 있는 걸 보고 의아해했다. 그 이상한 종교 교단 놈들이 꽤 열심히 막고 있는 것 같았는데 낚시꾼들이 들어오다니 이상한 일 아닌가?

"뭐, 여기서는 좀 돌아가야 하지만… 그리고 낚시하는 아저씨들은 사유지고 뭐고 그런 거 없어."

순간 서현은 철조망을 뜯고 낚시 가방을 든 채 쳐들어오는 낚시꾼 부대를 연상했다. 그렇게나 극성을 떤단 말인가?

"으음… 멀미가……."

강의찬은 우의를 입은 채로 투덜거렸다. 서현의 힘을 이용한 워터제트 추진 방식의 보트는 꽤 안정적이었지만 광공해가 없는 어두운 강물 위를 미끄러져 가면 마치 우주 공간을 유영하는 듯한 기묘한 느낌을 받는다. 어디가 하늘이고 어디가 땅인지 모르는 채 미묘하게 흔들리는 뱃전에 매달려야 하니 멀미가 날 법도 하다.

"호언장담하던 것치고는 체력이 별로인데?"

"멀미는 체력과 관계가 없어."

강의찬은 그리 말하고 몸을 숙였다. 서현과 한세건, 강의찬은 강가를 따라 이동해 버려진 옛 시골 건물들의 잔해로 향했다. 커다란 블록들을 쌓아서 만들어진 창고는 사람 손길을 안 타서 그런지 함석지붕 위로 잡초들이 자라고 있고, 벽은 각종 이끼로 얼룩져 있었다. 바닥에 진흙이 많은 걸 보니 상습적으로 침수되는 곳 같다.

"여기서 북동으로 700여 미터… 야산을 올라야 하는군. 지뢰도 별로 없다."

"그래. 하지만 앞에 저거 봐봐."

서현은 손가락을 들어 앞을 가리켰다. 그곳에는 서치라이트로 보이는 게 좌우로 회전하며 감시의 눈을 번뜩이고 있었다.

"서치라이트… 인간들인가?"

뱀파이어라면 굳이 서치라이트를 써서 자신들의 위치를 드러내진 않을 것이다. 서현이 그 점을 지적하자 세건은 고개를 가로저었다.

"뱀파이어와 인간 혼성부대일 수도 있지. 그나저나 저 정도 전력을 끌어 쓸 시설이 있나?"

저 정도 밝기의 서치라이트는 전기를 꽤 많이 먹을 것이다. 이곳은 이미 수십 년 전에 버려진 마을. 폐옥들에 한국전력이 전기를 공급할 것 같지는 않다.

"발전기를 돌리나 보지."

"가솔린이나 디젤로 된 발전기일까. 그럼 전력선을 끊는 정도로 어떻게 할 수는 없겠군."

"…어쩔 건가? 상대가 뱀파이어가 아니라 인간인 것 같은데."

강의찬은 물어보았다. 그러자 서현이 어깨를 으쓱했다.

"이제 와서 돌아갈 수는 없잖아."

"괜찮은가? 사람을 죽여도?"

"괜히 살려둬서 이상한 증언을 하면 곤란하지. 그렇다고 안 들키고 잠입할 만큼 인식 장애술이 쓸모 있는 것도 아니고. 마침 여긴 경찰도 없을 것 같고 시체가 훼손될 정도로 타격을 가하면 잡힐 일은 없을 것 같은데?"

"……."

강의찬도 인간을 그다지 좋아한다고 할 수는 없지만 살인이라는 금기에 대한 온도 차가 꽤 난다. 이렇게 살인을 기계적으로 쉽게 보다니 이상한 놈들이다.

"조심해. 뱀파이어가 섞여 있을 수도 있으니까. 서치라이트를 켰다고 인간만 있다고 단정 지을 수는 없지."

세건이 이미 뱀파이어가 없다고 결정지어 버리는 것을 경계해 충고했다. 뱀파이어가 섞여 있는 그룹이라고 해도 서치라이트를 쓸 수는 있다. 자신들이 수에서 압도할 자신이 있고 저곳을 지키는 게 목적이라면 그럴 수도 있겠지.

"그럼 어떻게 하지?"

"우선 이걸……."

세건은 보트에서 가져온 커다란 더플백을 내려놓고 안에서 장비를 꺼냈다. 놀랍게도 총이 아니라 활이다.

"…괜찮아? 활은 사실 맞고 단번에 안 죽는 경우가 흔해. 게다가 저들 사이에서 사람이 죽으면 바로 들킨다."

영화에서는 무성병기로 맞으면 한 방에 한 명씩 쓰러지는 꼴을 보이지만 현실에선 그렇지 않다. 상당히 무식하게 생긴 멧돼지 사냥용 화살이라 해도 사람이 비명 지를 시간은 버틴다. 단숨에 척추를 끊어놓거나 머리에 맞추는 등, 즉사시키지 않으면 결국 총을 쓰는 것이나 별반 다를 바 없는 것이다. 무음 잠입을 하기 위해서는 경계를 펼치고 있는 병력 전원을 단번에 쓰러뜨릴 만큼의 화력이 필요하고 그걸 위해서는 일개 분대분의 병력이 필요하다.

아무리 한세건과 서현의 능력이 뛰어나다 하더라도 이것만은 어쩔 수 없는 일이었다. 그런 건 군대 미필인 세건도 알 수 있을 것 같은데 왜 활을 꺼낸 걸까?

"허튼소리 하지 말고 잘 봐."

세건은 서멀 카메라를 꺼내서 옛날 건물로 향하게 했다. 확실히 한곳, 열이 계속해서 솟구쳐 오르는 곳이 있었다.

"이 정도 열이라면 지하에 있는 게 아니야. 저 녀석들은 지상에 발전기를 두고 있다. 저걸 부수겠어."

세건은 그리 말하고 화살에 폭약을 장착했다. 300그램의 셈텍스… 이 중 50그램은 데토네이터니 실질적으론 250그램… 많다면 많은 양이지만 파편이 없는 만큼 한 발에 발전기를 부순다는 보장은 없다. 제대로 명중시키지 않으면 흠집도 안 날 거고 설사 명중시켜도 부위에 따라서는 멀쩡할 것이다.

"잠깐. 정말 맞힐 자신이 있어? 제대로 못 맞히면 저놈들 죽을걸."

그것이 폭발에 휩쓸려 죽는 것이든 응전 상태가 되는 것이든 저들에게는 재앙이 될 것이다. 서멀 카메라로 보는 발전기 배기 열을 통해서 화살을 명중시키겠다니 무모하다. 월야의 헌터들은 상당한 명사수일 테지만 활은 평상시 잘 사용하는 무기도 아니고 더구나 폭약을 장착하면 무게 때문에 발사 궤도도 변할 거다.

그러나 세건은 형광색 도료가 칠해진 특이한 활시위를 활에 걸고 서현에게 자신의 스마트폰을 건네주었다. 서현이 그걸로 세건을 촬영해 보자 화면에 수치가 뜬다.

"수치가 몇이라고 나오지?"

"67J… 음? 설마 이건?"

"텐셔너다."

"텐셔너?"

"이 활의 시위가 변형되는 모습을 보고 운동에너지를 역산하게 소프트웨어를 만들었어. 형광색으로 칠한 건 그 때문이다. 실제로 100여 발 이상 쏴봤는데 정확도는 상당히 높아."

"가만, 그럼 이 소프트웨어는?"

"자바로 내가 직접 만들었지. 뭐, 몇몇 코드는 그냥 복사해서 붙인… 표절이 맞지만 나 혼자 쓰려고 만든 거니까."

서현은 그 말을 듣고 진심으로 감탄했다. 어린 시절부터 전장을 누비며 각국의 엘리트 부대 출신을 보아왔지만 세건은 그들 중 누구와도 다르다. 물리시뮬레이터나 설계소프트웨어를 이용해 지뢰의 유실 분포도를 시뮬레이션하고 필요한 소프트웨어는 스스로 만들며, 각지에 개조 핸드폰 등을 설치해 정보를 모으는 모습은 산전수전 다 겪었다고 자부하던 서현에게도 생소했다.

서현보다 연상이긴 하지만 그리 많은 나이가 아닐 텐데… 언제 이런 걸 다 익혔을까? 한세건은 월야의 세계에서 헌터로 살아남기 위해 그야말로 뼈를 깎는 노력을 해왔으리라. 날 때부터 맹수의 왕으로 태어난 서현과 달리 이 남자는 인간인 채로 지금이 지옥 같은 세계에서 살아남아 있는 것이다.

'이건 좀… 존경스럽군.'

그리고 서현에게 있어서 누군가를 존경한다는 건 잠시나마도 경험해 본 적 없는 일이었다. 역시 인생은 설사 예지 능력이 있다 하더라도 살아볼 가치가 있는 것 같다.

"좋아. 거리를 좀 좁혀서… 해볼까?"

"괜찮겠나?"

"오늘은 바람도 적으니까 텐션 장력을 정확히 계산하면 반드시 들어가게 되어 있어. 저격수가 저격하는 것과 마찬가지지."

"갑자기 돌풍이 분다거나."

"뭐, 그건 어쩔 수 없지만 지금 기상 상태는 잔잔하니 괜찮겠지."

"아니, 그래서 실수하면 어쩌려고?"

"내가 할 수 있는 최선의 방법을 하고 실패하는 건 어쩔 수 없지. 내가 헌터를 하게 된 계기는 치졸한 저항 의식 때문이지, 인류를 구하겠다는 숭고한 의식 때문은 아니야. 자신이 할 수 있는 일, 할 수 없는 일을 분간 못 하면 지금까지 살아남지도 못했어."

"…하긴 그것도 그렇군."

서현은 세건의 확고부동한 말을 듣고 고개를 끄덕였다.

4

새 에덴동산의 이사장 조복래는 전형적인 종교 장사꾼이었다. 그는 원래 사업가 출신이었지만 사업을 말아먹고 투자자의 돈을 횡령한 뒤 도피하는 등 순탄치 못한 삶을 살다가… 어느 날 한 여인을 만났다.

세상 물정을 모르는 금발의 외국인 여성……. 그녀는 어렵지 않게 조복래의 아내가 되었고 그날 이후 갑자기 조복래의 세계가 바뀌었다. 그녀는 놀랍게도 초능력자였던 것이다. 간단한 초능력을 이용해 기적을 펼치면서 그녀는 빠르게 신도들을 끌어모았고 그녀를 교주로, 조복래를 살림꾼으로 하는 교단, 새 에덴동산이 만들어졌다.

조복래에게 있어서는 땅 짚고 헤엄치기였다. 사람들은 알아서 헌금을 바쳐왔고 밑천으로 들어가는 건 고작해야 건물과 그 유지비가 전부였다. 사람들은 헌금뿐만 아니라 알아서 교회의 청소도 하고 각종 행사에 노동력으로 참여하는 걸 자처했다. 이렇게 노다지 사업이 또 있을까? 조복래는 기뻐했었다. 교도들에 대한 영향력은 아내가 차지하고 있었지만 조복래는 실권을 장악하고 있었으니 신나게 착복을 시작했다. 순식간에 자기 명의로 땅과 부동산, 차량 등이 늘어갔는데 아무도 그를 제지하지

앉았다.

하지만 최근에는 갑자기 분위기가 바뀌었다.

"교도들에게 총기를 들려주고 무장시켜요."

아내는 어느 날 조복래에게 그렇게 말했다. 총기? 조복래는 순간 자신의 귀를 의심했다. 지금까지 몇 차례, 사이비 종교에 의해 재산을 빼앗긴 사람들이나 그들의 제보로 취재하러 온 기자들을 내쫓긴 했지만 총기까진 필요가 없었다. 구사대, 아니, 청년회만으로도 충분했던 것이다. 그런데 갑자기 총기를 준비하라니?

조복래는 일부러 미적거리며 총기의 준비를 꺼려 했다.

아마도 뭔가 착오가 있는 거겠지. 그렇게 생각하던 조복래는 교단 내에 충실한 교주의 충복들이 생겨나고 그들 중 일부가 흡혈귀로 변해가는 걸 목격해야 했다.

그제야 조복래는 자기가 재주 부리는 곰 신세였음을 깨닫게 되었다. 그전까지는 여자와 그 패거리들을 재주넘는 곰으로, 자신을 주인으로 여기고 있었다. 너희가 열심히 초능력으로 신도들을 현혹시켜라, 나는 돈을 뜯어내마. 하지만 실제로는 달랐다. 저들은 원한다면 언제든지 교단을 빼앗고 자기들 뜻대로 할 수 있었다. 그러니까 조복래가 제 마음대로 축재하는 것을 알면서 방치하고 있었던 것이다. 조복래 따위는 언제든지 거두어들일 수 있다는 자신감의 표현을 조복래는 거참 세상 물정 모르네 하면서 비웃고 있었던 것이다.

결국 정신을 차려보니 조복래는 어거지로 전쟁터의 한복판에

끌려 나온 상황이었다. 아마도 이 초능력자들의 구적(仇敵)이 이들의 성지를 노리고 접근해 오는 모양이었다.

"내가 미쳤지……."

조복래는 낡은 목조건물의 앞에서 서성이고 있었다. 발전기를 통해서 전기가 공급되고 있었지만 저 건물 안은 음습하고 사악한 기운이 끈적거리는 타르처럼 피부에 휘감기고 있었다. 영능력 따위는 전혀 없는 조복래라도 알 수 있을 정도로 불길하다. 그렇다고 해서 경비를 서고 있는 이들과 한자리에 있을 수도 없었다.

그들 중에는 흡혈귀가 있으니까.

조복래는 덜덜거리는 마음을 진정시키기 위해 담배를 입에 물고 불을 붙였다. 라이터가 잘 듣지 않는다.

"에라, 젠장. 왜 라이터까지."

조복래는 투덜거리며 라이터를 무릎에 대고 탁탁 쳐서 부싯돌이 잘 정렬되기를 바라고 다시금 불을 당겼다.

펑!

그 순간 등 뒤에서 폭음이 울려 퍼지고 서치라이트가 일제히 꺼졌다.

"오, 맙소사……."

신도들을 무장시키고 이 '성지'를 요새화할 때부터 걱정하긴 했는데 그 일이 현실로 일어났다. 교주와 그 초능력자들의 적이 쳐들어온 모양이다.

세건의 팔이 우득우득 소리를 내며 활시위를 당긴다. 순식간에 텐셔너의 수치가 600을 넘어갔다. 어지간한 화약식 탄환급의 위력이다. 일반적인 양궁이나 국궁에 쓰이는 강궁들이 좀 세봐야 60줄… 그걸로도 너끈히 100미터는 날아간다. 하지만 서치라이트와 순찰대를 피해 묵직한 폭약을 날리기 위해서는 이 정도의 힘이 필요한 것이다.

끼기기긱…….

'이 자식도 인간을 벗어나긴 했군. 보통 성인 남자도 60줄 이상의 장궁을 아무 훈련 없이 당길 수는 없을 텐데 그 열 배가 넘어버리는 걸 가볍게 당기네? 그전에 이 활도 대단하군. 전용으로 만든 건가?'

서현은 텐셔너로 계측되는 위력이 700을 넘겨서 쭉쭉 상승하는 걸 보고 혀를 찼다. 700줄을 버티는 강궁이라면 고릴라도 못 당길 거다.

"으음… 손가락이… 수치 몇이야? 위력이랑 각도 다 읽어줘!"

세건의 목소리가 떨렸다. 700줄 정도에서 힘들어하나? 확실히 힘은 서현이 더 위다. 그래도 대단하다. 세건이 직접 자작했다고 하는 이 소프트웨어에는 스마트폰의 수평계 기능을 이용해 저 활의 각도도 계산해 주는 기능이 붙어 있다. GPS 좌표도 받게 되어 있고.

"각도… 상방 23도… 야, 그런데 이거 애초에 2인 1조 아니면 못 쓰는 장비잖아? 한 명은 활 들고 한 명은 봐줘야 하는 장비인데. 무슨 생각으로 만든 거야?"

"……."

퉁!

세건이 눈에 띄게 당황하면서 화살을 발사했다. 그가 발사한 폭탄 화살은 정말 로켓처럼 밤하늘을 가로질러 날아갔다. 그리고 잠시 후 폭음과 동시에 서치라이트들이 일제히 꺼졌다. 정말 세건은 단 일격에 발전기를 파괴한 것이다.

"아니?!"

"으앗?! 뭐야?!"

"모두 주의해!"

단번에 서치라이트가 꺼지고 덤으로 다른 장비들도 일제히 먹통이 되었다. 저들 사이에서 혼란이 번지는 게 밤공기 너머로 확실하게 느껴졌다. 마치 늑대의 습격을 받아 공포가 전염되기 시작하는 양 떼 같다.

그 공기만으로도 서현은 흥분하기 시작했다. 그 안의 야수가 피 냄새를 갈구하며 깨어나려 한다. 우왕좌왕하는 양 떼… 달려들어서 목을 물어뜯고 싶다. 피로 축제를 벌이고 싶다. 무엇보다도 허기를 달래고 싶었다. 지금의 서현은 기아 상태… 먹어도 먹어도 배가 고프다. 인간의 영육을 섭취해서 자신의 기아를 달래지 않으면 안 된다. 테트라 아낙스와의 싸움은 그의 몸을 고갈시켰고 그 싸움에서의 패배 때문에, 그리고 자신의 목적을 잃어버렸던 것에 상심해서 인간을 잡아먹지 않은 건 사실 느린 자살이나 다름없는 행동이었다.

'하지만… 그냥… 베어 죽이기만 하겠다. 아직은 이 녀석을 보고 싶군. 과연 무슨 짓을 할 수 있는지 궁금해. 그리고… 그 소프트웨어 분명히 신나서 만들어보고 생각해 보니 혼자 못 쓰는 물건이라 당황했겠지? 이건 궁금하진 않고 확인 사살을 해보고 싶군.'

서현은 손도끼를 붙잡고 어둠 속을 뛰쳐나갔다. 비록 기아 상태긴 하지만 그의 눈은 마치 대낮처럼 환하게 어둠을 꿰뚫어 보고 있었다.

"플래시를……!"

사람들이 당황해서 플래시를 켜기 시작했다. 하지만 그 사이에서 플래시 없어도 민첩하게 움직이는 자들이 있었다. 역시… 흡혈귀인가? 서현은 단숨에 흡혈귀를 향해 뛰어들었다.

"읍?"

흡혈귀들의 반응이 굼뜨다. 약으로 쓸데없이 VT는 높였겠지만 아직 능력을 사용하는 데 익숙하지 않은 것 같다. 설마 조명 모드에서 비조명 모드로, 시상세포 모드 전환도 단기간에 못 하는 건가? VT만 높아졌지, 이제 막 걸음마 뗀 아이나 다름없다. 물론 그건 뱀파이어로서 그렇다는 거고 실제 외모는 배불뚝이에 머리 벗겨진 장년층이다.

서현은 단숨에 도끼를 내려쳐 첫 번째 흡혈귀를 정수리부터 사타구니까지 깨끗하게 양단하고 놈의 몸을 붙잡았다.

탕!

플래시 라이트를 켠 교도들이 엽총을 발사했지만 서현은 뱀파이어의 몸으로 그 총탄을 막아냈다. 엽총에 쓰이는 멧돼지 사냥용 탄환도 관통력은 그렇게 뛰어나지 않다. 거대 맹수를 단번에 쓰러뜨리기 위해 펀치력은 높게 조정되어 있지만 오발 사고로 인한 참상을 막기 위해 관통력은 별로 없는 게 사냥용 탄약의 특징이다.

"으어어어!"

서현의 도끼질에 두 동강 난 뱀파이어가 기괴한 소리를 내지르며 어느새 상처를 재생하고 있었다. 역시 이 약물, VT와 그에 수반되는 능력을 단번에 뻥튀기시키는 힘이 대단하다. 다른 능력과 달리 재생력은 능력 개발에 힘쓸 필요 없이 VT에 따라 당연히 성장하는 것이다. 약물로 VT가 폭발적으로 늘어난 결과 어지간한 고위 뱀파이어조차 즉사할 상처가 순식간에 멀쩡해졌다.

"재생력이 있어봐야 한 대 맞을 거 두 대, 세 대 더 맞을 뿐이지. 불쌍한 것들."

서현은 가볍게 손날로 재생되는 뱀파이어의 목을 후려쳤다. 도끼를 쥔 채 손만으로 후려쳐도 뱀파이어의 목이 숭덩 잘려 나갔다.

"뭐… 뭐야?"

보고 있던 사람들은 기가 막힐 지경이었다. 그나마 좀 젊어 보이는 남자가 뛰어들어서 복싱식의 스트레이트를 날렸지만 서현은 팔꿈치로 커트하고 손목 관절로 상대의 턱을 강타했다. 마치 폭약이라도 때려 박은 것처럼 턱부터 두개골 뚜껑까지 폭음과 함께 터져 나갔다.

다른 이들이 일제히 덤벼들었지만 서현은 가드도 거의 올리지 않은 채 유유히 그들의 공격을 피해 다니면서 도끼를 휘둘렀다. 무슨 돌풍에 떠다니는 비닐봉지를 쫓아다니는 기분이다. 이쪽은 상대를 종잡을 수 없는데 상대의 공격은 척척 꽂히고 그때마다 교단의 은혜를 받은 자들이 풀썩풀썩 짚단처럼 허망하게 쓰러졌다.

"다, 당황하지 마라! 성전을 지켜야 해!"

그 말을 듣는 순간 서현은 실소했다. 무슨 중세 십자군도 아니고 성전이라니 저런 소리를 직접 듣게 될 줄은 몰랐다.

'너무 작위적이군. 저 낡은 교회와 고아원을 성전이라고 부르고 있나? 앙리 유이는 이 한국에서 무슨 짓을 한 거야? 그 후 그는 자유롭게 돌아다닌 것 같은데?'

이 인간들은 자신들이 지금 뱀파이어가 뿌려놓은 잡스러운 하부 조직의 일부라는 걸 알고 있는 것일까? 평범한 인간들이면 총기가 금지된 대한민국에서 이런 오지를 성전이랍시고 지키고 있는 게 정상이 아니라는 걸 알 텐데, 그것도 이해 못 할 정도로 머리가 나쁜가.

"흠."

세건은 서현을 돌진시키고 뒤에서 총격으로 서포트하면서 상황을 지켜보고 있었다. 서현은 그야말로 폭풍우 같다. 그러고 보면 러시아에서 저놈을 처음 만났을 때도 할버드 같은 걸 휘두르고 있었지. 총화기와 냉병기 모두에 숙달된 라이칸스로프… 까다로운 타입이다.

지금 도끼를 손에 쥔 서현은 그야말로 적진을 종횡무진, 무인지경으로 누비며 인간은 기절할 정도로, 뱀파이어는 죽을 정도로 심하게 공격하고 있었다.

'실력이 대단하군. 동작도 이질적이야.'

한세건은 무에타이와 킥복싱을 기반으로 훈련받아 왔다. 링에서 싸우는 것을 상정하고 발전한 기술 체계를 가진 이 무술들은 철저히 상호 공방 테크닉을 위주로 발달했다. 명중시켰을 때의 위력을 중시한다고 할까. 공격은 직선적이고 촌경처럼 근거리에서 타격하거나 할퀴기 같은 게 없다. 보통 인간은 그 정도 접근했을 때 강력한 공격을 발할 수 없기 때문이다.

반면 서현이 사용하는 시스테마는 러시아 계열 무술인데 세건 입장에서는 해괴한 움직임이 많다. 케이시 파이팅 메소드처럼 팔꿈치를 들어 올려 과도할 정도로 머리를 보호한다든가, 아예 가드를 내리고 숄더 블록에 의지해 몸을 튼다든가. 전체적으로 힘을 빼고 흐느적거리는 느낌이지만 권투나 무에타이에서는 예상하기 힘든 공격이 뻗어 나온다.

동작들이 중국 무술 같기도 하다.

손가락만 걸려도 뼈와 살을 찢는 서현의 완력을 생각하면 저런 해괴한 움직임이 오히려 치명적이다. 굳이 파워를 의식하지 않고 일단 명중시키기만 하면 목숨을 빼앗기에 충분한 위력이 나온다. 그걸 감안하면 파워보다 컨택을 위주로 하는 저런 무술이 나을지도?

'저 녀석과 싸운다면 조심해야겠군. 너무 이질적인 기술이야.'

잠재적으로 서현을 적으로 보고 있는 세건에게 서현의 예측 불가능한 움직임은 충분히 위협적이다. 그러면서도 세건은 소총을 이용해 중거리 저격을 연달아 성공시키고 있었다. 플래시를 켜는 족족 쏴 죽여 버리니 겁에 질린 이들이 플래시를 켜지 못하고 혼란이 가중되고 있었다.

대한민국 남성들이라면 다들 군대 경험이 있긴 하지만 저들에게 그건 매우 오래전 일이고 이런 사태에서 지휘할 명백한 지휘관이 없으니 혼란을 수습하지 못하고 있었다.

"둘의 호흡이 착착 맞는군. 오랫동안 팀을 짰나 보지? 사이도 친밀해 보이고."

강의찬이 서현과 한세건의 콤비 플레이를 보고 감탄하며 말했다. 그러자 세건이 고개를 돌렸다.

"뭐? 지금 무슨 헛소리를 하는 거야?"

"아니, 둘 다 착착 맞물려 돌아가길래."

"저 녀석이랑 손발 맞춘 건 이제 한 달도 안 되었어."

아니, 한 달 넘었나? 세건은 생각해 보고 고개를 가로저었다.

"…원래 훈련 경험을 많이 쌓으면 그렇게 즉석에서 손발이 맞나?"

세건은 다시 소총을 잡았다. 강의찬이 왜 놀라는 줄 알겠는데 부인을 못 하겠으니 짜증 난다. 서현과 세건은 지금 너무나 손발이 잘 맞는다. 서현의 동생인 서린과도 손발을 맞춰본 적이 있었지만 그때 서린은 순전히 짐짝이나 다름없었는데 서현은 비교가 안 되게 유능하다.

작전에 대해 브리핑하고 미리 설명한 것도 아닌데 간단한 취지만 설명해도 서현은 이 이상 잘할 수 없을 정도의 성과를 만들었다. 그리고 그는 홀로 적진 사이를 누비며 뱀파이어와 인간들을 쓰러뜨리고 엽총들을 치웠다. 게다가 인간은 죽이지도 않았다. 얼마나 여유가 차고 넘치면 저럴까. 오히려 인간을 죽인 건 세건일 것이다. 세건은 플래시를 켰다 하면 쏴버려서 저들을 당황하게 했으니까.

자, 그럼 이제 대충 정리가 끝난 건가? 들어가서 저놈들의 성지에 과연 무엇이 있는지, 앙리 유이가 한국전쟁 이후의 혼란기에 이 땅에 무슨 짓을 했는지 검사해 보아야겠다. 세건이 그렇게 마음먹었을 때였다.

우우우우.

마치 병자가 신음하는 듯한 소리와 함께 짙은 안개가 강으로부터 밀려들기 시작했다. 마치 맥주 거품 같은 농밀한 안개가 물처럼 흘러든다.

"……."

세건은 자신의 숨결이 새하얗게 얼어붙는 걸 보고 입을 다물었다. 불길한 기운이 전신의 솜털을 곤두서게 했다. 어느새 안개는 무릎까지 잠겼다.

"히익… 사, 살려주시오. 난 투항하겠소. 내가 조복래요!"

교회의 앞에서 한 노인이 무기를 던지고는 양손을 들고 바닥에 엎드려 있었다. 서현은 그 모습을 보고 실소를 머금었다.

종교 단체 이사장이 직접 무기를 들고 선봉에 서다니 어찌 된 일인가?

종교 단체 새 에덴동산의 구조를 보면 재주는 교주가 부리고 실질적인 이득은 이 남자가 착취하는 걸로 되어 있는데 역시 그것조차 함정이었던 것일까?

죽일까… 아니면 생포할까. 보아하니 남자는 껍데기일 뿐이고 실체는 역시 그 여자 유령이나 다른 앙리 유이의 아이들인 것 같지만 이처럼 심문하기 좋아 보이는 남자는 좋은 정보 공급원이게 마련이다.

하지만 지금 이 인원으로는 포로를 확보하기가 쉽지 않은 상황인데?

그렇게 생각하고 있을 때였다.

서현의 발목으로 새하얀 안개가 깔리기 시작했다. 반은 물질적인 안개고 나머지 반은 일종의 엑토플라즘이다. 영체가 물질화한 것이 공기 중에 미세하게 깔리기 시작한다. 서현은 그걸 보고 혀를 찼다.

"함정일 거라곤 각오했지만 걸려 버리니 기분 나쁘군."

게다가 이사장인 조복래까지 함께 함정에 걸렸다.

오오오오오!

신음 소리가 사방에서 들리기 시작한다. 분명히 서현에 의해 쓰러졌던 뱀파이어의 몸통이 바닥에서 부글부글, 이틀은 끓인 커다란 냄비의 표면처럼 들썩거린다.

그뿐만이 아니다. 기절한 인간들의 몸에까지 안개가 달라붙었다. 마치 거미가 먹이를 고치에 싸두듯 안개와 엑토플라즘이

칭칭 감기고 있었다.

저래서야 죽었군. 서현이 애써서 안 죽이고 기절시켜 두었었는데 이것들이 다 죽여놓았다. 이럴 줄 알았으면 그냥 죽일 걸 그랬나?

"히이이익. 사, 살려주시오!"

조복래가 서현에게 우는소리를 했다. 이 아저씨는 영감이나 영능력 같은 건 없어 보이는데, 그런데 둔감한 사람도 알 수 있을 만큼 지금 상황이 안 좋은 거겠지?

"아니, 이 아저씨가. 방금 전까지 우린 적이었다고. 좀 떨어져 있어! 내가 왜 당신을 살려줘야 하는데?"

서현은 아저씨를 밀어내려고 했지만 조복래는 눈물 콧물 흘리며 사정했다.

"이대로는 주, 죽습니다. 죽고 싶지 않아요! 절 살려주시면 진짜 견마지로를 다하겠습니다."

"…견마지로?"

갑자기 귀가 솔깃해졌다. 조복래 명의로 된 재산이 꽤 되었지? 물론 이 남자는 지금 이 자리의 위기만 넘어가려고 별의별 소리를 생각 없이 주워섬기는 것이겠지만… 서현은 그 모든 걸 거뜬히 받아낼 자신이 있었다.

"좋아, 그럼……."

그때 갑자기 퍽 하고 가죽 포대 터지는 소리가 들렸다. 바닥에 쓰러져 있던 뱀파이어들의 몸이 터지며 커럽티드로 변화하기 시작한 것이다.

바닥에 쓰러졌던 인간들도 일제히 일어났다. 그뿐만이 아니다.

불길한 신음 소리와 함께 안개 사이로 허여멀건 유체가 걸어 나오는 게 보였다.

"…아, 젠장."

그 모습을 본 순간, 자신만만하던 서현의 얼굴이 구겨졌다. 망령들이 일제히 서현을 향해 걸어오고 그 사이에 여자의 망령이 있었다.

"…앙리 유이가 굉장히 매력적인 놈인가 봐. 추종자들이 아주 난리군."

서현은 빈정거리며 그녀를 바라보았다. 그녀뿐만 아니라 무수히 많은 망령이 몰려온다. 서현은 엽총을 들어서 겨누었지만 그녀는 피하는 시늉도 하지 않는다.

탕!

엽총을 쏴보니 과연… 아무런 처리도 안 된 총탄은 그녀를 허망하게 투과해 지나갈 뿐이다. 그녀뿐 아니라 다른 망령들에게도 효과가 없다. 그나마 커럽티드로 변하고 있는 뱀파이어의 몸통에는 총알이 박히는데…….

끄워어어어어!

커럽티드가 비명을 지르며 무수히 많은 입구멍으로 엑토플라즘을 뿌리기 시작했다. 망령들이 활성화되며 안개가 더더욱 번져 나간다. 마치 터지기 일보 직전의 증기기관 보일러를 터뜨린 듯하다.

"…이봐, 어떻게 하지?"

서현이 한 걸음 물러나며 세건에게 무전을 넣었다. 그러자 세건의 답신이 날아왔다.

—같이 있는 노인은 누구야?

"아, 조복래라고 이 사이비 교단 이사장이라는데 투항했어."

—그럼 그 영감 잘 지키고 있어. 지원 사격을 해주마.

"응… 지원……. 어이, 근데 설마 그 활로 폭탄을 퉁퉁퉁 쏴댈 건 아니지?"

—설마 그럴 리가 있냐.

"하긴 상식인이라면……."

—유탄을 팍팍 쏴주지. 셈텍스는 파편이 안 날려서.

"뭐… 야, 이……."

그 순간 하늘에서 포탄의 비가 쏟아졌다.

"히이이익!"

조복래는 사방에서 터지는 폭음에 비명을 지르고…….

"아, 진짜!"

서현은 그 조복래를 집어 들고 최대한 빨리 달려 자칭 성지인 교회 안쪽으로 뛰어들었다.

한세건은 활에 통아를 달았다. PVC 파이프를 잘라 만든 것으로 수건을 감은 활줄이 다른 물건들을 던질 수 있게 만들어진 것이다. 여기에 발사하는 것은 40㎜ 유탄. 일반적으로 40㎜ 유탄은 발사 시 회전수를 체크해서 신관이 장입되게 되어 있다.

근거리에서 오발했을 경우 폭사당하는 걸 면하기 위해서였다. 하지만 세건이 준비한 유탄은 그런 안전장치가 없는 촉발신관을 장착한 것이다.

"자, 여기!"

강의찬은 그 유탄들을 잽싸게 준비해 주었다. 세건은 강의찬이 넘겨주는 유탄을 PVC 통아에 재워서 활로 발사했다. 한 번 발사에 한 움큼씩의 유탄이 하늘을 날아가 무작위로 쏟아지는데 그 위력이 화끈하다. 이 정도면 정말 유탄 발사기보다 훨씬 빠르다. 유탄 기관총보다는 느리겠지만 한 사람이 발포할 수 있는 화력이 아니다.

유령들의 안개가 한세건의 폭약들에 의해 들끓는다. 마치 연발 폭죽처럼 폭발이 연거푸 이어지고 폭풍과 파편이 안개를 휘젓는다.

"그런데 괜찮은 건가, 이거?"

강의찬은 서현이 사람을 매단 채 교회 안으로 뛰어드는 걸 보고 당황했다. 세건의 공격은 어째 서현도 집어삼킬 기세다. 방금 전까지 서현과 세건의 콤비네이션을 보고 감탄했던 그로서는 의외의 결과지만 세건은 주저 없이 활줄을 당겼다.

"악령들도 폭약은 먹히지. 전기나 화염도 괜찮고. 대부분은 물이나 엑토플라즘을 매개로 하는 영체니까."

"아니, 내가 걱정하는 건 그게 아니라… 헉?! 이봐! 우리 뒤쪽, 강에서 오는데."

강의찬은 그리 말하며 뒤를 바라보았다. 그곳에는 강에 빠져

죽은 유령들, 들과 야산에 매장당한 것으로 보이는 이들의 유령이 몰려들고 있었다. 무슨 수를 썼는지 모르지만 이 자칭 성지를 중심으로 인근에 매장된 이들의 유령을 끌어모으고 있는 것 같았다.

뱀파이어라면 모를까, 악령들이라니……. 게다가 탄약도 떨어지고 있지 않은가? 하지만 세건은 침착했다.

"뭐, 저것들은 느려."

"당신은 별로 안 놀라는군."

"악령들은 너무 많이 상대해 봐서. 이놈들 상대로는 내가 저 전범 늑대 인간보다 나을걸? 그런데 당신, 괜찮나? 평상시에는 뭐 무서운 거 없어 보이더니만 겁먹었나?"

"솔직히 말해서 저걸 보고 멀쩡한 게 이상한 거라고 생각하는데?"

강의찬은 사실 겁을 먹은 상태였다. 악령들을 보고 겁을 먹지 않으면 그게 이상한 거겠지만 그전까지 세상 무서운 줄 모르고 있던 그였다. 의사로서의 자부심, 자신의 능력과 경제력에 대한 자신감을 가지고 있던 그가 굳이 이런 폭력적인 세계에 머리를 들이밀 필요가 없었으니 이 상황에 익숙하지 않기도 했다.

그런데 세건이나 서현은 마치 이런 일들을 늘 있던 것처럼 간단히 처리하고 있었다.

"당신이야말로 날 때부터 초상현상 속에서 자랐는데 어째 나중에 들어온 나보다 훨씬 말랑하군."

"이런 데 익숙해지고 싶지 않아서 나온 거니까."

"그래, 그게 정상적이지. 내가 비정상이고."

촤악!

도폭선이 세건의 손에서 마치 살아 있는 생물처럼 뻗어나가 안개 사이를 관통하고…….

"녹티스… 초환."

세건이 녹티스의 주술 코어를 도폭선을 통해 전이시킨다. 도폭선을 따라 검은 증기가 끓어오르며 악령들 사이에서 비명이 터져 나온다. 세건은 그 모습을 확인하고 도폭선을 쥔 손을 크게 휘둘러 도폭선을 악령들 사이로 휘두르고 낚아채 도폭선을 물고 있던 전기 클립이 끊어지게 했다. 퍽 하고 도폭선이 폭발하며 악령들의 안개를 완전히 흩어놓았다.

세건은 으쓱해 보이고 새 전기 클립을 도폭선에 물렸다.

"별거 아니지? 그럼 대충 정리된 것 같은데 그 전범 늑대 인간을 쫓아가 볼까?"

세건은 훨씬 가벼워진 더플백에서 탄약들을 꺼내고 일부는 강의찬에게 들려주었다.

"정리되다니. 저것들이 남아 있는데."

세건의 폭격 속에서도 커럽티드는 살아남아서 계속 증식해 엑토플라즘을 뿌려대고 있었다. 하지만 그 모습을 보면서 세건은 강의찬에게 들려준 탄약의 양을 늘렸다.

"들고 따라오기나 해. 간다."

"정말… 내가 끔찍하게 피하고 싶었던 방향으로 일이 전개되는군. 의뢰주인 날 좀 보호해 줄 생각은 없나?"

"당신 돈이 얼마든 간에 나는 돈 때문에 이 일을 하는 게 아니야. 그만큼 성의를 보여줘야겠어. 뭐, 그게 싫으면 여기서 저것들이랑 유령들을 혼자 상대해 보시든가?"

"알겠어, 간다."

강의찬은 투덜거리며 세건의 짐을 들고 뒤따랐다.

"젠장. 무지막지한 놈이네. 만만치 않겠어."

과거 서현은 러시아에서 한세건을 한차례 격파한 적이 있었다. 육탄전으로 말하자면 서현은 언제나 한세건보다 윗줄에 있었다. 서현 자신은 모르지만 오늘 펼친 활약만으로도 세건이 고심하게 만들 정도였다.

그렇지만 서현 역시 세건의 활약에 위기감을 느끼고 있었다. 한세건은 절대 만만한 놈이 아니다. 사이키델릭 문을 통해서 그에게 축적된 영적인 정보들은 릴리쓰와 유사한 새로운 저주가 되어 그의 적들을 파괴시키고, 각종 정보통신 장비를 자유자재로 다루는 그 솜씨는 위험하다. 만약 한세건이 미리 판을 짜놓고 서현을 끌어들인다면 서현도 살아남을 자신이 없었다.

지금 유탄의 비를 쏘아 보내는 걸 봐도 그렇다. 세건은 한 줌씩 통아에 꽂아 넣고 활시위를 당겨 유탄을 쏘아댔다. 사방팔방으로 떨어진 유탄이 폭발해 망령과 커럽티드를 휩쓸고 있었다. 유탄 기관총까지는 아니지만 그 유사한 병기라고 말해도 믿을 정도의 화력이다. 혼자서 분당 유탄을 30발씩 퍼붓고 있으니…….

“음.”

서현은 교회 안을 바라보았다. 산골의 목조건물 교회는 다른 재료 없이 판자와 나무로 지어진 것으로, 안에는 다 썩어가는 예수상이 있었다.

그리고 그 예수상의 뒤에는 누군가가 서 있었다.

“리림. 제 발로 뛰어 들어오다니.”

“…….”

보브커트를 한 백인 남자가 양모로 된 양복을 입고 걸어 나오고 있었다. 70년대 영화에서 바로 등장한 것 같은 이 남자를 서현은 단번에 알아볼 수 있었다.

“앙리 유이인가. 당신은 이곳을 버렸다고 생각했는데.”

진마 앙리 유이, 아마도 벨라루스에서 서현을 습격했던 놈들의 주인, 뱀파이어를 갑자기 증폭시키는 약을 만들어낸 장본인이며 이 이단의 신전이 섬기는 신이다.

“그래. 내가 앙리 유이지. 아, 나는 이곳을 버렸던 게 맞아.”

그 말을 증명하듯 지금 앙리 유이의 몸은 투명하게 뒤가 비치고 있었다. 그는 직접 오지 않았다. 하긴 아무리 진마라고 해도 서현의 앞에 맨몸으로 나서는 건 그리 현명하지 못한 행동이다.

그 앙리 유이의 곁에 강의찬을 습격했던 여자 유령이 나타났다.

“아아… 주인님.”

스산한 여자 유령의 목소리에 애정과 사랑이 담길 수 있다면 믿겠는가? 서현도 방금 전의 자신에게 물어본다면 헛소리라고 일축했을 것이다. 그러나… 지금 이 순간 여자 유령은 연모의 정을 담아 그렇게 말했다. 별로 미인도 아닌 평범한 여성과… 꽤 미남이지만 패션 센스나 헤어 디자인에서 절망의 끝을 달리고 있는 앙리 유이가 함께 서 있다.

"…히익……."

조복래는 양손으로 머리를 감싸고 바닥에 쓰러져 있었다. 그런 조복래를 치워두고 서현은 앙리 유이를 바라보았다.

"무슨 생각이지?"

"내가 왜 싸구려 영화의 악당처럼 내 계획을 설명하러 이곳에 왔다고 생각하나?"

앙리 유이가 도리어 반문했다.

"허세 부리지 마. 나는 너처럼 오래 산 놈들이 얼마나 정서 불안에 시달리는지 잘 알고 있어. 그런 놈들은 떠벌리지 않으면 죽는 병이라도 걸렸는지 신나게 떠들어대더라니까? 아니면 뭐 어쩔 건데? 설마 그 생령 상태에서 날 죽일 수 있을 것 같지는 않고."

서현이 그리 말하자 앙리 유이가 키득키득 웃기 시작했다.

"재미있는 녀석이군. 네 동생도 그런가? 그렇다면 우린 친하게 지낼 수 있겠어."

"그럴 리가 있나."

서린은 서현과 같이 지낸 시간이 거의 없었다. 쌍둥이라고 해도 그렇게 차이가 나는 법. 하지만 서현의 명백한 거부 반응에도 불구하고 앙리 유이는 서현에게 손을 내밀었다.

"나는 리림, 널 스카우트하러 왔다."

앙리 유이는 여자 유령을 마치 사랑스러운 어린아이처럼 다독이며 미소를 지어 보였다. 서현이 그걸 보고 반신반의했다.

"스카우트?"

"네게 불로불사의 생명을 줄 테니… 당장 한세건을 때려눕혀서 확보했으면 좋겠어."

"하… 불로불사의 생명? 뱀파이어 놈들은 이게 문제야. 인간들을 다 그런 걸로 낚고 다니니까 나도 그런 허름한 떡밥에 넘어갈 것 같아 보였나?"

서현은 코웃음 쳤다. 뱀파이어 놈이 지금 그런 걸로 자신을 유혹할 수 있을 거라고 생각하나?

"나보고 허세 부리지 말라고 했지? 그 말 그대로 돌려주지. 허세 부리지 마. 네 목숨은 얼마 안 남았을 거다. 그렇지?"

"……."

"정상적으로는 오라클을 잔뜩 투입한 테트라 아낙스와 대등하게 맞설 수 있을 리가 없어. 잊지 마라. 나는 과거, 팬텀과 함께 아낙스의 제자였다. 아낙스의 힘이 어느 정도인지 나보다 더 잘 아는 사람은 없다고 해도 과언이 아니야."

앙리 유이는 그리 말하고 확신을 보였다.

과거 서현은 테트라 아낙스로부터 자신을 지키기 위해 예지와 텔레파시, 운명을 엿보고 정신을 조작하는 능력을 상시 사용했다. 전장에서 인간을 잡아먹으며 연료를 얻어가면서 테트라 아낙스에 대항했지만 테트라 아낙스는 무수히 많은 다른 흡혈귀를 시력과 청력을 빼앗은 채로 연명시키면서 그들의 뇌를 백업으로 사용했다. 서현 혼자서 그것에 맞섰으니 지금 그가 만신창이일 거라는 건 조금만 생각 있는 자라면 쉽게 추론 가능할 것이다.

"테트라 아낙스가 파멸하고 팬텀이 자신의 알량한 가치관을 지키기 위해 마법에서 손을 뗀 지금, 나야말로 세계 제일의 마법사라고 할 수 있지. 그러니 나는 네가 어떤 것이 결핍되어서 죽어가는지 잘 알고 있다. 내가 널 불사의 존재로 만들어주겠다는 건 다른 인간들에게 뱀파이어화를 약속하는 것처럼 그런 허름한 미끼가 아니야. 네 부족함, 불완전함을 다 채우고 뱀파이어도, 라이칸스로프도, 인간도 초월한 신이 될 수 있다는 이야기다."

"…네놈은……."

"그래. 나는 라이칸스로프, 뱀파이어를 만든 릴리쓰, 그리고 인간을 만든 태초의 신을 역산하는 작업에 들어가 있다. 모든 지식의, 마법사들이 추구하는 정점의 힘이지. 그것에 비하면 연금술에서 좀 쳐주는 성과라는 '현자의 돌' 조차 시시한 것이야."

앙리 유이는 서현에게 그걸 제시하면서 웃음 지었다.

"어때? 매우 건설적인 생각 아닌가?"

"그걸 위해서 한세건이 필요한가?"

"그렇지. 그는 여러 진마, 그리고 뱀파이어의 피를 통해 신에게 다가서는 비약 사이키델릭 문, 또 한때 릴리쓰였던 프레스터 존의 성구의 교차점이야. 그가 가진 특수성이 내 연구에 큰 도움이 되겠지만 애석하게도 소체가 너무 나빠. 소체라면 리림인 그대가 제격이지."

그러는 사이에도 교회 주위로… 그리고 지하실로부터 사악한 기운이 점차 강해지고 있었다. 앙리 유이에게 안겨 있는 여인의 유령은 그 사악한 기운을 빨아들이며 변모하고 있지만 앙리 유이는 여전히 그녀의 영체를 쓰다듬으며 웃는다. 여성과 남성의 애무지만 저속하다거나 관능미가 넘치진 않는다. 마치 애완동물, 커다란 개를 다루는 듯하다.

서현은 그의 모습을 보고 혀를 찼다.

결국 앙리 유이도 오래 산 뱀파이어답게 자기 절제라는 걸 모른다. 그는 아닌 척하지만 자신의 속내를 아무 생각 없이 다 드러냈다. 물론 이게 그가 원하는 전부는 아니겠지. 저런 속이 검은 놈은 내심 자신 안의 모든 걸 다 털어내는 것 같으면서도 감추고 있는 게 있게 마련이다.

"내가 거절할 거라는 건 알고 있겠지?"

"이해가 안 가는군. 왜지? 죽어 없어지고 싶은 건가? 나는 자네가 어린 시절부터 테트라 아낙스의 공격 속에서 살아남은 걸 높이 평가해. 그렇게 강렬한 생존 의지를 가지고 있던 이가 왜 이제 와서 죽음이 자신을 좀먹는 걸 납득하고 있지?"

"바꿔 말하면 테트라 아낙스가 위협할 때도 말을 안 들어먹었는데 이제 와서 당신 말을 들을 리가 없잖아?"

서현은 앙리 유이에게 중지를 세워 자신의 의사를 전달해 주었다.

그러자 앙리 유이가 큭큭 웃음을 지어 보였다.

"발랄하군. 이런 걸 보면 네놈이 아낙스와 형제라는 걸 이해할 수가 없어. 아낙스는… 늙어 비틀어지기 전에는 정말… 아름답고 우아하고 신 같은 존재였지. 나는 그를 볼 때마다 시기심이 끓어올라서 견딜 수가 없었어. 내가 저런 존재가 되고 싶었는데 어째서 나는 저리될 수 없는가……. 뭐, 이제 와서는 상관없겠지."

상관없기는 퍽이나. 서현은 한숨을 내쉬고 손을 뒤로 빼서 공격을 준비했다. 그러나…….

그보다 먼저 파도가 밀려왔다.

"뭣?!"

갑자기 교회의 벽이 부서지고 영기와 엑토플라즘이 교회 정중앙 바닥으로 빨려들기 시작했다.

주위의 망령들이 마치 거대한 해류에 휩쓸려 나가는 것처럼 빨려 들어온다. 이건 대체…….

"자… 그럼, 어디 네가 아낙스와 형제라는 사실을 증명해 보거라."

앙리 유이는 그리 웃으며 자신의 애무를 받고 있던 여인의 영을 놓아주었다.

쏴아아아!

변이한 뱀파이어들, 사이비 종교의 신자들 사이에 묻혀 있던 뱀파이어들이 엑토플라즘을 쏟아내기 시작했다. 마치 옛 영국

산업시대의 굴뚝처럼 콸콸 엑토플라즘을 토해내는 그들의 발밑으로 끔찍한 영체가 쌓여간다. 하지만 한세건을 중심으로 반경 7미터 내에는 전혀 접근하지 못한다.

"…대단하군. 무슨 모기 퇴치약 광고 같아."

강의찬이 솔직한 심정을 말했다. 이 상황에서 이런 비유가 나오나?

"나 참……. 이봐, 비스트 탄약을 좀 건네줘."

"어떤 건가?"

"가장 큰 탄환들, 유탄과 달리 박스에 안 들어 있어."

"이건가? 뭐, 이건 유탄 같구만."

더플백 안에서 큼지막한 탄환을 꺼낸 강의찬은 혀를 찼다.

"그거 비슷하지. 파란색 헤드들을 줘."

세건은 비스트 탄들을 받아 배낭의 슬링에 매달고 비스트에 탄을 장전했다. 그런데 그때였다.

"젠장!"

교회 안쪽에서 엑토플라즘의 유막을 찢고 서현이 웬 노인을 어깨 위에 걸쳐 메고 달려 나오는 게 보였다.

"뭐야?"

"피해!"

마치 폭주하는 황소에게 쫓기는 것 같다. 그리고 그의 뒤에서…….

콰지직!

거대한 인간의 팔이 튀어나왔다.

사슬과 방부포에 휘감긴 인간 여성의 말라비틀어진 미라가 교회의 벽을 부수며 튀어나온 것이다. 그런데 크기가 굉장하다. 상반신이 거의 교회 건물의 1층 높이만 하다. 지하에 얼마나 깊이 파여 있는 건물인지 모르지만 저런 건물 안에 들어 있을 수 없을 것이다. 그렇다면 거대화한 것인가?

"…성구?"

세건은 그 여성형 미라를 보고 문득 그걸 떠올렸다. 진마 유다가 몸에 결합한 채 다니던 프레스터 존의 성구 안에 있던 유해는… 과거 테트라 아낙스가 봉인한 릴리쓰였던 것이다. 릴리쓰는 그 성구 안에서 육체 안에 갇힌 채로 탈출하려 애를 썼으나 탈출하지 못했고, 이미 숨이 끊어진 그 육신은 릴리쓰의 영향을 받아 변이하여 뭐라 특정 지을 수 없는 끔찍한 괴물이 되었다.

그것인가? 저 여성형 미라를 보는 순간 세건은 성구와 연관 짓지 않을 수 없었다.

"큭!"

서현은 무시무시한 힘으로 지면을 할퀴며 달리고 있지만 도저히 속도가 나지 않고 있었다. 바닥에 빽빽이 깔린 엑토플라즘이, 그의 몸에 들러붙었다. 마치 껌에 달라붙어서 발버둥 치고 있는 벌레 같다.

"아, 제길! 알바해서 비싸게 주고 산 건데!"

서현은 으르렁거리며 발을 들어 올렸다. 엑토플라즘에 뒤덮인 끈적이는 짝퉁 캔버스화가 터지고 날카로운 발톱과 털에 뒤덮인 짐승의 발이 나타났다. 부분 변신… 라이칸스로프의 힘을 끌어내는 것은 테트라 아낙스와의 싸움에서 생명을 소진한 서현에게는 위험한 일이다.

"담배 피운 셈 치지!"

엑토플라즘이 뒤덮인 바닥을 발톱으로 찍고 서현의 몸이 날아올랐다. 방금 전과 달리 단번에 엑토플라즘들을 찢어발기고 무서운 속도로 달려온 서현이 한세건을 향해 날아든다.

"모기장 안으로 들어오려고 하는데?"

세건이 펼치는 반 엑토플라즘의 막… 을 강의찬은 모기장이라고 칭했다. 어째 어울리는 비유긴 하다.

"마음에 안 들어."

세건은 그리 말하고 서현을 향해 비스트를 겨누었다.

탕!

총성이라기보다는 유탄 발사기에 가까운 폭음과 함께 탄환이 날아갔다. 총탄은 서현의 두 다리 사이로 지나가 교회를 부수고 나타난 여성형 미라의 머리에 명중했다.

"야, 이… 어디다 쏘는 거야?! 위험하잖아?!"

그렇게 말한 서현이 공중에서 빙글 몸을 돌려 착지한다. 세건은 대답 대신 서현에게 USAS—12 샷건을 넘겨주었다.

"이 영감쟁이는 뭐야?"

"뭐긴 뭐야. 그 이사장이지."

"내 말은 열심히 살려서 건져 왔네 싶어서. 여기서 죽게 해서 자업자득을 완성하는 게 좋지 않나? 아니면 뭐야? 양심 불량 범죄자끼리 통하는 뭔가가 있나?"

세건은 당사자를 앞에 두고 왜 이런 놈을 살리냐는 폭언을 날렸다. 그러자 서현이 코웃음 치며 USAS—12 샷건을 들고 세건의 후방으로 접근해 오는 커럽티드들을 향해 난사했다.

"나보다 현상금 훨씬 많이 붙은 놈이 할 말은 아닌데 그래?"

커럽티드들에게 슬러그탄이 꽂히며 구멍이 뻥뻥 뚫린다. 이런 고질량탄을 연사하는 건 반동이 상당해서 맞히기 쉽지 않지만 서현은 한 손으로 권총처럼 잡고 연사하며 강의찬에게 수류탄을 받아 던졌다.

"저 여자 미라는 뭐야?"

세건은 비스트로 여자 미라의 팔꿈치를 정확하게 명중시켰다. 미라의 팔이 부러지면서 끊어지자 여자 미라가 비명을 지른다. 그녀를 중심으로 거대한 파문이 형성되면서 지면에 고인 물과 영체가 일제히 들끓는다. 하지만 그 파문이 세건에게 접촉한 순간 마치 바위에 부서지는 파도처럼 갈라지며 흩어진다.

"앙리 유이가 만든 거야. 릴리쓰를 만들려다 나온 실패작이지."

"…저런 걸 만들었단 말인가? 한국전쟁 후에?"

한세건은 한국인이지만 그에게도 한국전쟁에 대한 이미지는 빈약하다. 간접적인 체험에만 의존해야 한다는 점에서 외국인이나 한국인이나 한국전쟁에 대해 알고 있는 것이 그다지 다를 바가 없다. 그런 그에게 한국전쟁 후라고 하면 온통 폐허를 찍어놓은 흑백사진이 떠오른다. 빈약하고 부실한 이미지지만 크게 틀리진 않았을 것이다. 그런 불모지 상태에서 저런 어마어마한 걸 만들 수 있다니. 놀랍기만 하다.

"대단하군, 앙리 유이. 철저히 준비한 모양인데? 더 자세히 말해봐."

세건이 비스트를 장전하며 서현에게 요청했다. 서현은 그 말을 듣고 잠시 망설였다. 세건에게 과연 어디까지 말해야 할까? 적당히 숨겨서 돌려 말해? 그러나 곧 서현은 마음을 고쳐 먹었다.

"안에서 앙리 유이의 환영과 만났다. 놈이 원하는 건 너야."

"……."

너무나 예상외의 대답이어서일까? 한세건은 몸이 굳어버렸다.

"왜?"

"녀석이 저 릴리쓰를 만든 것처럼… 놈은 태초의 영을 만들려고 하고 있어. 네크로폴리스 사법사들의 오랜 비원이지. 그거에 비하면 현자의 돌도 시시한 업적이라던가?"

서현은 앙리 유이의 말을 그대로 옮겨 왔다. 납을 금으로 만들고 영생 불사의 힘을 준다는 현자의 돌도 막대한 금력을 가진 뱀파이어들의 입장에서 보면 전혀 매력적이지 못하다. 이미 그들은 피가 공급되는 한 영생 불사의 힘을 지녔으니까.

"태초의 영을 만들려 한다고? 그런데 왜 내가 필요한 거지?"

세건은 비스트를 발사해 다시금 여자 미라의 반대쪽 팔을 끊었다. 하지만 그사이에 미라, 릴리쓰 마이너 카피는 다시금 상처를 재생시켰다. 재생력이… 점차 빨라지고 있었다.

“전에도 말했나 싶지만 헌터들이 사용하는 사이키델릭 문에는 바로 사법사들의 비술이 들어 있어. 뱀파이어를 만들어낸 태초의 영의 파편을 인간에게 덮어씌워서 정신과 육체, 영체의 강화를 이루는 게 사이키델릭 문의 핵심 기능이야. 물론 그렇게 태초의 영의 파편을 덮어씌우다 보면 오염되어… 폭주해 커럽티드가 되거나 망령들에 사로잡혀 미쳐 버리는 혼팅에 빠지지. 하지만 너처럼 만약 그중 살아남는 놈이 있다면?”

“있다면?”

“뱀파이어의 혈액을 통해 계승되는 태초의 영의 파편들을 정제하는 거대한 정제 도구가 될 수 있지. 앙리 유이가 널 붙잡으면 지금보다 더 많은 사이키델릭 문을, 어쩌면 다른 진마들의 피를 너에게 퍼부어 그들의 피에서 태초의 영을 정제하는 거대한 거름막으로 쓸 거다.”

잠깐 상상해 본다. 뱀파이어에게 사로잡혀서 몸에 온갖 약물을 주입받으며, 산 채로 그것들을 위해 영적인 파편을 정제하는 도구가 된다니… 문득 사혁에게 사로잡혀 피 만드는 도구로 전락했던 뱀파이어들이 떠올랐다. 선악을 초월해 뱀파이어들을 경멸하기로 마음먹은 세건이지만 그날 보았던 광경은 여전히 불쾌하고 끔찍한 기억으로 남아 있었다.

그 꼴이 될 수도 있다 이건가?

“젠장.”

세건은 도폭선을 펼쳐 재생하려는 릴리쓰 마이너 카피의 양팔을 휘감았다. 세건이 도폭선을 점화시키자 미라가 비명을 지르며 앞으로 쓰러지고 나무가 걸려 우드득 소리를 내며 부러진다.

아아아아아!

여자 미라가 비명을 지르자 다시 지면이 끓어오른다. 커럽티드들이 호응해서 꾸역꾸역 새하얀 엑토플라즘을 토해내고 그 엑토플라즘이 들끓다가 마치 가시처럼 솟구쳐 오른다. 아직 남아 있던 인간의 시체들이 그 엑토플라즘 가시에 찔려 고슴도치가 되는 걸 보면 굉장히 위험한 공격이다. 이미 이 일대가 전부 엑토플라즘과 영체에 휘감겨 있어 피할 곳도 없다.

다만… 이 엑토플라즘과 영체가 한세건 근처에는 전혀 오지 않아서 엑토플라즘이 가시가 되든 창이 되든 세건에겐 아무런 효과가 없었다.

"이건 또……."

덕분에 살긴 했지만 마냥 기뻐할 수는 없는 일이다. 엑토플라즘 마스크는 제대로 작동하는데 어째서 이런 일이 벌어지는 것일까?

"이것 때문인가?"

세건은 혼팅을 끌어 올렸다. 뱀파이어와 어둠의 마법에 의해 희생된 자들의 원령, 시간이 흐르고 세월이 지나도 뱀파이어의 저주받은 피에 구속당한 원령들의 집합체라고 여겨지던 것이다. 그것은 검은 영기로 변해서 세건의 주위를 맴돌았다.

그러자 과연, 세건과 서현을 둘러싼 엑토플라즘과 원령들이 한 걸음 더 물러났다. 이유는 명확하다. 세건을 사로잡고 있는 혼팅이 다른 영체들의 접근을 차단하는 것이다. 게다가…….

세건은 녹티스의 주술 코어를 검에 이식하고 휘둘렀다. 혼팅이… 세건에게 복속된 울부짖는 망령이 질주했다. 망령은 달군 칼로 버터 자르듯 숭덩숭덩 엑토플라즘들을 잘라가며 7미터 이상 뻗어나갔다.

"진마 유다는 릴리쓰의 변이체로 인해서 태어난 존재고 그가 쓰던 무기 중 녹티스, 저주받은 마검은 태초의 영이던 릴리쓰가 성구에 갇혀 있을 때 함께 저주받은 물건이다. 네게 있는 것들 전부 다… 앙리 유이가 끔찍이도 좋아하는 태초의 영과 관련된 것들이야."

서현은 그 점을 지적했다.

"김성희, 그 여자를 얼마나 믿을 수 있지?"

"……."

얼마나 믿을 수 있느냐고 묻는다면 복잡하다. 세건은 누구도 깊이 믿지 않기로 결심했지만 김성희는 마법을 배운 사제지간이기도 하고 자신이 뱀파이어화되어 자살하기 직전에 막아주기도 했다. 하지만…….

그 결과가 사법사 앙리 유이가 원하는 대로라니?

"그 여자는 앙리 유이와 같은 계통은 아니다."

강의찬이 대신 답해주었다.

"그럼 한세건이 이렇게 된 건 순전히 우연인가?"

"…그건 뭐라고 말할 수 없겠군. 저 여자 유령을 처치해 주면 말해줄지도 모르겠는데?"

강의찬은 아직도 포기하지 않은 모양이다. 그러나 서현과 세건은 강의찬의 말을 듣고 냉정해졌다. 무지막지하게 궁금하긴 하지만 왠지 강의찬에게 낚이긴 싫었다.

저 여자 유령이 살아 있는 한 강의찬에게 안식의 날은 없다. 대놓고 앙리 유이에게 결별을 선언한 강의찬으로서는 서현과 한세건을 부추겨 여자 유령을 처단하는 게 자신의 안녕을 위해서 반드시 필요한 일이었다. 하지만 서현은 코웃음 쳤다. 강의찬이 죽든 말든 강의찬의 일이지, 서현이 여기서 그의 숙면을 위해 괜히 모험을 할 이유가 없었다.

"뭐, 돌아가서 그녀에게 직접 물어봐도 되겠지."

서현은 그렇게 말했고…….

"…저 릴리쓰 마이너 버전이랑 직접 붙는 건 피하고 싶은데?"

세건도 강의찬의 미끼를 물지 않았다. 그러는 사이에 여자 미라는 재생을 거듭했다.

"복잡한 심경이군. 위험해. 좋지 않아."

과거 성구를 몸에 박아 넣은 사혁과의 사투에서 세건이 얼마나 위험한 상황에 처했던가. 저것이 비록 성구를 흉내 내 만든 앙리 유이의 작품, 가짜라 하더라도 만만치 않다.

저것과 무수한 커럽티드, 그리고 죽은 자들의 영이 들끓는 강 옆의 폐촌은 살아 나가기 힘든 함정이었다. 그런 함정을 무사히 돌파할 수 있는 힘이 세건을 사로잡고 있는 저주라니 아이러니하다.

"뭐, 좋게 생각해. 앙리 유이랑 대면도 했겠다, 이제 이곳에서 더 알아낼 건 없을 거야. 교회는 부서졌고… 이만 이탈하지?"

서현은 가짜 성구가 난동을 부리며 박살 낸 교회를 가리켰다. 반쯤 썩어 있던 폐목으로 만들어진 교회는 정말 누군가 건드려 주길 기다리고 있었는지 산산조각 나서 붕괴해 있었다. 이미 앙리 유이의 일지는 강의찬에게 받았으니 여기서 굳이 이것들과 싸울 이유가 없다. 안 싸우고 내버려 둔다고 해도 폐촌이니 민간인이 희생당할 일도 없다. 여기선 물러나는 게 현명하지 않겠는가?

"괜히 무리하지 말고 피하자고. 만약 여기서 한세건을 저 사이코 뱀파이어에게 빼앗기면 그게 바로 저놈들이 원하는 대로 이뤄지는 거야. 아, 진짜. 그러고 보면 당신은 왜 우리에게 왔지?"

서현은 강의찬에게 의심의 눈초리를 보냈다. 한세건을 끌어들이기 위한 미끼가 아니었는가? 그렇게 의심하는 것이다.

"날 빼앗니 어쩌니 말하는 게 매우 기분 나쁜데?"

세건이 투덜거렸다. 앙리 유이가 자신의 몸을 노린다… 고 생각하니 절로 소름이 돋는다.

"어이구, 여건이 그러하니 이 이상 나은 표현이 없네요. 라푼젤."

서현이 빈정거렸다.

"…우리 이제 서로서로 무의미한 말싸움, 감정싸움은 그만하지? 전범."

지금 둘이 입씨름할 때가 아니다. 세건은 양팔이 잘린 릴리쓰 마이너 카피를 피해서 후방에 조명탄을 던졌다. 뱀이 몸부림치는 것 같은 소리를 내며 조명탄이 불타오르자 엑토플라즘과 안개가 타들어가고 유령들이 물러난다. 이 유령들은 물에 가까운 놈이기에 불의 속성에는 굉장히 취약한 것 같았다.

"응, 그러지. 왕자병 환자."

서현도 강의찬에게 조명탄을 받아 휙휙 던져서 퇴로를 확보했다.

"라이칸스로프의 왕자라는 놈에게 왕자병 환자란 소리를 듣다니 나도 끝장이군."

한세건은 강의찬에게 들려준 더플백의 안에서 남아 있는 탄약들을 받았다. 이제 남은 건 도폭선 한 롤뿐이다. 더플백이 커 보이지만 탄약을 넣기에는 턱없이 부족한 것이었다. 탄약차로 탄약을 잔뜩 실어와도 쓰면 금방 쓰는 법.

"끝장 맞지. 끝장이라는 걸 이제 인식했나?"

서현과 세건의 손발이 맞물려 가는 것과 반대로 말싸움은 점점 심해지고 있었다. 그걸 본 강의찬이 투덜거렸다.

"너희 사실 사이좋지?"

"아니거든?!"

"닥쳐."

서현과 세건은 그렇게 부정했다.

"그 선교사, 앙리의 다른 비밀 아지트를 알고 싶지 않나? 저 여자 유령을 처단해 주지 않으면 그걸 알아낼 수 없을걸?"

강의찬은 저 여자 유령, 윈슬렛을 제거하지 않으면 두 다리를 쭉 뻗고 자지 못할 처지였다. 그래서 서현과 한세건을 자극해 저것을 완전히 제거하고 싶어 한다. 하지만 이미 서현과 세건은 강의찬의 몸이 달아오르게 하기로 작정한 상태였다.

"그걸 당신이 알 리가 없어. 선천적 포커페이스라고 너무 블러핑이 심하군? 사타구니 한 대 더 차줘?"

서현이 그리 말하자 이번엔 조복래가 나섰다.

"저, 저도 부탁드립니다. 제발… 저 여자 유령을 제거해 주시면 제 전 재산을 다 드리겠습니다. 살려주십시오."

"…애초에 구해줄 때 당신 전 재산 다 내놓기로 했잖아? 왜 단서가 더 붙나?"

서현은 그리 말하고 스테인리스 도끼를 집어 들었다. 설마 저걸로 조복래를 내려치려는 걸까? 조복래는 겁을 집어먹고 손을 들어 얼굴을 가렸지만 서현은 길가에 서 있는 폐촌의 건물 벽을 후려쳤다. 폐건물이 우르르 무너지고 지붕의 슬레이트를 지탱해 주던 녹슨 빔 한 줄이 남았다. 약 4미터 길이의 꽤 긴 빔이었다. 서현은 그걸 집어 들어서 머리 위로 치켜들었다. 얼추 보아도 200킬로그램은 나갈 것 같은 커다란 빔을 한 손으로 집어 든 그가 투척할 자세를 취했다.

꺄아아아악!

릴리쓰 마이너 카피가 울부짖는다. 하지만 서현은 도움닫기를 하면서 한세건의 옆을 지나쳤다. 한세건에게 걸린 저주, 혼팅의 힘이 저 릴리쓰의 포효를 막아내고 그 틈으로 서현이 뛰쳐나갔다.

"흡!"

서현이 철빔을 던지자 그것은 마치 투창처럼 날아가 그대로 릴리쓰 마이너 카피를 관통했다. 깜짝 놀란 릴리쓰 마이너 카피가 손발을 휘저으며 버텼지만 그 집채만 한 몸이 뒤로 주르륵 밀려날 정도의 위력이었다.

쿠르르릉!

릴리쓰 마이너 카피의 몸이 거의 담만 남은 폐옥에 충돌해 붕괴한다. 조복래는 입을 쩍 벌리고 벌벌 떨었다. 저 무거워 보이는 철골을 투창처럼 집어 던지다니 말도 안 되는 괴력이다.

하지만 정작 이런 성과를 거둔 서현의 표정은 어두웠다.

"이런… 시원찮네."

릴리쓰 마이너 카피, 윈슬렛이라 하는 앙리 유이의 피실험체는 서현이 던진 철골에 몸통을 관통당했음에도 불구하고 손으로 땅을 짚으며 일어났다. 그리고 다른 팔로 가장 가까이에 있는 커럽티드를 찍었다.

콰직!

그녀의 손가락에 의해 커럽티드가 짓이겨지며 선혈과 피가 튀었다. 커럽티드는 그 정도 공격을 당한다 해서 이상이 있을 리 없지만 이번에는 달랐다. 커럽티드가 조각나며 그 피와 살점이 남김없이 윈슬렛에게 흡수된 것이다.

지금까지 커럽티드는 그 스스로 붕괴할 때까진 손쓸 수 없다는 게 정석이었다. 물론 계속해서 공격을 감행하면 커럽티드는 결국 붕괴한다. 커럽티드를 만드는 힘이 바로 재생력이기 때문이다. 재생력을 계속 발동시키면 발동시킬수록 커럽티드는 점차 인간의 형상을 벗어나게 되고 마침내 파멸하게 된다.

한세건은 커럽티드를 여러 차례 상대해 봤지만… 저렇게 마치 원래 윈슬렛의 것이었던 듯이 흡수되는 건 본 적이 없었다. 이런 걸 앙리 유이가 만들었단 말인가? 태초의 영, 사법사들의 신을 만들기 위해?

"그리고 내가 저놈들에게 필요한 파츠라 이건가? 이건… 심란하군."

월야의 세계에 처음 뛰어들었을 때 한세건은 철저한 변방의 인물이었다. 진마 적요와 창운의 지긋지긋한 싸움, 그 싸움의 전초전으로 모여든 흡혈귀들이 흘린 구울 몇 마리 때문에 벌어진 희생, 뱀파이어들 입장에서 보자면 그야말로 의도치 않은 부수적인 피해에 불과했다. 길 가다 개미를 밟아 죽인 정도에 불과한 일……. 그렇기 때문에 세건은 악착같이 이 세계에 뛰어들어서 미친 달의 세계에 걸맞은 마수로 거듭났다.

그렇지만 그럼에도 불구하고 세건은 항상 헌터로서 부외자였다. 테트라 아낙스는 공식적으로 헌터들의 존재를 언급하지도 않았다. 설령 실베스테르나 한세건에 의해서 진마가 살해당하고 그들의 유구한 혈통을 단절시킨다 하더라도 테트라 아낙스는 철저히 헌터를 무시해 왔다.

그런데 이제 상황은 급변했다. 앙리 유이는, 그리고 그 추종자들은 한세건을 노릴 것이다.

'왜 서린이 서현을 나에게 붙여두었나 했더니만… 그래서

였나?'

테트라 아낙스의 패권에 도전하는 앙리 유이, 그와 그의 추종자들이 한세건을 노릴 것을 염려해서 서린은 서현을 불러들인 것이다.

'쓸데없는… 내가 죽더라도 저런 라이칸스로프 놈에게 의존할까?'

한세건은 이 세계에 뛰어들 때 철저한 복수자로서 살기 위해 자신을 스스로 단절시켜 왔다. 이제 와 목숨이 아까워 그 신념을 꺾을 거라면 애초에 이 세계에 투신하지도 않았을 것이다.

그는 스테인리스 도검을 빼 들고 그것에 녹티스의 주술 코어를 불어넣었다.

녹티스 코어를 발동시키자 세건을 사로잡고 있는 혼팅이 격렬히 강력해지며 그의 주위를 에워싸고 있던 안개와 망령들이 더더욱 뒤로 물러났다. 저주가 더 강력해진 것이다.

꺄아아아!

릴리쓰를 흉내 내어 만들어진 윈슬렛이 비명을 질렀다. 그녀로부터 엑토플라즘이 얼어붙어 생긴 거대한 가시가 흡사 창날처럼 튀어나와 서현과 세건을 노리고 날아들었다. 커럽티드를 흡수한 그녀의 몸에서 발사되는 엑토플라즘은 그야말로 총탄과 같다. 세건은 날아드는 창날을 쳐올리며 몸을 숙였다.

쿠르르릉!

엑토플라즘의 창이 땅에 꽂히며 바위와 토사가 튀어 올랐다. 세건의 손에 들린 싸구려 도검은 단번에 부러졌지만 그럼에도 불구하고 세건은 무사했다.

“어쩌지? 담배 한 보루 피운 셈치고 능력을 써서 죽일까?”

서현은 그런 세건에게 물어보았다. 카타볼릭 상태에 빠진 서현에게 능력을 쓰게 하는 건 그를 죽이는 일이다. 세건의 입장에서라면 서현이 그렇게 자신을 소모해 주는 건 좋은 일이다. 어차피 세건은 서현을 잠재적인 적으로 보고 있었으니 이 기회에 더 고갈시키는 게 좋겠지.

그러나 세건은 고개를 가로저었다.

“보트로 빠진다!”

세건은 글록을 꺼내 후방을 향해 연사하면서 빠져나갔다.

서현과 세건이 타고 온 보트는 강가의 안개에 사로잡혀 있었다. 안개와 엑토플라즘 더미들 안쪽에는 산기슭과 강물에서 올라온 망령들의 형상이 보이는데 이 망령들은 총에는 전혀 영향을 받지 않았다.

“젠장! 이게 무슨 짓이야?”

서현은 스테인리스 도끼를 옆으로 잡고 부채처럼 휘둘러 바람을 일으키며 망령들을 뒤로 밀어 보냈다.

“뭐긴 뭐야. 선풍기 짓이지.”

세건은 그리 말하고 글록 18을 3점사로 쏘면서 차근차근 걸어 나왔다. 희한하게 세건의 공격은 망령들에게도 충분한 효과를 보였다.

“보트 준비해.”

세건은 글록의 탄창을 교체하면서 서현에게 말했다. 서현은 이미 보트에 다가가 인근의 망령들을 떨궈내고 위장용 방수포를 걷어낸 뒤 배에 올라탔다.

"올 때는 세 명이었는데 갈 때는 네 명이군. 괜찮은가?"

"괜찮아, 이 노인이 그 탄약보다 가벼우니까."

세건은 조복래를 배에다 던져놓고 자신도 올라탔다. 그러는 사이에 다른 커럽티드를 흡수한 윈슬렛, 릴리쓰 마이너 카피가 무서운 기세로 다가오며 엑토플라즘 창을 쏘아 보냈다. 여성형 미라의 가슴 사이에서 두꺼운 유백색의 엑토플라즘 창날이 쏘아져 나오는데 그 속도가 어찌나 빠른지 어둠 속에서 희뿌연 전광이 번뜩인 것 같았다.

하지만 서현은 보트를 덮어두고 있던 방수포를 휘둘러 날아드는 창을 쳐냈다. 반동으로 보트가 팽이처럼 돌며 수면 위를 미끄러져 갔다.

"읍……."

조복래가 참지 못하고 토하려 한다. 그러자 강의찬이 잽싸게 손을 뻗어 조복래의 머리를 뱃전 밖으로 내밀었다.

"나이스."

"…별거 아니다."

강의찬은 서현의 칭찬을 대수롭지 않게 받아쳤다. 그러나 이제 문제는 심각해졌다. 릴리쓰 마이너 카피가 계속 추격해 오고 있는데 이젠 발판이 보트 하나뿐이다. 서현이 방수포를 붙잡고 마치 투우사가 물레타로 소를 유도하는 것처럼 쳐내고 있지만 그때마다 보트가 삐걱거린다. 저 무시무시한 창을 받아내는 것만으로도 대단한 일이지만 그때마다 충격으로 보트가 비명을 지르는 게… 이대로는 얼마 지나지 않아 부서질 것이다.

좌악!

보트의 밑전이 갈라지고 물이 콸콸 들어온다. 게다가 릴리쓰 마이너 카피는 물속이어도 아랑곳하지 않았다. 강물이 유속도 느리고 수심도 얕은지 성큼성큼 빠르게 걸어 들어온다.

"댐 쪽으로 피하겠다!"

세건이 서현 대신 페달을 움직여 워터제트 추진기를 돌리기 시작했다.

"댐 쪽으로? 상류잖아?"

게다가 그쪽으로 가면 댐에 막혀서 끝장일 텐데? 그런 의문을 품었지만 서현은 날아드는 창을 방수포로 쳐내야 하는 신세였다. 세건이 배의 움직임을 장악한 지금 불만을 품었다 하더라도 어쩔 수가 없이 세건이 가는 대로 끌려갈 수밖에 없었다.

"윽!"

서현은 날아드는 엑토플라즘 창을 피했다. 쳐내지 않아도 될 창이 지나가며 물에 떨어지자 거대한 물기둥이 치솟아 올랐다. 그래도 배를 전복할 정도는 아니다. 창 형태는 빠르게 물의 표면 장력을 자르고 들어가기 때문에 일단 꽂혀도 파문이 그렇게 크진 않았다.

그래도 해전 영화의 배가 된 기분이다. 사방팔방에서 물기둥이 치솟아 오르고 그사이에 배에 정확히 꽂히는 공격들도 날아들었다. 서현은 공격들을 쳐냈지만 그때마다 방수포가 너덜너덜해지고 있었다.

"젠장! 방수포는 너무 얇아!"

서현의 특수 능력인 '물레타'는 날아온 운동에너지를 각 섬유 전체의 진동으로 바꾸어 흡수하는 것으로 섬유가 촘촘하거나 많으면 좋다. 가격 대 성능비로 따지면 양모가 가장 최적이라고 할 수 있고 가격대 성능비를 따지지 않는다면 마닐라 삼이나 케블라, 폴리아미드로 만들어진 섬유로 짠 천이 최적이었다. 나일론사에 방수액을 발라 만든 싸구려 방수포의 한계는 명확했다.

서현이 몇 차례 창을 받아내자 방수포가 찢어졌다. 그때마다 세건은 아이스링크 위를 미끄러지는 피겨스케이트 선수처럼 우아하게 미끄러지는 보트를 제어했다. 그러는 사이 댐이 가까워졌다. 지금까지는 공간을 활용해 어떻게든 피해 다니며 공격을 버텼지만 이제 더 이상 도망갈 곳도 없다.

"윽… 이거 찢어지면 찢어질수록 힘들어져! 댐까지 왔잖아! 뭔가 해봐!"

"아아, 곧이다!"

세건은 그리 말하고 보트의 안에 두었던 밧줄을 기슭으로 던졌다.

꺄아아아아!

릴리쓰 마이너 카피는 다시 비명을 질렀지만… 그 순간 그녀의 벌어진 입을 향해 거대한 물줄기가 뿜어져 나갔다.

아침이 다가오면서 전력 사용량이 늘어나자 댐의 수문이 열리고 물을 배출하기 시작한 것이다. 수력발전용 댐의 수문에서 나오는 물은 단위 압력이 낮아 워터제트 절단기처럼 콘크리트를 자르지는 못해도 수량이 엄청나다. 어마어마한 운동에너지가 거구의 릴리쓰 마이너 버전을 덮치기 시작했다.

찌지직!

물의 힘을 이기지 못한 그녀는 아래턱만 남고 위턱과 머리 부분이 찢어져 떨어졌다. 그것뿐만이 아니다. 유속이 빨라지면서 강물을 찍고 추격해 오던 릴리쓰 마이너 카피의 몸이 허우적거리다 물살에 구르기 시작했다. 가뜩이나 거대한 몸이라 물의 저항력도 크다.

"물 위에 떠 있는 우리는 빠른 유속의 영향을 덜 받지만 물에 잠긴 채 걸어온 저거에겐 치명적이지."

세건은 그리 말하고 보트에 남겨져 있던 TNT 바들을 들어 신관을 장입했다. 그리고 물살에 떠밀려 가는 릴리쓰 마이너 카피의 몸에 집어 던졌다.

길가에 주차되어 있는 픽업트럭 한 대에는 땀과 물에 흠뻑 젖어 엉망진창이 된 네 명의 남자가 달라붙어 있었다.

"그러니까 테트라 아낙스는 나를 앙리 유이에게서 지키기 위해 네놈을 붙여놓은 거로군."

세건은 서현을 바라보며 그렇게 말했다. 이미 엉망이 된 보트에서 내려서 차로 온 서현은 어깨를 으쓱해 보였다.

"자세히는 모르지만 널 부탁한다는 소리를 듣긴 했었지."

"…내 대답은 물론 알고 있겠지?"

"응, 이거?"

서현은 양손의 중지를 세워서 세건에게 보여주었다. 세건의 답을 알고 있냐고 물었으니 이것은 세건의 말일 텐데… 서현이 먼저 선수를 친 것이다.

"……."

뱀파이어 주제에 착한 척, 친한 척, 생각해 주는 척 달라붙는 서린의 태도를 이해할 수가 없다.

아니, 이해 못 하는 건 아니다. 사실은 알고 있다. 그래. 서린은 그냥 포지티브하고 착한 아이일 뿐이다. 유복한 환경에서 삐딱하게 자라난 한세건에 비하면 가난한 환경에서 밝고 구김살 없이 자라난 서린을 되레 칭찬해 주어야 할 것이다.

하지만 그걸 이해해 버리면 한세건을 한세건으로 만들어주는 것이, 지금까지 극한 상황에서 세건을 지켜왔던 힘이 사라져 버린다. 한세건 자신에게 건 금제, 맹세, 그 모든 것이 전력을 다해 서린을 부정하라고 외치고 있었다. 당연히 서린의 계획하에 있는 이 녀석도…….

"꺼져. 나는 네놈이랑 얽히지 않겠다, 라이칸스로프."

세건은 그리 말하고 차에 올라탔다. 그러자 강의찬이 아무 말 없이 원래 서현이 타고 왔던 조수석에 탔고 조복래가 그 뒷좌석에 올라탔다.

"…설마 여기에 날 버려두고 가려는 건 아니겠지?"

서현이 그리 묻자 세건은 한숨을 내쉬었다.

"타라, 병신아. 설마 내가 그렇게 쪼잔하겠냐?"

"이야, 역시 앙리 유이도 넘보는 월야의 인기남. 마음씨가 비단결 같구나. 그러니 남들보고 반하지 말라는 것도 왕자병이 아니라 진심 그들을 걱정해서……."

그 순간 한세건의 픽업트럭이 풀 액셀로 튀어나갔다.

서현을 뒤에 남겨두고…….

서현은 그 모습을 바라보고 머리를 긁적였다.

"큰일이군."

지금은 웃고 있지만 앙리 유이가 보인 모습, 그가 준비한 기간을 볼 때 이번 일은 절대 쉽게 끝나지 않을 것이다. 어쩌면… 밤의 주민뿐만 아니라 현세의 인간까지 모조리 이번 일에 의해 파멸당할지 모른다.

테트라 아낙스가 지금까지 지켜왔던 월야와 현실의 경계, 그 경계가 무너지리라.

5

남자는 아웃로 흡혈귀였다. 원래 평범한 인간이었던 그는 자신의 딸이 최근 이상한 무리에 이끌려 나가는 것을 탐탁지 않게 여겼다. 그래서 하루는 직접 그녀를 자신의 차로 미행했고… 딸아이가 이상한 이들에게 피를 빨리는 것을 목격했다.

아름다운 여성은 뱀파이어들에게 있어 매우 매력적인 존재. 한정된 클랜 멤버 수를 채우고자 한다면 당연히 아름다운 젊은 여성을 선호하는 이가 많았다. 그의 딸은 그런 이유로 희생당한 것이다.

하지만 그렇게 해서 뱀파이어가 된 소녀는… 자신이 가지게 된 영생 불사의 비밀을 이해받기 위해 자신의 가족이자 부모인 아버지에게 피를 나누어 주었다. 절대로 사사로이 뱀파이어를 늘리지 마라는 금기를 어기고……. 아버지가 정신을 차렸을 때는 그 역시 뱀파이어가 되어 있었다.

“아빠…….”

“루시… 이… 이건 대체…….”

“우린 이제 뱀파이어야, 아빠. 영원히 죽지 않고 살 수 있다고.”

“오… 루시… 맙소사. 무슨 짓을 한 거냐, 내게?”

독실한 침례교 교인인 남자는 자신이 신성모독의 존재가 되었다는 사실에 전율했다. 하지만 그의 딸이 그를 뱀파이어로 만들지 않았다면 딸의 젊음과 아름다움을 탐하는 다른 뱀파이어들이 그를 찢어 죽였을 것이다. 흐릿한 기억 속에서 그도 그 장면을 떠올리고 딸을 탓하는 걸 그만두었다.

“난… 단지 아버지를 위해서… 내가 그러지 않았으면 톰이랑 윌이 아버지를 죽였을 거야!”

“불쌍한 루시. 얼마나 고통스럽고 당황했니. 이해한다. 미안하구나. 널 탓하는 게 아니란다. 하지만 이 아버지는 직장이 있잖니. 내일도 출근해야 하는데."

태양광이 뱀파이어를 훼손시킨다, 그런 것은 서브 컬처에 관심이 없는 독실한 침례교인도 알 만한 믿음이었다. 뱀파이어의 모든 설화에서 뱀파이어는 태양에 의해 파멸을 맞이한다. 하지만 그의 딸 루시는 밝은 미소를 지었다. 날카로운 송곳니가 그녀의 귀여운 입술 아래로 번뜩인다.

"괜찮아, 아빠. 뱀파이어라고 해서 햇빛에 쓰러지지 않으니까. 이 약만 있으면……."

소녀는 작은 플라스틱 약병을 들어 보였다. 아무런 라벨도 붙어 있지 않은 그 약병을 보면서 남자는 왠지 전율했다. 그를 뱀파이어로 만든 자들이 아직 저 어둠 속에서 눈을 번뜩이고 있었지만 그들보다 더… 소녀의 손에 들려 있는 약병에 두려움을 느꼈다.

거대한 악이, 그의 믿음을 우습게 여기는 이단의 존재가 어둠 속에서 꿈틀거리기 시작했다.

第7夜

Wolf Pack

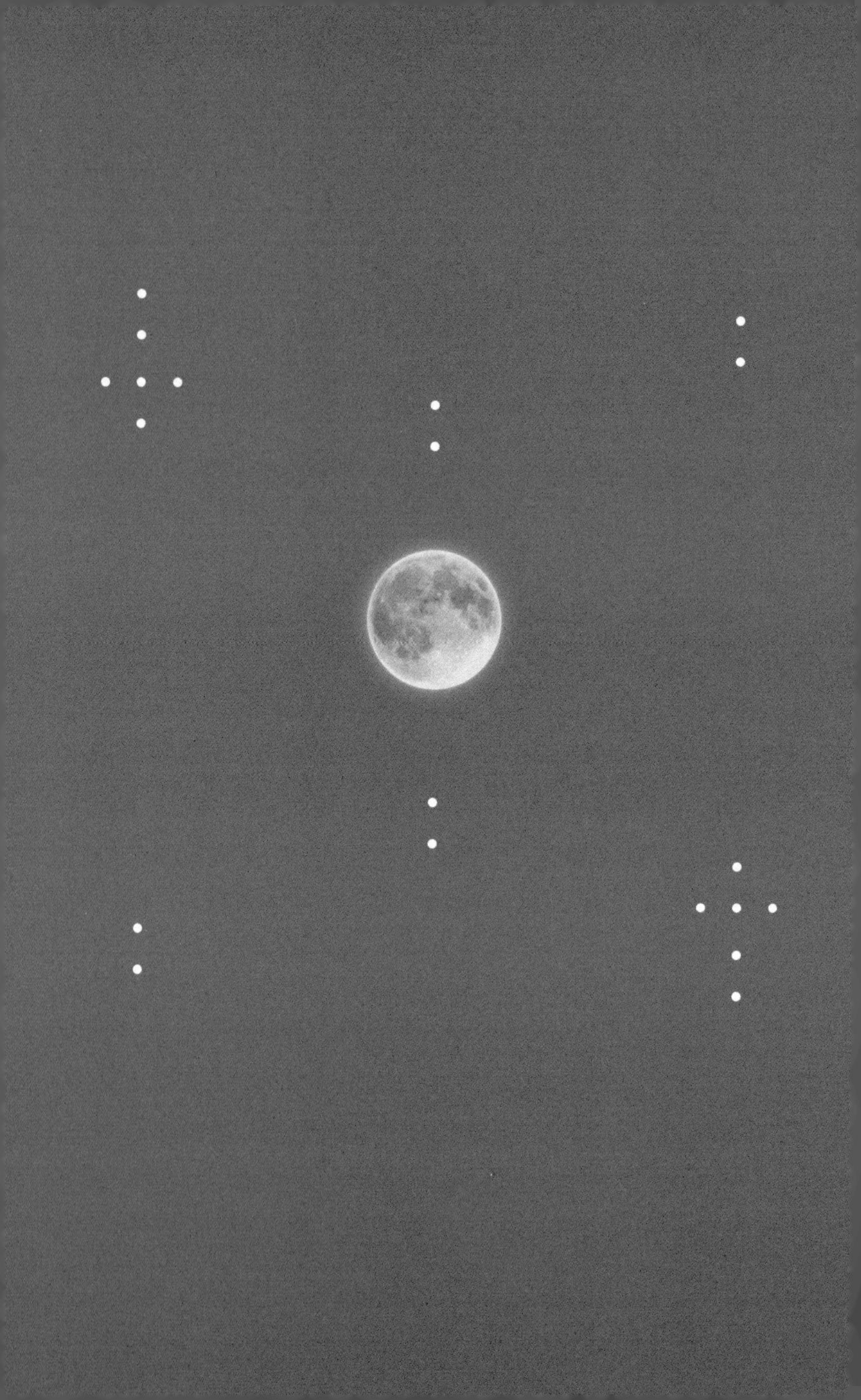

1

어두운 밤, 달도 별도 뜨지 않은 컴컴한 길에 세건은 서 있었다.

본능적으로 세건은 이것이 집으로 돌아가는 길임을 깨달았다. 늘 꾸는 악몽, 집에 돌아가 온 가족이 몰살당한 그때를 반복한다. 이미 그 집은 숙부의 손에 넘어갔고, 벌써 몇 년이 지났는데도 여전히 그날은 생생하게 세건에게 반복된다.

난 이것에 상처받지 않았어. 왜냐면 난 가족을 그렇게 사랑하지 않았으니까.

세건은 스스로에게 그렇게 속삭였다. 실제로 그는 온 가족을 단 하루 만에 잃어버린 사람치고는 너무나 멀쩡하게 살았다. 아, 물론 서울 도심 한복판의 건물을 폭탄으로 날려 버리는 걸 멀쩡하다고 할 수는 없겠지만… 슬픔에 쓰러질 만큼 가족을 사랑하지 않았다.

그렇기 때문에 세건은 다시 이 악몽을 진행해 나간다. 참 웃긴 일이다. 몇 년이 지났는데도 그날의 물건들 배치 하나하나가 다 선명하게 기억난다. 악몽을 되새기고 되새기면서 이제는 어느 게 현실이고 어느 게 환상인지 모를 정도다. 이 생생한 현장감에 비하면 현실이 도리어 무색할 정도다.

"어서 와, 나의 친구."

그곳에는 사혁이 죽어서 말라비틀어진 여성의 미라를 붙잡고 인형처럼 다루고 있었다. 사혁, 거구의 올백 머리 남자가 음흉한 미소를 짓고 있다. 하지만 능글맞아 보여서 그렇지, 싫지는 않다. 어느 쪽이냐 하면 미워할 수 없는 인상?

그렇지만 세건은 그를 보고 한껏 경멸했다.

"…언제부터 내가 당신 친구지?"

"나는 어린이의 친구고 넌 아직 어린이지. 부모님의 죽음에서 여태 졸업하지 못했으니까."

"이제 졸업하고 싶어. 이 짓도 지긋지긋하군."

"그렇게 말해도. 졸업장이라도 줄까?"

"……."

대답 대신 세건은 권총을 사혁에게 겨누었다. 하지만 사혁은 미동도 하지 않았다.

"너도 알고 있겠지만 이건 꿈이야. 꿈이 아니더라도 나는 권총 따위로는 죽지 않아."

"하… 관두지. 지긋지긋한 환상, 지긋지긋한 악몽……."

세건은 사혁을 무시하고 앞으로 걸어 나갔다. 그는 옛날처럼 집의 문을 열고 안으로 들어간다. 정원등이 부서져 있고 어디선가 스산한 소리가 들려온다.

"멍청한 동생아. 쯧쯧……."

정원에서 집 현관으로 올라가는 계단에는 머리가 터진 채로 웃고 있는 형의 모습이 있었다.

"세건아, 넌 아직도 이해를 못 하는구나. 이건 네 죄책감이야."

"……."

세건은 형의 시신을 바라보면서 말없이 문을 열었다. 안에는 부모님의 시신을 물어뜯은 잔다르크, 세건의 집의 애완견이 있었다. 잔다르크는 뱀파이어에게 물리면서 완전히 죽었으나… 추격자들을 막겠다고 잔재주를 부린 뱀파이어에 의해 그 피의 일부가 들어가 괴물, 구울로 변해 있었다.

과거 세건은 저것과 사투를 벌였지만 지금의 세건에겐 아무것도 아니다. 잔다르크가 세건의 목줄기를 물어뜯으러 덤벼들었지만 세건은 가볍게 몸을 뒤로 빼며 공격을 피한 뒤 앞으로 몸을 내던지며 스트레이트를 날렸다. 무에타이식의 모든 걸 꿰뚫는 창 같은 스트레이트는 단 일격으로 체중 10킬로그램의 성견을 으깨 버렸다.

하지만 그럴수록 혐오감은 더욱더 커진다. 이미 구할 수 없는 일, 돌이킬 수 없는 일에서 이렇게 활약해 봐야 죽은 이들이 돌아오진 않는다.

"멍청한 동생 녀석."

형은 세건을 바라보며 끌끌 혀를 찼다.

"그때의 너는 평범한 고등학생이었어. 죽지 않은 것만 해도 대단하지. 그리고 이 형님이나 부모님은 네가 이런 일에 얽매여서 인생을 망가뜨리는 걸 원하지 않아. 아, 그건 이미 망가뜨려 버렸나? 수배범 신세가 되었으니……."

"닥쳐. 형이 말하는 것도 결국 내가 나에게 말하는 거잖아? 형의 모습으로 날 편하게 하려고 하지 마!"

세건은 형을 돌아보았다.

"그것참……. 그냥 내가 유령이라고 생각하면 편하지 않겠니? 형의 영이, 가족의 영이 널 찾아와서 널 용서했다고, 네 행복을 기원한다고 생각하면 너도 편하잖아? 그리고 내가 이런 말하긴 그렇지만 난 진짜라고?"

"……."

그러면 좋겠다.

"네가 왜 스스로를 용서 못 하는 줄 잘 알고 있어. 넌 부모님이 죽었을 때 그게 전혀 와닿지 않았던 거지. 왜, 다른 사람들은 부모가 죽고 가족이 살해당하면 대성통곡하는데 그렇게 순수하게 마냥 슬퍼할 수가 없으니까. 아버지가 좀 강압적이긴 했지. 그래서 너 자신에게 실망했을 뿐이야. 그런데 사실… 인생은 드라마가 아니야. 네가 본 것은 결국 드라마나 영화에서 본 남의 인생이지, 네 인생은 아니잖아?"

정말 그랬다면 좋겠다.

"그러니까 스스로를 용서해라. 드라마틱한 상실의 아픔을 겪고 싶다는 욕망, 그것도 중2병이야. 알고 보면… 인생살이라는 게 어찌 보면 다 시시한 거라고."

형은 그렇게 말하고 웃는다. 산산조각 나서 피를 흘리고 있으면서도 살아생전의 능글맞은 웃음을 보인다.

"뭐, 이미 타협했잖아? 자살하려고 했던 적도 몇 차례나 있었고… 뱀파이어가 되면 끝내고 싶어 했지?"

사혁은 세건의 과거를 떠올리며 비웃었다.

진심으로 그랬으면 소원이 없겠다. 하지만 그러면 세건이 너무 편해지니까, 세건은 그들의 말을 받아들일 수가 없었다. 오히려 혐오감이 밀려든다. 이런 식으로 무의식중에서라도 그렇게 생각하고 있었다니 자신의 뻔뻔함에 기가 막힌다.

"어찌 되었든 간에… 난 이 길을 가겠어. 이건 이미 내 선택의 문제가 아니야. 내가 선택만 하면 돌아설 수 있다는 식으로 말하지 마. 그런 식이라면 뱀파이어 놈들이 애초에 발밑의 개미들을 밟을까 봐 주의하며 살아야 했어. 애초에 내가 뱀파이어들의 재앙을, 놈들이 준 상처를 극복하며 살아가는 게 아니라 그놈들이 자신이 저지른 죄가 업화가 되어 돌아오는 걸 봐야 한다고!"

세건은 이를 악물었다.

"인류를 기만하고 자신들의 세계, 미친 달의 세계를 만들고 번영을 누려오는 데 있어서 사소한 비용조차 없다면 그건 너무 불공평하잖아. 그러니까 난 놈들의 비용이 되겠어. 내가 선택하는 게 아니야. 놈들이 선택을 잘못한 거다. 마침 내게는 그게 있어."

거기까지 말하던 세건은 깜짝 놀랐다. 사슬에 묶인 자가 그의 눈앞에 있었다.

진마 유다?

이자는 지금까지 꿈에 등장한 적이 없었는데?

세건은 그 순간 깨달았다. 자신의 눈앞에 있는 것은 거울이다. 손을 들어 보니 절그럭거리는 사슬이 뒤따랐다.

알람 소리에 세건은 잠에서 깨어났다. 전신이 땀으로 축축하다. 세탁하기 귀찮아 물이 들어가지 않는 방수 매트 위에서 잠을 잤더니 매트 위에 땀이 고인 게 보였다. 세건은 걸레로 그걸 닦아내고 자리에서 일어났다.

진마 유다가 꿈에 나오다니……. 하지만 생각해 보면 당연한 것이기도 하다. 진마 유다, 프레스터 존의 성구를 찾아 나섰던 옛 성당 기사단원이 손에 쥐고 사용한 무기 중 두 가지가 세건의 손에 있다. 릴리쓰를 인공적으로 만들어내려고 노력한 앙리 유이가 표적으로 삼고 있는 것이 한세건……. 이래저래 접점이 많다. 하지만 아직 확실한 것은 없다. 쓸데없는 추측이나 기분에 휘말려 불확실한 것을 믿어선 안 되겠다. 그보다 지금 당장 해야 할 일은…….

"식사를 준비해야겠군."

세건은 전자레인지에 냉동식품을 돌리고 정수기에서 물을 떠 전지분유를 풀었다. 생우유를 사러 다니는 게 귀찮아서 전지분유를 풀고 거기에 단백질 보충제, 크레아틴, 종합 비타민을 추가한다. 경험적으로 가장 힘을 많이 낼 수 있는 영양 배합에 맞춘다. 다만 맛은 그야말로 사료, 그 이상도 이하도 아니다. 이런 파멸적인 식단을 보통 사람은 두세 번 먹는 것만으로도 정신이 혼미해질 것이다. 하지만 세건은 묵묵하게 먹는다. 먹으면서 주요 위치에 설치한 감시 카메라를 고속으로 검색하는 한편 메일함을 열어본다.

김성희에게서 메일이 도착해 있었다.

두카티 796 하이퍼모터드가 주차장에 섰다. 한세건은 옛날부터 오프로드나 트라이얼 장르를 선호했고 이 두카티는 오프로드 형태의 몸체에 온로드 타이어를 부착, 도심에서 사용 가능한 역동적인 기체라, 세건의 취향에 딱 직격이었다. 문제는 두카티 정도면 최고급 트림이 아닌 796도 상당한 고가고, 범죄자인 세건이 몰기에는 너무 희소한 기종이란 것이다. 두카티를 타고 뱀파이어와 싸움을 벌이다 어디 CCTV에라도 찍힌다면 그 순간 이 차량은 못 타고 다니는 물건이 되어버린다.

'아르쥬나에 올 때는 타도 되겠지.'

세건은 바이크에서 내려 엑토플라즘 마스크가 제대로 작동하고 있는지 다시 매만져 보았다. 수배자 신세인 세건에게 엑토플라즘 마스크는 그야말로 생명줄이라고 할 수 있었다. 이전 릴리쓰 마이너 카피와의 싸움에서 그녀가 제어하는 엑토플라즘이 세건을 거부하였던 일이 있었기 때문에 이 마도구인 엑토플라즘 마스크도 오작동하지 않을까 걱정했는데 기우였던 모양이다. 아마도 적의가 없는 중립형 엑토플라즘은 별다른 영향을 받지 않는 것 같다.

세건은 김성희를 상대하는 데 껄끄러움을 느끼고 있었다. 그녀는 세건의 생명의 은인이고 마도에 있어서 스승이라고 할 수 있었다. 마술사 김성희는 세건이 뱀파이어화되는 걸 막았고 그에게 마도구, 마법서를 아낌없이 퍼부었다. 그 결과 김성희에게 살아난 지금 세건은 간단한 마술들은 촉매 없이도 쓸 수 있는 지경이 되었다. 선천적인 재능, 저주받은 자의 영적인 개방성도 작용했겠지만 김성희가 얼마나 큰 투자를 했는지, 얼마만큼 희생을 많이 했는지는 세건도 잘 알 수 있었다.

더욱더 놀라운 것은 그녀가 그렇게 많은 것을 퍼붓고도 세건에게 내색조차 하지 않았다는 것이다. 그래서 세건은 그녀에게 많은 고마움을 느끼고 있었다. 그녀의 요구라면 매우 사소한 것조차 가급적 이루어내려고 노력해 왔다.

하지만 그 결과 세건의 존재 자체가 일종의 마도구가 되어버렸다. 이건 짚고 넘어가지 않을 수 없다. 어쩌면 그녀를 적으로 돌려야 할지도 모르겠다. 세건은 마음의 각오를 다지고 문을 열었다.

"어서 오십시… 흥……."

익숙한 회색 머리칼의 아르바이트생이 콧방귀를 뀐다. 서현이다. 세건은 그를 의아하게 바라보았다.

"뭐야? 전범, 왜 아직도 여기 있어?"

서현은 분명히 조복래를 털어서 꽤 많은 재산을 획득했을 것이다. 그런데 최저 시급의 이 일을 할 이유가 있나? 그게 아니더라도 돈 벌 방법은 많을 텐데?

"아, 이상하게 생각하지 마. 일을 도와달라고 해서 잠깐 하고 있을 뿐이니까. 나도 바쁘다고."

서현은 그렇게 말하면서 앞치마를 두른 채로 멋대로 커피를 내리더니 커피 잔을 들고 테이블에 앉는다. 가게의 아르바이트생이라기보다는 무슨 자기 집처럼 여기는 폼이다. 문제는 꽤 그럴듯하다는 것이다. 마치 커피 광고의 CF 모델 같다. 그 안에는 궁상맞은 전장의 늑대가 들어 있지만 외모로는 꽤 그럴듯하다.

"앉아."

"싫은데."

"앉아주십시오, 제발."

"그러지."

세건은 마지못해 앉는 시늉을 하고 서현의 앞에 앉은 뒤 테이블 위에 발을 올렸다. 그러자 서현도 질세라 발을 올렸다. 둘이 테이블에 발을 올리고 서로서로 으르렁거린다.

"마스터는 뭐래?"

"'포스 비 위듀' 라고 하더라."

"……."

순식간에 세건과 김성희가 제다이 나이트가 되었다. 그런데 러시아에 살던 녀석이 어떻게 스타워즈를… 이란 생각이 들었지만 생각해 보면 러시아에는 서구적 가치를 추존하는 젊은 층이 대세를 이루고 있었다. 지금은 전 세계적인 경기 불황과 극우화 현상으로 많이 꺾였지만 서현이 보이는 몇몇 모습은 전형적인 서구 추종자라고 할 수 있었다. 서구 사회에서 온갖 비난을 다 받아 마땅한 전범이면서 그런 모습을 보인다는 걸 보면 역시 극과 극은 통한다고 할까?

한세건의 표정이 미묘하게 일그러지자 서현은 헛기침을 하고 말을 이어나갔다.

"네 뱀파이어화를 막는 그 시술은 앙리 유이에게서 나온 기술이 맞아. 나도 처음에는 놀랐다."

과거 한세건은 뱀파이어 헌터로서 싸우던 중 뱀파이어가 될 뻔한 적이 있었다. 그때 김성희와 실베스테르가 한세건의 몸에서 발생하는 VT인자를 바로 사이키델릭 문으로 바꾸는 시술을 통해 한세건을 뱀파이어화에서 구한 적이 있었다. 그 시술이 앙리 유이의 아이디어였다는 말을 하고 있는 건가? 그렇다면…….

"하지만 이 한국이라는 나라는 원래부터 엄청난 변방이잖아. 쇄국정책을 펼친 일본조차 나가사키에는 쿠로시오 해류를 타고 온 포르투갈 상인들이 오가고 했지. 진마 자인도 그런 포르투갈계였고 그와 함께 들어온 마법사들, 뱀파이어들이 있어 일본에는 주술과 마법의 세계화를 이룰 수 있었지. 반면 한국은 일본보다 훨씬 해외 교류가 적었고 최근에 한국전쟁을 겪어서 모든 게 파괴되었는데 그녀처럼 강력한 마녀가 있는 것 자체가 이상한 일이야."

앙리 유이가 선교사의 신분으로 들어와 영능력과 마법에 특출 난 재능을 보이는 아이들을 긁어모아 자신의 숭배 집단을 만들었다면… 마법사들 계파로 보자면 그쪽이 오히려 정통파라고 할 수 있었다. 사법사, 검은 영, 태초의 영을 숭배하는 사악한 마술사 집단이라고 해서 마이너 그룹이라고 생각하면 큰 오산이다.

원래 마법사들은 악마 소환 같은 사악한 힘을 빌리는 게 메이저고 정령이나 요정처럼 종잡을 수 없는 자연의 힘을 빌리는 계열이 마이너다. 드루이드나 베난단티 계열의 위치닥터(Witch Doctor)들은 반발하겠지만 객관적으로 볼 때 사법사나 악마술사가 그들보다 우세하다는 건 부인할 수 없는 사실이었다.

이런 마법사 업계 사정(?)과 김성희의 높은 능력을 고려해 볼 때 그들과 관계가 없다면 그게 더 이상한 것이리라.

"그럼 뭐야? 마법사로서 교류는 했지만 앙리 유이의 편은 아니다 이거야?"

세건의 언성이 살짝 날카로워졌다.

"정확하게는… 강의찬네 아버지가 갖고 있던 기술이라고 하더군. 그게 그녀에게 전달된 거고 그녀는 앙리 유이와 직접적인 접점이 없다고 해. 믿기 어려운 말이지만 아주 거짓말도 아닐 것 같은데?"

서현은 어깨를 으쓱해 보였다. 둘 다 발을 테이블 위에 걸치고 의자에 기대고 있으니 그 모습이 가관이다. 어깨를 으쓱거리는 동작조차 심히 시건방져서 짜증이 난다.

"그 의사 양반이 용케도 말했군?"

강의찬의 아버지가 가지고 있던 기술… 이라면 강의찬의 증언이 있었나? 세건이 그렇게 넘겨짚자 서현은 고개를 가로저었다.

“아니, 당연히 그 의사 양반은 말 안 했지. 그 의사는 여전히 우리를 손에 쥐고 흔들려고 자기가 알고 있는 정보를 다 토해놓지 않는단 말이야. 뭐, 그런 심보가 너무 빤히 보여서 오히려 별로 신경이 안 쓰여.”

강의찬이라면 그러고도 남을 것이다. 그는 아직도 그 여자 유령, 앙리 유이가 만들어낸 실험체인 윈슬렛이 죽지 않았을 가능성 때문에 서현과 세건에게 불만을 품고 있었다.

“그래서. 그게 끝인가?”

물론 그게 끝이 아닐 것이다. 김성희의 메일에는 최근 반테트라 아낙스파의 흡혈귀들이 움직이고 있고 서현과 한세건 둘 다에게 꽤 높은 상금이 걸릴 것 같으니 둘이 힘을 합쳐 위기에서 몸을 지키라는 당부가 있었다. 아마도 그래서 서현이 지금 이 자리에 있는 거겠지.

하지만 서현도 자존심이 있어서 세건이 꺼지라고 했는데 억지로 붙어 있을 생각은 없었다. 다만 아무리 봐도 한세건은 현재 시점에서 이슈 메이커일 수밖에 없고 서현은 할 짓이 없다.

그렇다고 또 어디 처박혀서 취하지도 않는 술을 마시며 폐인 짓을 할 수도 없는 일이 아닌가.

“참 적당히 내 자존심도 세우고 무난하게 일에 참여했으면 좋겠는데… 이놈은 대인관계에 문제가 심한 게 선천적 병신인가……. 성격 이상한 놈이 떽떽거린다고 눈앞에서 벌어지는 일을 무시하기엔 찝찝한데."

"…너 지금 그거 나보고 하는 말이냐?"

세건이 반문했지만 서현은 철저히 무시하고 자기 할 말로 넘어갔다.

"앙리 유이, 그놈은… 내가 보기엔……."

"네가 보기엔?"

"그 누구보다 더 테트라 아낙스를 추종하는 사이코야."

"…뭐?"

세건은 그 말을 듣고 반신반의했다. 테트라 아낙스를 추종하는 사이코? 앙리 유이는 진마 중에서는 아그니처럼 아웃로로 규정되는 인물이다. 아그니처럼 다른 진마들을 잡아먹고 뱀파이어를 마구 먹어치워서 힘을 무한정 늘리려 하지 않고, 그렇다고 테트라 아낙스에게 본격적으로 대드는 것도 아니지만 테트라 아낙스의 호출이나 명령을 무시하고 자신의 뜻대로 암약하는 것으로 유명했다.

'그는 반드시 숨어서 뭔가 자신의 이득을 꾀할 것이다.'

이것이 뱀파이어나 헌터들에게 알려진 앙리 유이에 대한 평가였다. 그런데 그가 테트라 아낙스를 추종하다니?

"앙리 유이와 팬텀은 사법사 출신이면서 테트라 아낙스의 수제자였어. 이제 와서 하는 말이지만 젊은 시절의 테트라 아낙스는 정말 대단한 존재였다는군. 뭐, 리림이니까 당연하겠지. 마치 나처럼."

"그렇게 말하니 설득력이 급격히 추락하고 있는데."

세건이 그리 말했지만 서현은 손을 휘휘 내젓고 자기 할 말을 계속 이어나갔다.

"뭐, 그런 사이코가 네놈을 전력을 다해 노릴 거다. 상대할 자신이 있나?"

여기서 만약 뱀파이어들이 아무리 많이 덤벼든다고 해도 상대할 자신이 있다고 말한다면 그건 헛소리일 것이다. 세건이 강력한 헌터긴 하지만 상대 역시 뱀파이어, 쌍방 모두 공격력이 상대의 방어력을 월등히 상회한다면… 승부는 동전 던지기처럼 변할 것이다. 좀 더 앞면이 잘 나올 수는 있겠지. 하지만 계속 동전을 던지다 보면 결국 뒷면이 나오게 마련이다.

"자신이 있고 없고의 문제가 아니라는 건 너도 알 텐데?"

세건이 서현을 거부하는 것은 서현의 뒤에 있는 서린의 의도를 거부하는 것이다. 서린이 가지고 있는 명백한 선의, 호의조차 세건은 그게 뱀파이어의 뜻이기에 거부한다. 다만 해야 하는 일이니까 할 뿐, 자신이 없으면 뱀파이어에게 굴복이라도 하란 말인가?

"뭐, 좋을 대로 해. 하지만 한 가지 짚고 넘어갈 건… 날 무슨 롯시니의 명을 받들어 모시는 부하로 여기지 말라는 거다."

"그거라면 염려하지 마. 난 너를 테트라 아낙스의 패권을 넘보다 동생에게 새치기당하고 닭 쫓던 개 지붕 쳐다보는 꼴인 놈으로 여기고 있어. 서린의 부하로 보고 있지 않으니 안심해도 좋아. 부하보다 더 나쁘지."

"……."

"……."

잠시 두 사람 사이에 싸늘한 한기가 감돌았다.

"하… 옛날에 나에게 처맞고 질질 짜던 기억을 잊어버렸나 보네……."

"망상벽까지 있군."

서현과 세건의 다리가 얹혀 있던 테이블의 다리에 금이 가기 시작하더니 결국 무너져 내렸다.

"…잘들 하는 짓이다."

그때 마침 가게에 돌아온 김성희가 그 모습을 보고 혀를 찼다.

갑작스러운 그녀의 등장에 서현과 한세건 모두 당황했다. 서현은 반사적으로 부서진 테이블을 정리하고 있었고 세건은 그냥 서 있었다.

"야… 왜 같이 부쉈는데 나 혼자 정리해야 하지?"

"그러게 누가 아르바이트 앞치마를 두르래? 지금 나는 손님이다."

"뭐 하나 시킨 것도 없잖아? 손님은 무슨……."

"그럼 어디 보자. 가장 손 많이 가는 걸로 하나 시킬까? 딸기 트라이플이랑 잉글리시 블랙퍼스트 티."

괜히 말했다 긁어 부스럼 되었다.

"그렇게까지 해야겠어?"

서현이 투덜거리며 일어나 앞치마를 두르고 직접 만들려 한다. 그걸 본 김성희가 피식 실소를 터뜨렸다.

"사이가 좋구나."

"아니거든요?"

"천만에요."

서현과 세건이 동시에 반발했다.

김성희는 부서진 테이블을 치우고 새 테이블을 세팅한 뒤 자리에 앉았다. 그러는 사이 서현은 한세건이 주문한 대로 트라이플을 테이블에 놓고 홍차를 따랐다.

세건은 으쓱거리면서 잔을 들고 홍차를 받았다.

"폴로늄 같은 거 안 탔지?"

"있으면 타고 싶다만?"

"흠, 그래서요? 일단 오늘 다녀온 일부터 말해보세요."

세건은 김성희에게 다음 이야기를 추궁했다. 그러자 김성희가 답했다.

"릴리쓰 마이너 카피가 있다는 소리를 듣고 팀을 꾸려서 그곳에 회수하러 가봤는데… 아무것도 없었어."

역시. 죽지 않았던 건가? 세건은 그 말을 듣고 혀를 찼다.

"의사 양반 눈이 뒤집어지겠네."

서현은 강의찬이 난리 피울 것을 생각하며 혀를 찼다.

"그럼 다음 질문, 내게 무슨 짓을 한 겁니까?"

"음… 세건아. 오해하지 말고 잘 들어. 나는 네 몸이 목적이 아니야."

"……."

오해하지 말라고 하면서 굳이 그런 표현을 써야 했을까? 뭐, 무슨 뜻인지는 알겠다. 앙리 유이와 함께 손잡고 세건을 앙리 유이가 만들고자 하는 도구로 만든 게 아니라는 뜻이겠지. 과연 김성희는 평소의 그녀답지 않게 불안해 보이는 표정을 지었다.

"내가 늘 포커페이스를 유지해서 그렇지, 사실 마법사라는 건 원래 강풍이 부는 미지의 영역을 촛불 하나 들고 걸어가는 미진한 존재야. 발아래가 천 길 낭떠러지인지 아닌지 알아보기 위해서는 내 손에 들고 있는 부실한 양초 하나에 의지해야 하는데 이건 조금만 잘못하면 바로 바람에 꺼져 버리는 거야."

그녀는 마법에 대해서 다시금 상기시켰다.

"물론 안정화된 기술들은 신뢰도가 높아. 많은 마법사가 사용하거나 한 사람이라도 대규모로, 지속적으로 사용하는 마법은 다른 사람들도 쓰기 쉬워져. 대표적인 예로는 뱀파이어 헌터들이 사용하고 있는 인식 장애술이 있는데… 이 마법이 보편화된 것은 바로 테트라 아낙스 덕분이란다."

태초의 마법은… 거의 신적인 존재가 많은 의식, 많은 희생을 거쳐서 겨우겨우 쓸 수 있는 것이었다. 그것을 아낙스가 혈인 능력을 통해서, 거기에 자신이 만든 마법을 보강해 가면서 사용해 마법이 정착되었다. 그 결과 일반적인 인간 마법사나 헌터들도 약간의 자원을 투자하는 것만으로 고도의 인식 장애 마법을 사용할 수 있게 된 것이다.

"그러니 사실 마법사들에게 마법이란… 뱀파이어의 영향력을 배제하기 힘들단다. 아낙스, 팬텀, 앙리 유이, 이들은 마법사의 세계에서도 매우 뛰어난 마법사였고 그들이 자주 사용하면서 일반적인 재능을 가진 마법사들도 쓸 수 있게 된 주문이 많으니까. 아무래도 그들의 마법을 안 쓸 수가 없는 거지. 원천 기술, 특허 같은 게 있다면 정말 더 난감했을 거야."

"그렇다면… 처음 나에게 시전할 때 그 마법은 전례가 그다지 없는 것이었을 텐데……."

세건은 그렇게 물어보았다. 어떻게 성공했는가? 전례가 없는 고난도의 마법을 어떻게? 혹시 앙리 유이가 이미 수차례 시도한 마법이 아닌가? 아니면 앙리 유이가 그녀와 모종의 관계인 건 아닌가? 한세건은 그걸 추궁하고 있었다. 물론 이미 심정적으로 김성희가 그 뱀파이어와 손을 잡고 있을 리 없다는 건 알겠다.

하지만 기왕 추궁할 때 확실히 해서 흑백을 가려놓는 게 좋겠지. 좀 야박해 보일지도 모르지만 세건의 경험상 대충 그러려니 하고 넘어간 일들은 반드시 최악의 결과로 돌아오곤 했었다.

"세건아, 네가 지금 살아 있는 건 내 마법이나 앙리 유이의 마법 덕분이 아니야. 너 자신이 그만큼 강인한 의지와 생명력을 가지고 있었던 거지. 미증유의, 전에 없던 시도라는 건 그만큼이나 위험하고 신뢰성이 낮아."

"…아예 처음은 아니었겠지요."

세건은 그렇게 말했고 그건 사실이었다. 그러나 김성희는 눈썹 하나 까딱하지 않았다.

"어쨌거나 나는 앙리 유이와 내통하고 있던 건 아니야. 솔직히 말해서 앙리 유이나 팬텀은 마법사들 사이에서는 알아주는 대마법사였기 때문에 그들이 사용하는 마법 몇 개를 썼다고 관계를 의심해 대면 이 세상 모든 마법사, 그노시스의 추종자들이나 베난단티의 일원들도 의심해야 할 거야."

마법사가 지식을 추구하는 자들이라면 당연히 뱀파이어와의 교류도 부끄러워하지 않을 것이다. 실제로 마법으로 스스로를 뱀파이어로 만드는 이도 많았으니까. 테트라 아낙스가 금지하기 전까지는…….

"그리고 실베스테르가 도와주기도 했으니까. 이 마법을 통해서 한세건 네게 앙리 유이의 영향이 남을 확률은 없어. 게다가 이미 그 마법 시술은 불필요해졌잖아?"

앙리 유이가 만들어낸 방식은 사이키델릭 문의 제조 장치를 몸 안에 외과 수술로 봉인해 넣어 몸 안에서 발생하는 VT인자를 전부 사이키델릭 문으로 바꾸는 것이었다. 그러나 그것조차 한계에 도달했다. 한세건은 다시금 붕괴해 갔고 그때… 새로운 테트라 아낙스, 서린이 한세건의 신체를 조정해 주어 커럽티드로 전락하는 건 면했다.

"즉 이제 내 몸 안에는 앙리 유이가 심어둔 장치 같은 건 없다, 그렇단 말이지요? 네, 그럼 그건 납득했으니 다른 이야기를 하지요."

한세건은 귀를 매만지곤 고개를 돌렸다.

"그래서. 릴리쓰 마이너 카피는 없었다?"

"그래. 그뿐만이 아니라… 그 흔적들 역시 남김없이 사라졌어. 그리고 지금 뉴스를 보면 알겠지만."

김성희는 스마트폰을 꺼내서 뉴스 페이지를 보여주었다. 막 모 사이비 종교의 신도 암매장 사건이 터져 나오고 있었다. 매장지가 조복래의 사유지로 되어 있던 바로 그곳이다.

"아무리 보아도 너무 인위적인데."

서현은 그걸 보고 혀를 찼다. 그날 서현과 한세건이 보았던 조복래의 사이비 교단은 현지 경찰관까지 묶여 있던 단단한 조직력을 자랑하고 있었다. 그런 곳이 어느 날 갑자기 중앙경찰의 수사 대상이 된다는 건 이상한 일이다. 저게 파헤쳐지려면 진작 파헤쳐졌어야지. 세건과 서현이 들쑤시고 난 뒤에 비리가 밝혀진다는 건 싸움에 진 투견을 폐기 처분 하는 매정한 주인의 손길을 연상시킨다.

"실은 PSH라는 다른 교단에서 찌른 것 같아. 그들이 앙리 유이의 명령에 의해 움직이는 건 확실할 테고."

김성희가 그 추측에 확신을 실어주었다.

"PSH라면 그?"

세건도 익히 들어본 바가 있었다. PSH는 박석환이라는 남자가 이끄는 개신교 계열 사이비 종교 집단이다. 이 박석환이란 인물이 워낙 엽색 행각으로 유명한 인물이라서 인터넷에서 밈이 되었을 정도의 인물인데 그 교단도 앙리 유이의 영향하에 있단 말인가?

"역시 그 고아원 출신의 영능력자가 관련된 교단인 것 같아. 교주인 박석환은 일반인이지만 그 뒤에 영능력자가 있는 게 분명해. 그리고 이번에 찌른 걸 보면 앙리 유이와 여전히 밀접한 관계가 있지 않나 싶은데 조사할 가치가 있지 않아?"

김성희가 그리 말하고 클리어 파일에 담긴 서류를 꺼내 탁자에 놓았다. 세건은 그 파일은 거들떠보지도 않았다.

"제가 지금까지 사이비 교단을 몇이나 묻었는지 알지요?"

"응, 그리고 넌 그걸 끔찍하게 싫어했지."

아무래도 사이비 종교라는 집단은 교주나 핵심 세력만 뱀파이어와 관련이 있고 대다수의 사람은 아무것도 모르는 인간이다. 이런 교단과 얽히게 되면 피해를 최소한으로 줄이려고 해도 인간들과 얽히게 되고 사상자가 안 나올 수가 없다.

뱀파이어 헌터이면서 인간을 죽이게 되는 것이다.

경찰에 예고장 날리고 강남 한복판에서 빌딩을 폭파시켜도 민간인 한 명 안 죽였는데 뱀파이어의 사이드 이펙트라고 할 수 있는, 한세건이 뱀파이어를 상대함에 있어서 무시해도 좋을 사이비 종교 사건 따위에서 대량의 살인을 저질러야 하다니.

한세건이 사이비 종교라면 치를 떠는 게 당연하다.

물론 인간이라고 해도 사이비 종교의 적극 가담자나 부역자이니 그들이 화를 자초한 것이라 할 수 있다지만 그런 식으로 인간을 해치는 걸 정당화하는 건 위험하다. 자신이 정의라고 믿고 스스로를 합리화시킨다면… 점점 눈과 귀가 닫히고 만다.

문제는 한세건 외에 다른 뱀파이어 헌터들은 차라리 처음부터 다 때려죽이면 죽였지, 도저히 잠입이나 조사 등을 못한다는 것이다. 임무 수행 능력에 있어서 최상급인 한세건 외에… 중간이라도 가는 허리층이 있어야 할 텐데 그런 게 없었다, 적요와 창운이 한국에서 소멸하기 전엔 제대로 된 마법사도, 헌터도 없었던 게 컸다.

하지만…….

세건은 서현을 바라보았다.

'이 녀석은 좀 쓸 만했지.'

좀 쓸 만한 정도가 아니다.

"그런 일은 여기 사람 잡아먹는 괴물에게 시키지요."

세건은 서현을 가리켰다. 그러자 서현이 깜짝 놀랐다. 방금 전까지 서현과 으르렁거리며 이런저런 모욕을 가하던 세건이 서현에게 일을 맡기겠다는 건…….

"전엔 꺼지라고 하더니 이제 와서 내게 떠맡기겠다는 거냐?"

이런 말을 하면 안 되는데 서현은 기분이 상해서인지 그렇게 말해 버렸다. 잠자코 그냥 받아들일 걸 아무래도 참을 수 없었나 보다. 그러자 한세건이 피식 웃었다.

"왜? 하기 싫은가?"

"…하아."

세건의 말에 서현은 한숨을 내쉬었다. 정말 마음에 안 드는 녀석이다. 그렇지만 서린의 부탁에도 응했듯… 결국 서현은 이 일을 떠맡게 될 것이다.

"심심해서 한다, 심심해서!"

"그래서 조복래에게 재산은 뜯어냈나?"

세건은 뉴스를 보며 서현에게 물어보았다. 현재 교단이 암매

장과 살인 교사 혐의로 조사를 받고 있으니 조복래의 모든 재산은 동결되었을 것이 분명하다. 서현이 그를 구해줬던 건 재산을 주겠다는 약속 때문이었는데 이래서야 못 받을 게 아닌가?

김성희와 아르바이트가 없는 사이 잠시 가게를 봐주었던 서현은 앞치마를 벗어놓고 손님이 되어 세건의 맞은편에 앉았다.

"일단 현금들만 받았어. 난 부동산은 잘 신뢰하지 않거든."

"세무조사 받을걸, 갑자기 현금 보유량이 늘면. 만약 그냥 지폐들이면 그거 세탁하기 힘들 텐데? 멍청한 짓 하다 잡히지 마라."

세건은 그리 말하며 힐끔 서현의 앞에 놓인 클리어 파일을 바라보았다. PSH와 앙리 유이의 아이들에 대한 자료다. 아까 전엔 거들떠도 안 봤지만 지금은 왠지 심심해져서 그것에 손을 뻗었다. 그러는 사이 서현은 자신의 구상에 대해서 말했다.

"전부터 생각하던 게 있는데 돈세탁도 되고 괜찮을 거야. 지금 러시아 쪽에 있는 애들이… 중고차를 대량으로 필요로 하고 있거든? 중고차야 거래가를 마음껏 적어 넣을 수 있으니까 뭐 돈세탁하기 좋겠지. 러시아 쪽에서 독일 차를 수입해다 한국에 풀고 이렇게 쌍방 거래를 하면 거래가를 조정해서 얼마든지 돈세탁도 가능할 테고 실제로 수익도 날걸?"

정말… 생활감 넘치는 말이다. 어린 시절부터 전장을 누비며 살아온 소년병 출신의 라이칸스로프가 그런 생각을 하고 있었다니 놀랍다. 악마 군단을 잉태하는 사탄의 아내 릴리쓰의 아들로 태어나 늑대 인간의 왕으로 지음받은 자가 중고차 장사라?

실소가 나오는 걸 금할 수가 없다.

"흠, 중고차 거래라. 확실히 돈세탁하기엔 좋은 아이디어로군. 하지만 러시아나 한국 쪽 라인은 있고? 설마 러시아에서 고급 차를 훔쳐다 한국에 팔고 뭐 그런 GTA 같은 짓을 할 생각은 아니지?"

"한국 쪽 라인은 없지만 마피아 중에는 내가 체첸이나 그로즈니에서 살려준 놈들도 많고, 군관 출신 중에 그걸로 장사하는 애들도 많으니까 러시아 쪽 라인은 탄탄하다고 할 수 있지. 어쨌거나 이 일을 혼자 할 수는 없고 동료들을 불러와야겠는데……."

"마피아와 인간을 잡아먹는 놈들 말이지."

한세건의 눈빛이 날카로워졌다. 그러자 서현은 코웃음 쳤다.

"사람은 죽는 순간 이미 고깃덩이야. 증거를 없애려고 시체를 훼손하는 놈들이 차고 넘치는데 이왕 죽인 거 먹는 게 뭐 어때서? 사람들 붙잡고 죽임당하고 먹힐래, 그냥 깔끔하게 죽을래? 이렇게 물어보면 그 사람들은 살려달라고 할걸. 애초에 신경 써줄 거면 죽이질 말아야지."

"내가 뱀파이어 헌터 짓 하다 보면 우연히 뱀파이어로 각성하거나, 또 그중에 비록 자신이 뱀파이어지만 정의의 사도가 되어 악한만 잡아먹겠다고 하는 놈을 많이 봤지. 그런 놈들이 나중에 가면 어떻게 되는 줄 알아? 자신이 사람을 먹는 걸 정당화하기 위해서 껌 한 통 훔쳐도 죽이고 발등 밟아도 죽이고… 개중에는 정치 성향에 안 맞는다고 보수당이나 진보당의 유명 인물들 습격해서 잡아먹는 놈도 있었지.”

그렇게 말하는 세건의 눈에는 진한 피로감이 감돌았다. 아직 젊은 나이지만 세건은 뱀파이어 헌터로서 정말 산전수전 다 겪었다. 그런 그에게 이제 와서 사람은 어차피 죽으면 시체니 먹든 말든 뭔 상관이냐, 사람들끼리 서로 죽이지 않느냐~ 이런 화두로 논쟁하는 건 정말 피곤한 일이다.

대체 이게 한두 번인 줄 아는가?

“나는 인간들이 모두 다 존귀해서 죽이면 안 된다는 걸 이야기하려는 게 아니야. 그냥, 인간을 먹어치운다는 행위 자체에 대해서 그만큼의 리스크를 지라고 말하고 싶은 거지. 아무런 리스크 없이 편하게 잡아먹히는 밥이 되고 싶지 않아.”

이렇게 말하면 서현도 별로 할 말이 없다. 감정을 배제한, 그 이전의 해괴한 신념이다.

“뱀파이어… 들에게겠지?”

“라이칸스로프는 우선순위가 낮긴 하지.”

“다행이군.”

세상에 무서운 거 없던 서현이지만 진심으로 이게 다행이라고 생각했다.

2

너 자신을 알라~ 라는 그리스 시대에서부터 내려오는 오랜 경구가 있지만 그건 참 잘못된 것이다. 알코올중독자도, 마약중독자도 이대로는 안 된다는 걸 모르는 사람은 없다.

서현 역시 그러했다.

그는 어린 시절부터 릴리쓰의 아들로서 자신의 숙명을 자각하고 있었다. 오랜 세월을 살아와 점점 초심을 잃고 괴물로 변해가는 테트라 아낙스, 고든을 제거하고 그의 자리를 차지하는 게 자신의 사명이라 믿었다. 실제로 그렇게 하지 않으면 죽을 수밖에 없었으니 강력한 동기부여가 되었다.

하지만 그 동기가 갑자기 사라졌다. 그리고 그동안 자신이 믿어왔던 것이 사실은 오해였으며 진정한 자유가 왔을 때 자신이 빈껍데기였다는 사실을 알게 되었다. 물론 더 이상 테트라 아낙스의 위협은 없으니 그냥 살면 되겠지만… 편안한 잠자리, 깨끗한 환경, 맛있는 음식만으로 행복할 수 있다면 OECD 가입국 정도의 환경에서 자살하는 사람은 없을 것이다.

서현은 삶을 실감할 수 없는 존재가 되어 있었다.

자신을 알기 때문에 자신을 혐오한다. 그러니까 너 자신을 알라라는 경구는 굉장히 무책임한 말이라고 할 수 있겠지.

그런 생각을 하던 서현은 한숨을 내쉬었다.

인정하기 싫지만 서린이 그를 위해 안배한 이 한국행은 매우 좋은 약이 되었다. 그전까지 서현의 삶은 안정적인 일반인의 감성과는 동떨어진 범죄와 전쟁의 세계였다. 보통 사람은 영화나 게임에서 간접 체험 할 법한 일이 서현의 현실이었고 서현에게는 보통 사람의 삶이 드라마나 영화에서 볼 법한 일이었다.

보통 사람의 삶의 시각을 체험해 보는 것만으로도 재활에 도움이 되었다고 해야겠지. 하지만 그걸 인정하자니 자신이 얼마나 한심한 놈이었는지 인증하는 꼴이라 견디기 힘들다. 이전엔 공허해서 견딜 수 없었다면 지금은 부끄러워서 견딜 수가 없다.

"일단 바람 좀 쐬고… 하하……."

몽골리안계의 건장한 체구의 청년이 어색한 웃음을 짓고 바다를 바라보고 있었다. 부산여객터미널 인근에는 많은 러시아 선원이 오가고 있었지만 그들보다 머리 하나는 크다. 이자가 바로 루스킨, 서현의 옛 부하인 라이칸스로프다. 무너진 건물에 깔려 죽어가던 이를 서현이 구한 이래 충실한 부하 역할을 하던 친구였다.

서현은 그를 불러들여 앙리 유이와 싸우기 위한 기반을 다지려고 했었다.

그러나 루스킨은 어색한 웃음을 지으며 이렇게 말했다.

"그런데 이제 와서 이러는 것도 좀 난감한데."

"무슨 뜻이지?"

"아니, 뭐, 좋아. 한국 라인으로 뭔가 해보자는 거 좋지. 사실 일본을 바로 거쳐 가는 것보다 이래저래 잔재주 부릴 것도 많으니까. 순수하게 마피아로서 이 땅에 지점을 차리자면 난 찬성이야. 하지만 그런 게 아니지?"

"…마피아를 할 생각은 아니야. 약간 범법을 저지를지도 모르지만 강력 범죄보다는 벌금 내고 끝나는 정도를 추구하고 싶은데?"

"하… 역시나."

루스킨은 자신의 예상이 맞아 들어가는 것에 혀를 찼다.

"마피아 짓은 돈벌이 그 자체가 목적이 아니라 어디까지나 뱀파이어와 싸우기 위한 수단일 테지? 이사카, 난 이제 와서 굳이 뱀파이어들하고 싸울 이유가 없다고 생각해."

"……."

"아니면 혹시 우리에게 영광을 가져다주기 위해 동생을 죽일 거야? 예전에 약속한 대로 네가 테트라 아낙스가 되어서 테트라 아낙스가 쌓아 올린 거대한 부와 권력을 우리에게 나누어줄 거야? 그럴 건 아니지? 너에겐 동생이 사실상 피를 나눈 우리보다 더 소중하니까?"

루스킨은 그리 말하고 있었다. 이미 이 남자는 철저히 마피아가 되어 있었다. 서현이 자신을 알고 나서 그 공허함에 몸부림칠 때 루스킨을 포함한 서현의 부하들은 좋은 음식과 편안한 잠자리, 돈에 길들여져 있었다. 그들은 그것만 있으면 행복하다. 굳이 뱀파이어가 그들을 건드리지 않는데 먼저 건드릴 이유가 없는 것이다.

"루스킨."

"아니면 뭐야? 동생에게 테트라 아낙스 자리를 빼앗기고 잠적 탔던 주제에 이제 와서 다시 우리보고 테트라 아낙스의 개가 돼서 싸우라는 거야? 앙리 유이가 무슨 짓을 하든 그건 테트라 아낙스가 알아서 할 일이지, 잘나신 테트라 아낙스에게 각설탕 한 개 대접받아 본 적 없는 우리가 할 일이 아니라고."

루스킨은 컨테이너가 배에서 내려지는 모습을 바라보며 킥킥 웃었다.

"네 동생이랑 우리는 그렇게 친하질 않아, 이사카. 그리고 우린 그냥 먹고살 수단이 필요했을 뿐이야. 굳이 테트라 아낙스처럼 거물이 아니어도 돼. 그냥 먹고살 만하면 만사 오케이야. 옛날에는 네가 생명의 은인이기도 하고 갱 리더였으니까 널 따를 수밖에 없었지만 네가 우릴 버리고 떠난 시점에서 그 은혜는 다 청산되었다고 생각해. 안 그래?"

"……."

루스킨은 서현이 그들을 버리고 떠난 것을 비난하고 있었다. 자칭 크림전쟁 때부터 활약했다고 하는 레온을 제외하고 이사카 그룹에서 가장 똑똑하던 루스킨이 이렇게 말하니 할 말이 없다. 실제로 그들에게 비난받아 마땅하다고 서현 자신도 자각하고 있고.

"그냥 헛꿈 깨고 지금이라도 조직에 들어와. 미하일 부코프스키가 지금은 아주 거물급 마피아라고. 미드에 나오는 차들을 타고 다닐 수도 있고 원하면 콜걸도 얼마든지 불러주고 아주 주지육림이 따로 없어."

"…우선 널 내버리듯 해서 미안하다."

"그런 사과 듣자고 하는 게 아니야. 이제 와서 사과 몇 마디로 다시 네 부하로 돌아가진 않을 거야. 아니, 그래. 마피아가 되어서 같이 돈이나 벌자면 얼마든지 네 부하로 들어가 주지. 함께 미하일 부코프스키를 쳐 죽이고 그 조직을 대신 경영하자고. 나보다는 역시 네가 리더로서 어울리지."

루스킨이 그리 말하자 서현은 피식 웃었다.

"그리고 또 미안하다고 하는 건 말이지… 아무래도 몇 대 맞자. 미리 사과할게."

"뭐?"

그 순간 루스킨은 깜짝 놀랐다. 서현의 말투에서 예전의 위압적인 이사카 베르게네프가 느껴졌다. 하지만 그때로 돌아올 리가 없다. 루스킨은 순간 기대한 자신이 바보 같다고 생각되었다. 이제는 더 이상 그런 허망한 꿈을 좇아서 싸울 때가 아니다. 과거에는 이상이 높았다면 지금의 그는 현실에 안주하고 먹고 사는 게 무엇보다 중요했다.

"…하아. 그 잘난 0세대 라이칸스로프의 힘이 나에게 통할 것 같아?"

라이칸스로프에게 윗세대의 명령은 절대적이다. 뱀파이어에 비해 더 뛰어난 신체 능력, 적절한 생명 연장이 있음에도 불구하고 라이칸스로프가 폭발적으로 퍼지지 않는 것은 그 때문이다. 누군가에 의해 라이칸스로프가 된다는 건 곧 그 누군가의 노예가 된다는 것이나 다름없으므로……. 하지만 루스킨은 귀걸이를 꺼내서 레슬링으로 짓이겨진 자신의 귀에 끼웠다.

한눈에 보아도 알 수 있는 마도구다. 윗세대의 명령을 거부하게 해주는 배반의 귀걸이… 라이칸스로프 세대 간의 유대뿐 아니라 종속형 조종 마법도 거부하는 도구다. 굉장히 비싼 것일 텐데 저런 걸 가지고 다녔다니…….

"나야말로 사과하지, 이사카. 널 좋아하는 애들이 많고 나도 사실 널 좋아하니까 반만 죽일게. 이미 테트라 아낙스와의 싸움으로 원기를 소진한 너라면 그 정도로 충분하겠지."

"…그럼 저기 컨테이너 보관하고 있는 야적장으로 갈까?"

"…뭐, 좋아."

뱀파이어든 라이칸스로프든 선천적으로 강력한 힘을 가지고 있는 괴물은 절대로 인간의 무예를 이해하지 못한다. 인간일 적에는 싫어도 익혀야 했던 각종 무술이나 체술이 괴물이 되는 순간 무의미해지기 때문이다. 하지만 루스킨은 인간일 때 이미 대학 레슬링부였고 그것은 그 후 괴물이 된 그에게 매우 강력한 무기가 되었다.

"우선 내가 정말 미안하게 여기고 있다는 건 고백하겠다."

서현은 컨테이너를 보관하고 있는 야적장의 담벼락을 뛰어넘어 무사히 안으로 들어왔다. 위에는 감시탑이 있어서 만약의 사태를 대비해 경비를 서는 사람이 있었지만 이런 대형 컨테이너를 따기 위해서는 보통 장비가 필요한 게 아니다. 그러니 자연히 차량이 출입할 수 있는 곳으로 경비의 시선이 집중되어 있었고 그게 아니더라도 서현은 고양잇과 맹수처럼 조용했다.

그를 발견하지 못했다 해서 경비를 탓할 수는 없으리라.

"아아. 입에 발린 소리."

루스킨은 서현의 사과를 일축하고 어깨를 풀었다.

"나야말로 몸도 안 좋은 이사카를 때릴 것 같으니 미리 사과

하지."

"그런데 이사카라고 부르지 마. 지금의 나는 서현이다. 참고로 아직도 일본인 몇몇이 날 수배하더라고. 부산엔 솔직히 오고 싶지 않았어."

서현은 과거 투르크메니스탄의 희토류 광석 광산 개발을 위해 와 있던 미츠비시상사 주재원을 전부 납치한 뒤 한 명당 1억 엔씩 받고 풀어준 적이 있었다. 부산엔 미츠비시상사와 관련된 선박과 선원들이 오가고 있으니 그중에 이름을 기억하고 있는 자가 있을 수 있었다.

지은 죄가 많으니 아무 데서나 옛 이름으로 불러대는 게 달가울 리 없다.

"그때는 정말 대단했지. 쌍둥이 동생을 의식해서 머리를 검은색으로 염색하고 일부러 동생 모습으로 조지고 다녔었지."

당시 서현은 동생 서린에게 피해 의식을 가지고 있어 종종 그런 짓을 벌이곤 했었다. 떳떳한 일이 아니니 변장을 했는데 한다는 게 쌍둥이 동생 흉내라니.

"…내가 한 짓이지만 그건 좀 부끄럽네."

"부끄러운 과거보다 더 부끄러운 현재를 맞이할 텐데, 뭐. 내가 널 때려눕힐 테니까. 그럼 이제 그 해괴한 뱀파이어들 이야기는 신경 끊고 함께 마피아 짓이나 하자고."

"반대로 내가 널 때려눕히면?"

"그럼 물론 다시 네 부하가 되어주지."

"내가 별로 남는 게 없는데."

서현은 마치 자신이 이길 걸 예약이라도 해놓은 것처럼 말한다. 그 모습을 보고 루스킨은 실소를 머금었다. 과거 서현이 패도를 걸을 때 루스킨은 그의 가장 최측근을 자처했었다. 그러나 패도가 막히고 서현이 절망에 빠져 무너지고 난 후에 루스킨은 오히려 서현을 부정했다. 서현이 마피아가 되어서 지금 자신들을 돕겠다면 얼마든지 환영이지만 서현에게 끌려다니진 않겠다고 작정을 한 것이다. 그런데 간만에 재활해서 연락한다는 게 이런 이유라니… 기가 막힐 노릇이다.

컨테이너 박스가 3층씩 쌓여 있는 틈 사이에서 루스킨은 발을 멈췄다.

"자, 그럼 시작해 볼까?"

"그래."

그 순간 루스킨이 대뜸 몸을 틀며 훅을 날렸다. 그야말로 전력을 끌어 올려 후려갈기는 훅이다. 레슬링 선수 출신답게 전신의 탄력을 이용해 날리는 이 훅은 스치기만 해도 최하 사망이다. 바람이 우는 소리가 난다.

설령 이걸 피한다 해도 그다음은 태클이 들어간다. 그렇게 생각한 순간 과연 서현은 뒤로 몸을 젖혀 주먹을 피했다. 뒤로 몸을 젖힌 탓에 허리가 뒤로 빠지고 하체가 들린다! 여기에 태클을 넣으면 바로 끝…….

투확!

그 순간 루스킨의 턱에 서현의 발이 꽂혔다. 뒤로 아예 몸을 젖히면서 손을 땅에 짚고 뒤차기나 옆차기에 가깝게 차올린 킥이 그대로 루스킨의 안면에 꽂힌 것이다. 킥복싱도, 태권도나 가라테도 아닌 기묘한 발차기. 비슷하다면 MMA에서 쓰는 업킥(Up kick)이겠지만 업킥은 위로 차는 것인데 이것은 수평으로 찬 것이다. 우스꽝스럽지만 위력은 상당해서 목이 뽑히는 줄 알았다.

"레슬러가 '뒈져라 훅'을 날리면 그다음 생각하는 게 뻔하지."

"젠장!"

루스킨은 킥의 타격에서 몰리는 것을 막기 위해 오히려 어퍼컷을 날리며 몸을 일으켜 세웠다. 깊은 하단 태클은 서현에게 먹히지 않는다. 그래서 루스킨은 어퍼컷으로 우선 상대의 연속 공격을 차단하고 이번엔 상단 태클로 서현을 붙잡았다. 그레코로만 스타일로 넘겨 버리기 위함이었다!

그런데 그때 서현은 빙글 몸을 돌리더니 오히려 루스킨에게 등을 내보였다. 루스킨은 수월하게 서현의 언더훅(겨드랑이 밑에 팔이 들어간 상태)을 팠다. 이리되면 이제 컨테이너 트럭이라도 수플렉스할 수 있다!

뚜둑!

하지만 잠시 후 바닥에 쓰러진 건 루스킨이었다.

"삼보 하는 애들이랑 한두 번 한 것도 아닐 텐데 니바(Knee bar)를 당하면 어떻게 해. 그 실력으로 내 갱의 행동대장을 맡고 있었나?"

서현은 투덜거리며 바닥에 쓰러진 루스킨을 바라보았다. 니바는 러시아의 삼보 선수들이 즐겨 쓰는 하체 관절기로 무릎을

꺾는 기술이다. 그러자 루스킨이 으르렁거리며 몸을 일으켰다.

"어느 나라 니바가 다리를 잘라 버리는데?"

아닌 게 아니라 어느새 루스킨의 다리 하나가 무릎 높이로 잘려서 서현의 손에 들려 있었다. 그러나 루스킨은 벌써 새로 자라난 다리로 땅을 디뎠다. 생명력이 소진된 서현은 그 모습을 보고 휘파람을 불었다.

"부럽네."

"아오!"

분개한 루스킨이 주먹을 날린다. 공기가 찢어지는 소리가 흡사 대포를 발사하는 것 같다. 하지만 서현도 피하면서 중장거리에서 손으로 공격을 가했다. 짝 하고 서현의 잽이 먼저 루스킨을 때렸지만… 루스킨은 잽이 들어오는 순간 맞으면서도 다시금 러시안 훅을 날렸다.

'잽이 나올 타이밍에 작게 맞고 크게 갚아주기다! 내 훅을 맞으면 허리 아래만 남겨놓고 날아갈걸?!'

루스킨은 자신의 공격에 확신이 있었다. 하지만 그 러시안 훅보다 먼저 서현의 라이트스트레이트가 뒤따른다. 그래도 루스킨은 자신의 공격이 먼저 닿는다고 믿어 의심치 않았다. 러시안 훅은 몸의 무브먼트가 엄청나서 일반적인 원투 스트레이트의 경우 맞지 않는다.

텅!

하지만 잠시 후 루스킨의 몸이 뒤로 날아가 컨테이너에 충돌했다. 컨테이너가 무너져 내리며 루스킨을 덮었다.

"정과 망치. 내가 시스테마를 하는 건 알고 있을 텐데?"

서현은 잽을 때린 후 스트레이트를 친 게 아니라 오른손을 잽에 보태서 상대를 밀어버린 것이다. 어지간하면 맞고 버티면서 훅을 날리려 했던 루스킨이지만 잽에서 쌍장타가 나오니 날아갈 수밖에 도리가 없었다.

"아오! 그렇게 잘나서 동생에게 새치기 한 번 당했다고 우릴 버려?!"

분노한 루스킨이 컨테이너를 후려쳐 날려 버리고 잔해에서 뛰쳐나와 이번엔 발목 높이로 태클을 했다. 서현은 그런 루스킨을 위에서 누르며 스프롤로 버텼지만 인간을 상대로는 몰라도 라이칸스로프끼리는 레슬링이 통하지 않는다.

"차!"

발목 높이 로우 태클에서도 위로 몸을 일으키면 그 힘만으로 인간 체중쯤은 쳐올릴 수 있다. 루스킨이 힘껏 위로 쳐올리는데…….

아무런 느낌이 없다.

서현은 킥킥 웃으며 루스킨의 옆으로 가서 팔을 얽었다.

"뭐, 스프롤에 대항해서 쳐올리는 건 내가 처음 너에게 가르쳐 준 거 아니냐? 안 잊고 그대로 하다니 고지식하네."

그리고 이어지는 허벅다리… 유도식 메치기에 루스킨이 바닥에 떨어졌다. 텅 하는 소리가 날 정도로 세게 메다꽂아서 서현의 몸이 튕겨 오를 정도다. 그의 외조부인 볼코프처럼 무지막지한 메치기는 아니지만 인간이라면 죽기에 충분한 위력이다.

"크……."

당황한 루스킨이 일어나는 순간 서현은 이번엔 자신이 루스킨에게 레슬링식 태클을 걸었다. 설마 상대가 이렇게 나올 줄 몰랐던 루스킨이 당혹하는 사이 가볍게 루스킨의 백을 잡은 서현이 그대로 수플렉스를 넣자 컨테이너 박스가 찢어지며 루스킨이 그 안으로 들어갔다. 무수한 봉제 인형이 안에서 우수수 쏟아져 내렸다.

"……."

루스킨은 인형들에 파묻혀서 멍하니 하늘을 올려다보았다. 서현은 분명히 소진되고 흔들리기도 하지만 역시 강하다. 그래도 이제는 좀 상대하면 한번 이겨볼 만하지 않을까 생각했는데 역시 격이 다르다. 특히 마지막 피니시는 레슬러에게 레슬링 기술로 반격이라니 거참… 묘한 미학이 느껴진다.

"하… 져버렸잖아?"

"아, 그래?"

루스킨의 머리를 짓밟으려던 서현의 발이 멈칫했다.

"왁… 뭐 하는 거야?"

"아니, 예상보다 빨리 승패를 인정하기에… 그만 당황해서."

서현은 그리 말하며 웃는다. 조금만 더 늦었으면 머리를 아예 으깨놓고 웃을 뻔했다. 루스킨도 그걸 보고 허탈하게 웃었다.

"허… 하하하하. 씨발… 장난해? 우리 다 버려놓을 때 내가 모를 줄 알았어? 이사카 넌 진짜 섬세해서 인생의 목표가 없어졌다고 바로 절망하고 그러는데 널 보고 쫓아오던 우린 뭐가 되는데? 꼴랑 몇 달 사람같이 살아보더니 이제 와서 다시 네 따까리 하라고? 썅, 말이 돼?"

루스킨은 더 싸울 의욕도 없었지만… 입에서 신세 한탄이 줄줄 나오는 건 어쩔 수 없었다. 그러자 서현은 어깨를 으쓱해 보였다.

"미안해."

"전혀 미안해하지 않고 있잖아?! 미안하단 말이 그렇게 쉽게 나와?"

루스킨은 열받아서 곰 인형을 집어 던졌다. 서현은 봉제 인형을 받아 들고 한숨을 내쉬었다.

"뭐, 나라고 완전무결한 초인은 아니니까. 특히 그때 이후로 참… 힘들었다."

"그리고 우리를 그냥 사람 잡아먹는 마물 정도로 생각한 것도 사실이지? 아주 섬세해서 좋겠다, 정말. 우릴 이런 괴물로 만든 건 너잖아? 그런데 책임도 안 지고 도중에 도망가 놓고……."

"책임을 질 수 없을 때는 안 지는 게 나아. 무리해서 책임지겠다고 다 같이 망가지는 걸 보고 의도가 좋았으니 참으라고 할 수는 없잖아?"

"지금은 뭐 질 수 있고? 그럼 내버려 둬. 난 지금 행복하니까."

"…뭐, 그렇다면 됐어. 달리 찾아볼게."

서현은 루스킨에게 더 이상 강요하지 않고 돌아서려 했다. 그러자 루스킨이 다시 곰 인형을 집어 던졌다.

"이, 썅. 내가 지면 다시 네 부하 하기로 했잖아. 내기 다 까먹었냐? 아주 날 무시하네. 너한테 줘 터지니까 뭐 필요 없어? 좀 튕기면 설설 기는 맛이 있어야지."

"…그만해라. 진짜 차버린다. 귀엽고 깜찍한 미녀가 해도 허리를 뒤로 접어서 피겨스케이터 부럽지 않은 몸으로 만들어줄 판에 내가 왜 삭발한 레슬러랑 밀당을 해야 하냐고."

서현은 정색을 하고 받아쳤다. 역시 남자가 여자보다 적은 나라에서 태어난 놈답다. 미녀가 해도 허리를 뒤로 접어버리겠다니…….

"아. 됐어, 뭐. 좋아. 내기는 내기니까 따라가 주지. 쌍, 근데 좀 그럴싸하게 사과하는 법 못 배웠냐?"

루스킨이 그렇게 말하자 서현이 싱긋 웃었다.

"원래 내가 왕자라서 사과 따위 잘 모른다."

"하아? 그래요? 하여튼 무슨 일인데?"

"신을 만들려는 미치광이 마법사 군주랑 싸우는 일. 진마 앙리 유이가 적이다."

"호오?"

루스킨은 다시금 가슴이 두근거리는 걸 느꼈다. 이미 마피아 조직의 일원이 되어 주지육림을 즐기고 있었지만 역시 사실 모든 게 시시했다. 총알을 맞아도 죽지 않고 미사일을 맞아도 죽지 않는 생물에게 마피아 일이라는 건 결국 지긋지긋한 단순 반복 작업에 불과했다.

그러니 서현을 따라서 전설적인 뱀파이어들과 싸우는 일은 재미가 없진 않을 것이다. 이런 걸로 즐거워하면 안 될 텐데 즐거워지는 걸 보니…….

"난 어지간히도 널 좋아하나 보다, 보스."

"…농담이지?"

서현은 그리 반문하고 컨테이너 위에 섰다. 경비탑에서 사이렌이 울리고 서치라이트가 켜지고 아주 그냥 난리가 났다. 갑자기 멀쩡하던 컨테이너가 허물어지고 깨졌으니 다들 당황할 법도 하다.

"그럼 빨리 도망치자."

서현과 루스킨은 즉시 그 자리를 벗어났다.

그 결과 루스킨은 다시금 서현을 리더로 여기고 한국으로 이사 왔다. 다른 라이칸스로프 갱 대부분이 볼코프의 갱을 따라간 관계로 루스킨을 따라온 것은 아직 미성년자인 빼또쥬 하나… 그러나 루스킨은 연신 싱글벙글 웃고 있었다.

"왜 웃어?"

서현은 이삿짐을 정리하면서 루스킨에게 물어보았다. 그러자 루스킨이 키득키득 웃었다.

"아니, 내가 하던 한국산 온라인 게임이 있는데 본섭이 한국에 있어서."

"그래?"

"여캐 코스튬도 더 야하고 확장팩도 많이 나왔고 그래서 신남."

"……."

서현은 루스킨의 말을 듣고 한숨을 내쉬었다. 역시 루스킨은 단순하다. 서현의 라이칸스로프 갱 중에 그나마 대학 물을 먹은 게 이놈인데 이렇게 단순하다니. 뭐, 멍청해서 단순하다는 그런 이야기는 아니고 그냥 루스킨의 단순함이 부럽다.

그런 루스킨 앞에 빼또쥬가 앉아서 휴대용 게임기를 만지작거리고 있었다.

"빼또쥬, 함께 정리 좀 하지?"

"…아니, 시키지 마."

서현은 그걸 말렸다. 겉보기로는 멀쩡해 보이지만 제대로 된 교육을 받지 못해서 정신연령이 어린 저 소년, 빼또쥬에게는 정리라는 개념이 존재하지 않는다. 그런 빼또쥬에게 억지로 정리를 시키면 물건이 남아나는 게 없으리라.

"하지만 안 시키면 점점 더 안 하게 된다고."

"시키면 다 때려 부술 걸 알면서 시키느니 맨손일 때 교육시키자고. 괜히 물건 부술 이유는 없잖아?"

"…그래도 너무 교육하지 않고 방치하는 거 아니야?"

루스킨이 그리 말하자 서현이 발끈했다.

"애초에 저 애 교육 담당은 너잖아?"

"보스 말이 아니면 잘 안 듣는다고! 애초에 저런 어린 모습이어도 세대는 나와 같잖아?! 말을 안 들으면 나도 어찌할 수가 없어."

라이칸스로프의 세대로 따지자면 서현이 0세대, 루스킨과 빼또쥬가 1세대였다. 뱀파이어는 설령 자신이 직접 뱀파이어로 만들어준 녀석이라 해도 거스르기 시작하면 대책이 없는 데 반해 라이칸스로프의 경우 윗세대가 아랫세대에게 절대적 영향력을 행사한다. 서현에 의해서 라이칸스로프가 된 루스킨과 빼또쥬는 대등한 존재기 때문에 교육하기 애먹을 게 분명하다. 게다가 보아하니 그 윗세대의 말을 저항할 수 있는 귀걸이는 빼또쥬에게도 있는 것 같았다.

"아, 내가 정말 잘하는 일인지 모르겠군. 너희를 불러들이다니."

서현은 한숨을 내쉬었다. 이러니저러니 해도 섬세한 성격의 그와 달리 이들은 아무런 번뇌도 고민도 없다. 좋게 말하면 순진무구한 건데… 문제는 이들이 살육과 식인에 길들여진 이들이라는 것이다.

라이칸스로프들에게 인간고기라는 건 딱히 맛있는 게 아니다. 솔직히 말해서 조리된 소시지나 품종 개량된 소고기 돼지고기가 훨씬 맛있게 마련이다. 그러나 인간을 먹음으로써 그 영성을 흡수해 힘을 회복할 수 있다는 점 때문에 라이칸스로프들은 편의상 식인을 한다.

이들을 잘 관리하지 않으면 치안이 확립된 문명 도시 한복판에서 식인 사건이 발생할지도 모른다. 그걸 생각하니 머리가 지끈거린다.

"뭘 또 그리 심각하게 그래. 그나저나 이제부터 뭘 하지?"

루스킨은 책상을 조립하고 컴퓨터를 세팅하면서 물어보았다. 서현은 고개를 끄덕였다.

"일단 돈을 벌고 무기를 모아. 앙리 유이와 싸울 준비를 하지."

"앙리 유이? 아, 들었어. 신을 만들려고 한다면서? 뭐, 그런 미친 짓은 하게 내버려 두는 게 낫지 않나?"

"문제는 이미 그가 태양광을 이기는 약을 만들어내었다는 점이지. 불로불사의 존재인 뱀파이어가 예상보다 그리 많이 퍼지지 않는 것은 사람들이 모두 다 뱀파이어로 변이할 수 없다는 것과, 태양광을 이길 수 없다는 점이 크거든. 테트라 아낙스의 서포트가 없이 태양광을 버틸 수 없는 뱀파이어들은 한계가 명확하니까."

"음. 하지만 테트라 아낙스의 지배가 흔들린다면 그건 그거대로 좋은 거 아냐? 아, 물론 서현에게는 동생 일이니까 그렇지만은 않은가? 서현은 동생 편애가 너무 심해서 질투가 난다니까."

루스킨이 농담을 하면서 너스레를 떨었다.

"…딱히 동생이라서가 아니라 인간들이 불로불사에 가지는 열망이 너무 강력하기 때문에… 일광을 버틸 수 있다면 뱀파이어가 되려는 놈들이 끝도 없이 늘어날 거야. 뱀파이어의 존재가 알려지는 것만으로 인류 문명이 얼마나 큰 타격을 받을지는 말할 필요도 없겠지."

"테트라 아낙스의 기만을 옹호하는 건가? 역시 동생 사랑이 대단해."

"테트라 아낙스를 옹호한다기보다는 그만큼 인간 본성을 안 믿는 거지. 난 언제나 확고부동하게… 인간 평균을 안 믿어. 개개인의 품성엔 차이가 있지만 인간 전체를 놓고 봤을 때는 당연히 뱀파이어에 의해서 인류 문명이 끝난다."

그 말을 들은 루스킨은 히죽 웃으면서 컴퓨터에 한국산 온라인 게임을 깔기 시작했다.

"인류 문명이 끝나면 나도 곤란하지. 게임을 못 하잖아?"

"나도… 애니를 못 봐."

그렇게 말하는 빼또쥬가 휴대용 게임기를 서현에게 돌려 보였다. 일본산 유명 라이트노벨을 기반으로 한 미소녀 연애시뮬레이션 게임이 돌아가고 있었다.

"……."

서현은 말없이 자신의 얼굴을 손으로 덮었다.

"대체 나 없는 사이 너희에게 무슨 일이 벌어진 거냐?"

第8夜

반역의 봉화

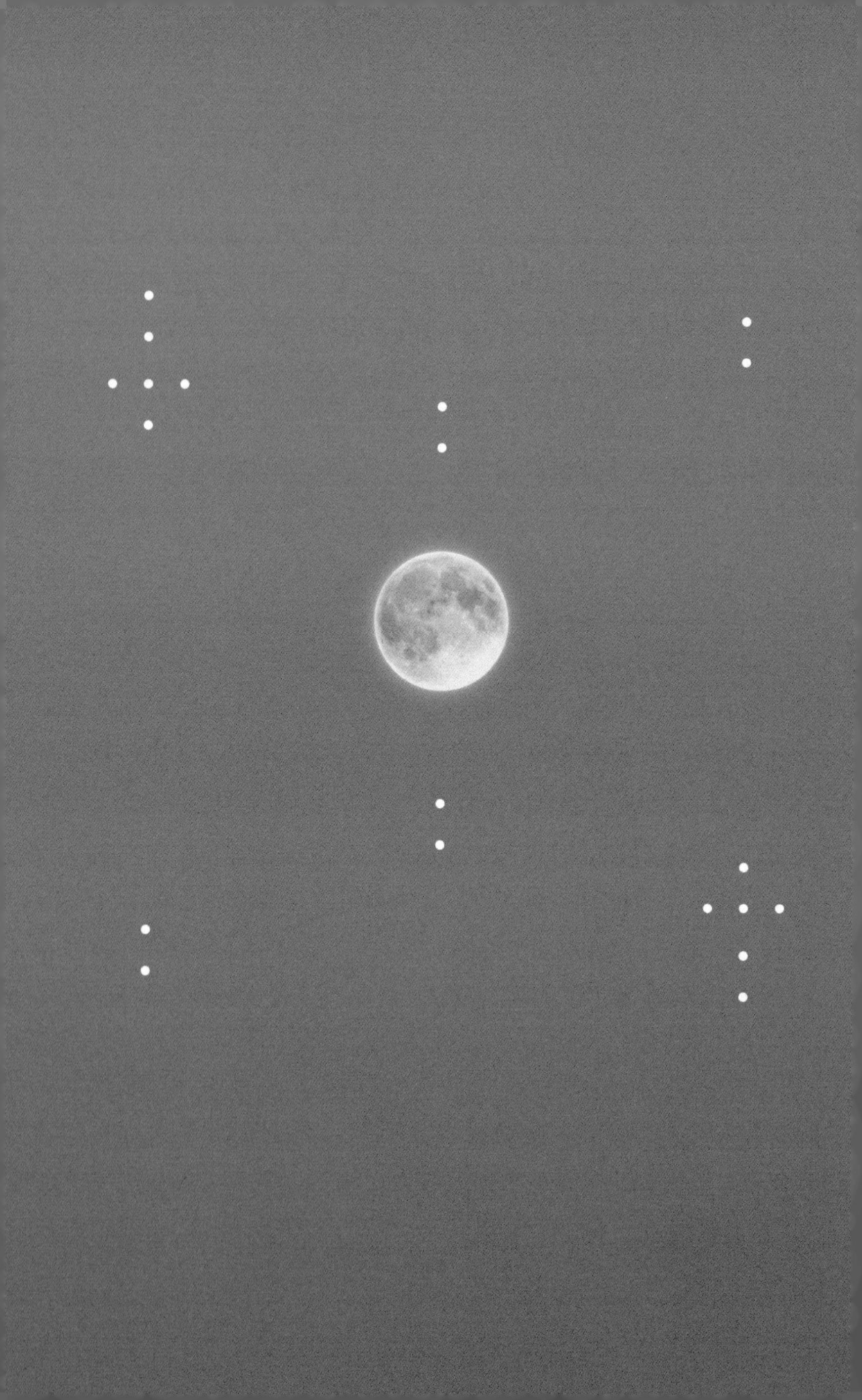

1

뱀파이어를 잡아 그 피를 내어 팔아치우는 사냥꾼들, 그들을 뱀파이어 헌터라고 부른다. 이들은 뱀파이어에게 가족을 잃거나 혹은 뱀파이어의 피를 정제해 만드는 마약, 사이키델릭 문에 중독되어 직접 뱀파이어를 잡기 위해 뛰어드는 게 대부분이다.

그런 이들에게 라이칸스로프라는 건 소가 닭 보듯 하는 것과 마찬가지의, 아무런 가치도 없는 존재였다.

뱀파이어는 잡으면 돈 될 것 천지지만 라이칸스로프는 십 원 한 장의 가치도 없다. 뱀파이어의 피는 불로불사의 영약으로 쓰일 수 있지만 라이칸스로프가 되는 것은 누구도 원하지 않는다. 라이칸스로프는 뱀파이어와 달리 윗세대가 밑세대에 절대적인 영향력을 끼치니 라이칸스로프가 된다는 건 곧 상전 모시는 노예 신세를 자처한다는 뜻이었다.

게다가 과거 유명한 뱀파이어 헌터 중에는 라이칸스로프도 상당히 많아서 뱀파이어 헌터와 라이칸스로프는 공생 관계라고 할 수 있으리라. 라이칸스로프가 뱀파이어 헌터를 하는 건 어제오늘 있던 일이 아니라서 새삼스러울 것도 없다.

다만 그 라이칸스로프가 어린 나이에 용병으로 이름을 날린 무투파의 두령이라면, 특히나 릴리쓰의 직계 자손이라면 이야기가 달라진다.

"그 이사카 베르게네프가 자기 부하들을 불러들였다면서?"

"미하일 부코프스키 조직이랑 연계가 되어 있다는 거 사실이야? 그거 때문에 난리던데. 보통 러시아 마피아들은 한국에 별 관심 없었잖아? 부산에 선원들이나 오가는 정도고."

심야의 아르쥬나에 모인 뱀파이어 헌터들이 서로의 정보를 공유하고 있는데 대부분이 서현에 대한 이야기였다.

역시 뱀파이어 헌터들의 주 수입원이 수입원이다 보니 서현이 라이칸스로프 패거리를 불러들인 것을 무슨 러시아계 폭력 조직의 한국 진출 정도로 생각하는 이가 많았다. 한세건은 그들의 이야기를 들으며 코웃음 쳤다. 그가 본 서현은 이러니저러니 해도 마피아 짓을 하면서 만족할 인물은 아니다. 정말 그런 놈이라면 한국에 오지도 않았겠지.

'지금까지는 실체가 있는 뱀파이어를 상대하기 위한 장비들을 주로 구매했는데 사법사라는 것들, 마법사들을 상대하려면 저주에 대한 방어 대책과 사령에 대한 공격 수단을 필요로 해.

문제는 아르쥬나 게 상당히 비싸다는 건데.'

세건은 아르쥬나에 진열된 마도구들의 가격표를 보면서 스마트폰의 노트에 가격을 기입하고 있었다. 그때 몇몇 헌터가 한세건에게 접근해 왔다.

"어… 어떻게 생각하지, 한세건? 그 리림이 한국에 확장을 하려는 게 과연 무슨 뜻인지 혹시 알고 있나?"

"왜 내게 그 전범의 일을 묻는 거지?"

"아니, 그와 페어를 이루고 있으니까 혹시 뭐 알고 있나 하고."

"페어?! 내가?"

한세건은 짜증을 냈다. 잠깐 함께 손발을 맞춘 걸 가지고 페어라는 소문까지 돌다니.

"라이칸스로프 놈이 뱀파이어를 좀 죽인다고 헌터라니, 그놈들도 아차 하면 사람 머리통을 과자처럼 물어뜯을 텐데?"

"아니, 뭐, 그렇긴 하지만 옛날에 사혁도 라이칸스로프면서 헌터였는걸."

"……."

한세건 앞에서 사혁 이야기를 꺼내다니… 알면서 그러는 건가, 일부러 그러는 건가? 세건은 뭐라고 반응해야 좋을지 몰라서 그를 바라보았는데 눈매가 사나워서 그런지 다른 이들은 다들 세건이 화났다고 여기고 있었다.

"아, 미안."

"역시 마음 쓰고 있었군."

사람들은 무슨 세건이 사혁을 죽인 것을 두고 마음 쓴다고 생각하는 듯했다. 하지만 항변할 수도 없다. 여기서 입을 벌리면 오히려 한세건이 이렇게 말했다, 저렇게 말했다 일파만파로 퍼져 나갈 게 틀림없다. 이 경우 그냥 과묵한 놈으로 취급받는 게 차라리 나았다. 하지만 이미 늦었다. 헌터들로 붐빌 시간에 아르쥬나에 온 것 자체가 잘못이었다.

"아, 저기 한세건 씨 맞지요? 저번엔 도와주셔서 감사했습니다. 당신이 아니면 죽을 뻔했어요."

"그 라이칸스로프랑 페어가 아니란 말이지? 그럼 나랑 함께 일합시다."

서현과 페어가 아니라는 소리를 하자마자 여러 뱀파이어 헌터가 세건에게 접근해 왔다. 이러니저러니 해도 한세건은 뱀파이어 헌터들 사이에서는 살아 있는 전설이다. 그와 함께 일할 수 있다면 그만한 영광은 없다. 물론 그들이 순진하게 동경 때문에 그러는 건 아니다. 현재 한세건은 가장 높은 수익을 올리고 있는 뱀파이어 헌터이기도 하기 때문이다.

"…간다."

결국 세건은 다른 뱀파이어 헌터들의 등쌀을 피해 아르쥬나에서 등을 돌렸다. 뱀파이어 헌터들 사이에서 앙리 유이에 대한 소식을 들을 수 있을까 하고 찾아온 건데 이래서야 원, 끝이 없다. 차라리 정말 서현과 페어를 맺는 게 편할지도 모르겠다는 생각이 들 정도니…….

"그래서 나한테 온 거야? 나 참, 내가 무슨 아르쥬나 대용품도 아니고."

케네스 양은 자신의 창고에 찾아온 세건을 보고 투덜거렸다. 세건은 그런 케네스 양을 흘겨보았다. 아르쥬나에 이런 대항심을 가지고 있었던가?

"마도구 구해줄 수 있어? 이런 물품들이 필요한데."

세건은 아르쥬나에서 보았던 것들의 명단을 뽑아서 케네스에게 넘겨주었다.

"흠. 액막이 부적이랑 감응반? 성수와 축복받은 감람목인가. 뭐, 갑자기 오컬트 마니아가 되셨나?"

"쓸데없는 소리를 꼭 해야겠어?"

"아, 그래. 다 구해줄 수 있어. 보편적인 것들이니까. 그런데 왜 갑자기 탄약이 아니라 이런 걸 원하지? 앙리 유이 때문인가?"

케네스 양이 은근슬쩍 캐물었다. 그런 케네스 양의 태도에 한세건이 질린 표정을 지었다.

"자세한 건 알 필요 없어."

케네스 양이 속한 조직은 차이니즈 마피아 세력인 청방이 주도해서 만들어낸 일종의 암흑사회 공공재, 블랙 네트워크였다. 문제는 그 블랙 네트워크를 만든 청방의 간부 중 한 명이 바로 뱀파이어 24진마 중 한 명인 진마 파군이라는 것이다.

그러니까 케네스 양에게는 뱀파이어의 하수인 혐의가 씌워져 있는 것이다. 물론 정확한 계보를 따지면 케네스 양에게 파군의 그림자는 거의 없다. 그게 아니더라도 애초에 딜러와 뱀파이어 헌터의 관계는 무미건조한 것이다. 헌터는 딜러를 이용하고 딜러도 헌터를 이용하는 그런 살벌한 관계일 뿐이다. 설령 그 딜러가 뱀파이어와 연계되어 있다고 하더라도 사이키델릭 문을 돈으로 바꿔줄 매입처는 필요하다. 만약 케네스 양이 없어지면 아르쥬나에서 돈을 얼마나 짜게 할지는…….

'내 스승이긴 하지만 그녀는 정말 쓸데없는 데서 쪼잔하거든.'

세건은 그리 생각하면서 케네스 양을 바라보았다. 솔직히 말해서 케네스 양과는 이래저래 인연이 있으니… 이 녀석을 조져서 파군을 끌어낼 수 없는 게 다행이라는 생각도 들었다. 조져서 파군을 끌어낼 수 있다면 그간 쌓인 정을 무시하고 공격해야 하니까.

"자세한 거 알 필요 없어? 그렇게 말해도 난 이미 알 거 다 알고 있다고. 내 정보력을 무시하면 곤란하지."

케네스 양은 세건의 복잡한 심경을 아는지 모르는지 장난스러운 웃음을 떠올리며 어깨를 으쓱해 보였다.

"그리고 딱히 나는 네가 나중에 파군을 죽이든 말든 신경 안 써. 아니, 오히려 죽여줬으면 좋겠다. 죽여서 그 피를 나에게 파는 거야. 평생 쓸 거 모이겠다."

한세건은 속내를 들킨 기분이 들어서 시큰둥해졌다.

"…그냥 거래나 하자. 얼만데?"

"아, 이 정도?"

케네스 양은 한세건이 요청한 물품들에 가격을 적어서 넘겨주었다. 역시 아르쥬나보다 약간 싸다. 아르쥬나보다 모든 면에서 비싸게 매입해 주고 싸게 판다. 뱀파이어랑 얽혀 있는 조직 놈이 아니었으면 참 기분 좋은 거래처일 것을…….

"흠… 믿을 수 있는 거야?"

"아, 물론이지. 믿을 수 있는… 체코산이지."

"……."

"품질은 괜찮아. 그런데 서양 마법 말고 도가 술법용 보패들은 어때?"

"보패? 그런 것도 파나?"

세건이 흥미를 보였다. 보패라면 그 봉신연의 같은 데서 나오는 도가의 마법 도구들 아닌가?

"메이드 인 차이나지만."

"……."

"아니, 보패나 부적의 경우 메이드 인 차이나가 명품이라고. 뭐가 되었든 간에 유령이나 사법에 대항할 수 있는 거면 되잖아? 그렇지?"

케네스 양은 이미 한세건이 앙리 유이의 사법사 조직과 정면 충돌할 거라고 가정하고 있는 것 같았다. 세건은 고개를 절레절레 저었다.

"옛날에……."

"응?"

"옛날에 네가 사혁이나 실베스테르에게 지나가는 개 취급 당할 때 왜 불쌍하다고 여겼는지 모르겠다."

"하하하. 뭐 그런 게 다 우리네 정 아니겠어? 어쨌거나 이 명단의 건 구해다 줄게. 그런데 혹시 내 심부름 하나 할래?"

"뭐?"

"하면 1% 더 할인해 줄게."

"1%로 내가 움직일 거라 생각하나?"

"그만큼 내가 마진이 안 남아요. 이미 양심적으로 팔고 있어서 1% 할인하기가 쉬운 게 아니야. 한세건 넌 뱀파이어 피 팔아서 돈은 많을지 몰라도 죄다 검은돈이지? 돈세탁하고 이거저거 하려면 들어가는 게 만만치 않을 텐데 아껴야 하지 않나?"

실제로 한세건은 버는 것도 많지만 쓰는 것도 만만치 않다. 각종 정보들을 입수해야 하고 사용하고 있는 정보 통신 기기나 토지를 원활히 쓰기 위해서 남의 명의를 얻어야 했다. 그런 것을 대량으로 매입하며 경찰에 걸리지 않기 위해서는 보통 시세보다 훨씬 비싼 값을 치러야 했다.

그러니 케네스 양의 심부름에 솔깃할 수밖에 없다.

"무슨 심부름인데?"

세건은 그렇게 반문했다.

"흠, 여긴가?"

세건은 주위를 둘러보고 다시금 주소를 확인해 보았다. 평범한 주택가와 상점가의 사이, 작은 상가 건물이다. 별다를 건 없어 보이는 곳인데 여기서 과연 케네스 양과 거래할 정도의 인생 막장이 거주하고 있는가?

'…뭐, 나도 케네스 양과 거래하는 인생 막장 중 하나긴 하지.'

세건은 쓴웃음을 지으며 휴대폰 GPS를 살펴보았다. 분명히 이곳이다. 케네스 양은 자신의 물건을 하나 배달해 주면 마도구의 대금 1%를 할인해 주겠다고 했고 세건은 그 말에 낚여 이곳에 왔다.

'할 일이 없기도 했고.'

한국은 뱀파이어들에게 있어서 변방 국가다. 적요와 창운이 한국에서 소멸한 이래 뱀파이어들의 출몰이 잦아졌지만 한세건 정도 거물 헌터를 애먹게 하는 적은 지금까지 드러나지 않았다. 앙리 유이의 세력 정도가 그나마 좀 손맛이 있는 정도라고 할까?

그래서 세건은 앙리 유이의 다음 움직임을 알아내기 위해 여기저기 정보를 모으고 의뢰를 하고 있었고 그 때문에 지출이 컸다. 케네스 양의 1% 할인에 응한 것도 그 때문이다. 심심하기도 했고 돈도 중요했고 일석이조다.

그런데 어째 느낌이 이상하다. 공기가 흡사 사포처럼 껄끄럽다. 이 건물 안에 뭔가 흉악한 것이 존재하고 있다.

'뭐, 그냥 배달이면 수백만 원어치 할인을 해줄 리 없지.'

세건은 조심스럽게 무기를 준비하고 계단을 걸어 올랐다. 옥탑의 문 앞에는 전자식 도어록과 카메라가 설치되어 있었다. 문은 흔한 스테인리스 도어가 아니라 굉장히 튼튼하게 보강된 방화문이다. 총탄도 못 뚫게 생겼다.

확실히 예사 장소는 아니다. 세건은 각오를 다지고 벨을 눌렀다.

"네네, 나갑니다. 아음, 아침부터 누가……."

그러고 문을 연 사람은 팬티 바람의 청년이었다. 짧게 깎은 머리, 지방을 찾아보기 힘든 근육질 몸매에 우그러진 귀는 무슨 아마 레슬링 선수 같은 놈이다. 실제로 아마 레슬링 선수들은 미간의 두개골 뼈가 이상 발육 해서 두껍게 되게 마련인데 이 남자도 그렇다.

그런데 어디서 많이 본 것 같다?

"어, 배달이에요?"

"음… 잠깐."

세건은 안으로 들어가 주위를 둘러보았다. 한 소년이 커다란 베개를 끌어안고 잠들어 있고 그 옆에는 밤을 새웠는지 좀 흥분한 것처럼 보이는 회색 머리칼의 청년이 컴퓨터를 만지고 있었다.

"아, 진짜 뭐가 문제인 거야?"

회색 머리칼의 청년은 여러 프로그래밍 질답 사이트의 출력물을 꺼내 보면서 자신이 실수한 게 뭔지를 확인하고 있었다. 그걸 본 세건은 엑토플라즘 마스크를 벗었다.

"뭐야. 이제 보니까 여기 너희 집이었냐?"

"어라? 비스트? 이거 뱀파이어 헌터잖아?"

루스킨은 한세건을 알아보고 깜짝 놀랐다. 비스트 한세건이라면 그들의 적이었던 뱀파이어 헌터가 아닌가? 루스킨은 만약을 대비해 얼른 전투 자세를 취했다. 하지만 서현의 반응은 루스킨의 예상외였다.

"아, 세건? 마침 잘 왔다. 너 컴퓨터 잘하지. 이거 좀 도와줘."

서현은 세건이 오자 마치 무슨 위기의 순간 마운드에 올라온 구원투수 보듯 도움을 청했다. 그러자 루스킨이 황당해했다.

"보스? 언제 이 자식이랑……."

"보스라고? 너희 그렇게 부르냐? 누가 갱단 아니랄까 봐."

세건이 마치 갱스터 영화나 래퍼들을 보고 헛바람이 들어 갱단을 자처하는 어린애들 바라보듯 하며 한숨을 내쉬었다.

"뭐, 너희가 볼 수 있는 서방세계의 모습이라는 게 대중매체를 통한 거라는 걸 이해하고는 있다만 MTV 같은 거 보고 상상하면 인생 망치게 된다. 아, 이미 인생 막장인가?"

세건이 기막혀서 빈정거렸지만 그는 어느새 서현의 곁으로 다가가 컴퓨터 모니터를 보고 있었다. 이 녀석의 컴퓨터를 보면 이놈이 무슨 짓을 하려는지 알 수 있겠지. 자기 컴퓨터를 함부로 남에게 보여주다니. 그런데 예상외의 것이 펼쳐져 있었다. 웹 프로그래밍이다.

"PHP에 Mysql이냐? 뭐 만들려고 그러는데?"

"중고차 매물을 보여줄 수 있는 웹 사이트를 만들려고 하는데 여기까진 했는데 잘 안 되네. 뭐가 문제인지 모르겠어."

"……."

내가 왜 그걸 도와줘야 하지? 세건은 그렇게 반문했지만 잠깐 서현의 코드를 살펴보니 한숨이 절로 나왔다.

"남의 예제 코드들을 그대로 퍼다 누덕누덕 기웠구나? 너 이거 그대로 돌리면 백도어 심은 채로 그대로 돌리게 된다? 어지간하면 그냥 파는 템플릿 사서 쓰지, 왜 이걸 직접 하는데?"

컴퓨터 앞에 앉은 세건은 서현의 코드를 수정해 일단 가상 웹 서버를 돌려서 제대로 뜨는지 확인하고 호스팅 업체에 업로드 시켰다.

그러고 보니… 정말 멀쩡한 중고차 사이트다. 뱀파이어 헌터들 대부분은 현실에서 아무런 직업이나 위장이 없는데 서현은 이런 걸 하다니…….

"농담인 줄 알았는데 정말 중고차 사이트네? 이거 다 허위 매물이지?"

"아니, 진짜 다 있어."

"흠……."

세건은 그걸 보고 혀를 찼다. 지금 한세건에게 가장 필요한 것은 돈세탁을 할 수 있는 곳, 그리고 차량이나 장비 중 국세청 추적을 받는 물건을 대행해 줄 수 있는 업자다. 서현이 이런 걸 준비할 줄이야.

서현은 온 도시에 각종 스파이 장비를 뿌리고 정보를 따내는 한세건의 재주에 감탄하고 있었지만 한세건은 역으로 서현이 이런 수완을 발휘하는 것에 감탄하고 있었다.

서현은 어린 시절부터 테트라 아낙스의 암살자들을 피해서 죽음이 만연한 분쟁 지역을 배회하고 있었지만 그 와중에도 마피아, 군벌 등과의 거래를 통해 불법적인 인맥을 어느 정도 구축하고 있었다. 그처럼 어린 소년이던 이가 총알받이 소년병이 아니라 거래를 주고받을 수 있을 만큼의 행동력, 조직력, 결단력을 갖춘다는 것은 그가 매우 유능한 프로젝트 리더임을 방증하는 것이다. 하지만 거래처가 마피아라는 게 한세건의 마음에 들지 않았다.

"마피아들에게 물건을 떼 와? 다 도난 차량 아냐? 잘못해서 경찰에 걸려 애써 깔끔한 신분 세탁을 망치지나 마라."

"뭐, 도난 차량이 없다고는 말 못 하겠는데 차량 이력은 차대 번호를 추적하는 거니까 깔끔한 차대 번호들만 들여와야지. 들여오는 놈들이 놈들이다 보니 도난 차의 부품이 들어 있지 않다고는 자신할 수 없다만."

"GTA는 게임으로만 해. 현실에서 하지 말고."

"그나저나 무슨 일이야? 내가 코딩에 어려움을 겪고 있다고 해서 찾아온 건 아닐 텐데?"

서현은 왜 한세건이 왔는지 궁금해했다. 그런 두 사람의 모습을 본 루스킨이 당혹스러워했다. 과거 서현이 테트라 아낙스의 세계 기만에 도전하기 위해 쿠데타군에 편승해 핵미사일 발사를 획책하던 시절, 한세건은 그야말로 죽고 싶어서 환장한 미치광이였다. 서현의 동생 서린을 미끼로 점점 테트라 아낙스의 핵심에 접근하려 했던 그는 서현의 집단과 잦은 마찰을 빚었는데 지금 모습을 보면 마치…….

루스킨이 황당해하면서 물어보았다.

"왠지 둘 사이가 굉장히 좋아 보인다면 내 눈의 착각이겠지요?"

"안 좋아."

"나빠."

서현과 한세건이 동시에 그렇게 대답했다.

"그나저나 넌 뭐 하는 건데?"

세건이 루스킨을 바라보고 궁금해했다. 루스킨은 분명히 한세건을 경계하고 있을 텐데 무릎 위에 노트북을 얹어놓고 있고, 빼또쥬가 끌어안고 자고 있는 베개에는 애니메이션 캐릭터가 그려져 있었다.

"…대체 너희 뭔데?"

세건은 다시금 질문을 던졌다. 그러자 루스킨이 격노해서 소리를 질렀다.

"이런 개자식! 죽여 버리겠다!"

"……."

깜짝 놀란 세건이 잽싸게 나이프를 빼 들었다. 그러나 루스킨은 세건에게 달려드는 대신 컴퓨터를 두들기기 시작했다.

"그래, 나 고아다! 부모 없다! 이런 개자식들, 눈앞에 있으면 두개골을 동그랗게 캔 따개로 따버릴까 보다!"

"……."

보아하니 게임에서 부모님의 유무를 걱정해 주는 다른 게이머와 건전한 상호작용을 일으킨 모양이다. 역시 동방예의지국, 효심 지극한 게이머가 많단 말이지. 세건은 그리 생각하며 혀를 찼다.

이래서 이런 놈들이랑 얽히고 싶지 않았는데.

라이칸스로프도 뱀파이어도 결국 문명은 인간의 것에 기생하고 있다. 그들 스스로 몇 가지를 만들 수 있겠고 발명도 할 수 있겠지만 결국 문명과 문화의 주체는 대중이고 인간이다. 그리고 그런 인간의 문화를 즐기는 뱀파이어와 라이칸스로프는 사실상 인간과 크게 다를 바 없다.

인간처럼 웃고, 인간처럼 말하고, 인간처럼 행동한다. 물론 그들이 인간을 해치는 괴물이긴 하지만 인간은 인간을 해치지 않는가?

세건은 이들이 인간적으로 행동하는 꼴을 보고 싶지 않았다. 철저히 타자화하고 싶다. 이해심 따위 발휘하지 않고 학대하고 죽이고 증오하고 경멸하고 싶었다. 증오가 무뎌지는 게 두렵다. 현실에 타협하는 게 두렵다. 무엇보다 이 짓을 지속하지 못하게 되는 게 두려웠다.

다행히 이들을 보면서 세건은 자신의 언더독 성향이 더더욱 끓어오르는 방향으로 생각을 전환할 수 있었다.

'고위 라이칸스로프지, 이놈들은…….'

고위 뱀파이어나 라이칸스로프는 인간을 해치고자 하는 욕구를 얼마든지 통제할 수 있다. 반면 하위 뱀파이어와 라이칸스로프는 테트라 아낙스의 보호도 못 받고 헌터에게 노출되고 자신들을 엄습하는 식욕, 분노, 광기에 고스란히 망가진다. 그러니까 인간적인 라이칸스로프, 선량한 뱀파이어들을 보면서 동정하는 건 이 불합리하고 부당한 착취의 세계를 단지 자신의 감정적인 소모를 줄이자고 긍정하는 타협이다.

"…표정을 보아하니 뭔가 음습하고 부정적인 생각이 가득한 것 같은데?"

그런 세건의 마음을 읽기라도 한 것처럼 서현이 물어보았다. 세건은 흠칫 놀랐다.

"뭐라고? 너 지금 텔레파시 능력을?"

서현에게는 테트라 아낙스와 맞먹는 텔레파시와 클레어보이언스 능력이 있다. 정신 조작과 예지 능력, 둘은 다른 듯하면서도 비슷한 힘이다. 그걸 썼나? 남의 마음을 허락 없이 들여다보고 그 운명을 엿보는 무례를 저질렀나? 세건이 그렇게 물어보자 서현이 어깨를 으쓱해 보였다.

"어디서 근거 없는 자부감이 넘쳐서 그러는지 몰라도 지금 당신 속내 읽기 너무 쉽거든? 부탁이니까 제발 포커 같은 거 치지 마라. 패가망신할걸?"

"…너 같은 놈이랑 말 트고 있는 걸 보니 이미 패가망신 등급이긴 하다만?"

그렇게 서로 주고받는 세건과 서현을 보며 루스킨은 복잡한 심정이 되었다.

'이 새끼들 아무리 봐도 사이가 너무 좋은데?'

전쟁과 극심한 빈곤에 고통받는 사람들에게 서방세계는 환상이다. 그들은 TV와 영화로 서방세계의 단편을 보고 환상을 품는다. 드라마나 영화 속의 세계가 현실일 수 없듯 그들의 환상이 현실일 수 없음에도 불구하고 자신들의 고통과 대척점에 있는 어떤 이상향을 그리곤 한다.

그래서 목숨을 걸고 서방세계로 탈출한 이후에는 또 다른 형태의 빈곤을 만나 파멸한다.

서현이 그러했다. 그는 자신에게 주어진 가혹한 운명을 저주하고, 자신을 희생양으로 구원받은 동생을 시기하고, 원망까진 아니더라도 그를 핑계로 삼았다. 하지만 그 모든 것이 끝나고 동생이 사실은 희생양이었다는 사실을 알게 되었을 때 자신이 환상을 품고 있었다는 걸 깨달았다. 어린 시절부터 현실에서 유리된 죽음의 칼날 위를 걸어왔으니 자유로운 삶에 대해 환상을 품고 있다 해서 누가 그를 비난하겠냐마는 그는 자신을 비난하지 않을 수 없었다.

프라이드, 과하면 오만함으로 돌변할 자존심이 너무 강했다.

그래도 이제는 좀 달라졌다. 서현은 현실을 걸을 수 있게 되었고 일단 그가 현실에 뿌리내리자 수완이 빛을 발한다.

"좋아. 이제 이게 잘 굴러가기만 하면 돈세탁도 쉬워지고 필요한 자재도 쉽게 구할 수 있겠지. 뭐 필요한 차 있나? 남의 명의로 빼서 줄 수 있는데? 물론 공짜는 아니지만."

서현은 한세건에게도 바로 세일즈를 했다. 한세건은 그런 서현을 보고 코웃음 쳤지만… 사실 필요했다. 세건은 이미 중범죄자로 수배되어 있고 그럼에도 불구하고 차량은 필요했다.

"뭐, 나중에. 그보다 이거나 받아봐. 아니, 내가 열어보지."

한세건은 케네스 양이 배달해 주라는 상자를 열었다. 안에는 작은 종이가 투명 아크릴판 사이에 끼워져 있고, 그 종이에 묻은 검은 얼룩 같은 게 들썩들썩 움직이는 주술 샘플이 들어 있었다.

"이게 그 윈슬렛이란 여자의 피에서 추출한 사법 코어인가?"

케네스 양은 앙리 유이의 실험체에서 추출한 피를 분석한 자료를 서현에게 보낸 것이다. 한세건을 배달부로 선택한 것은 한세건에게도 보여주기 위함이 틀림없으리라.

"컴퓨터 작업을 해준 대가라 치고 이건 내가 분석해 주지."

서현은 그리 말하고 자료를 살펴보았다. 한세건도 김성희에게 마법을 배우긴 했지만 마술에 대한 재능은 서현이 월등히 뛰어났다. 과연 서현은 어렵지 않게 케네스 양이 보낸 샘플 분석 결과를 읽어 들였다.

"진마 유다 계통이야. 혈인 능력은 흑색 마력. 영체를 직접 타격해서 죽이는 저주의 힘이지. 그 윈슬렛이란 여자 유령… 유다 계통의 능력자인가."

"진마 유다 계통이라고? 그 윈슬렛이라는 여자가?"

세건은 간만에 옛 적수 중 하나의 이름을 듣고 깜짝 놀랐다. 진마 유다는 전설적인 기독교 왕국, 프레스터 존을 찾기 위해 순례를 떠난 성당 기사단의 일원으로 저 멀리 아메리카에서 한 개의 성구함을 발견하고 그것이 프레스터 존 왕국의 유물임을 선언한 인물이다.

하지만 그 성구함은 테트라 아낙스가 자신의 어머니, 릴리쓰를 봉인하기 위해 만들어진 봉인구였고 그 봉인을 뜯은 순간 그는 저주받아 뱀파이어가 되었다. 봉인되어 있던 릴리쓰의 육신이 그를 덮쳐 뱀파이어로 만들었으니… 진마 유다는 가장 릴리쓰에 가까운 존재인 것이다.

설마 진마 유다가 스스로 뱀파이어들을 만들었을 리는 없으니 이는 릴리쓰 연구의 산물일 것이다.

"그래. 아마도 앙리 유이는 진마 유다의 피를 복제하거나 구현해 낸 것 같아."

"그런 게 가능한가?"

뱀파이어들이 진마라는 것에, 계통이라는 것에 되게 많이 집착했던 것 같은데 복제가 가능한 것이라면 대체 왜 그동안 그렇게 집착해 왔던 것이지? 그리고 대체 앙리 유이는 왜? 그걸 복제해 내서 무엇에 쓰려고?

세건은 의아해했다. 비록 그가 김성희에게 마법을 배우긴 했지만 한세건에게 마법이란 어디까지나 탄약으로 죽이기 힘든 것들을 효율적으로 잡기 위한 도구을 뿐, 그가 마법 자체를 의지하거나 믿지는 않았다.

"진마 유다는 릴리쓰에 가장 가까운 존재. 그리고 릴리쓰는 태초의 영 중 하나, 신이지."

"신이라고? 너무 위험한 용어 선택 아닌가?"

세건의 입술이 이빨 사이로 말려들어 간다. 신이라는 개념은 아브라함계 유일신앙의 것으로 생각할 경우 너무나 크고 위대한 존재다. 릴리쓰와 같이 사이하다 할 수 있는 존재를 신이라 부른다면 아브라함계 유일신앙의 신자들이 격노할 것이다. 실제로 릴리쓰는 그 유일신앙에서 악마의 이름이다.

그러나 다신교의 세계에서 릴리쓰를 접한 이들이라면 신 외에 달리 무엇이라 부를 것인가?

불로불사, 불멸의 존재이며 무수한 기적을 행하는 마물을 잉태하는 존재. 그녀가 잉태한 아낙스는 인류를 기만하고 인식을 비틀어 월야의 세계를 만든 창세자다.

'뭐, 그런 식으로 따지면 눈앞의 녀석도 신의 아들이지만.'

서현은 릴리쓰의 아들, 그런 그가 자신의 입으로 릴리쓰를 신으로 규정하다니 이 무슨 뻔뻔한 용어 선택이란 말인가.

하여튼 지금 중요한 것은 서현의 정체성이 아니다. 앙리 유이가 그런 릴리쓰에 가장 가까운 것을 만들어내었다는 게 중요하지.

"이 앙리 유이라는 놈은 이미 상당히 많은 시간을 투자해서 많은 것을 이루었어. 슬프게도 한세건, 너의 세대에… 가시적인 성과를 내겠지."

뱀파이어가 뭔가를 이루고자 한다면 백 년도 그리 긴 시간이 아니다. 앙리 유이가 벌인 이 짓은 거의 천 년 이상을 투자했음에 분명하다. 윈슬렛이라는 여자 유령, 앙리 유이의 아이들이라 불리는 초상 능력자 집단 등에도 100년가량의 시간이 걸렸다. 그전부터 계속 이 연구에 매진하지 않았다면 있을 수 없는 성과다.

이 뱀파이어가 가진 집착을 이것으로 알 수 있다.

"앙리 유이가 신을 만들면 어떻게 되지?"

"아마도 그는 테트라 아낙스에게 도전할 테고… 현대의 문명을 파괴하겠지."

서현은 박스에 동봉되어 있던 알약을 보였다.

“이게 바로 이 피에서 정제해서 만들어진 약이야. 뱀파이어 놈들이 이걸 먹고 폭주하는 거라고. 참고로 이 알약은… 그 윈슬렛이란 여자가 준 한 방울의 피에서 10,000알을 만들 수 있다고 하는데?”

“…….”

뱀파이어를 일광에서 버티게 해주는 약이 피 한 방울에 일만 알씩 만들어진단 말인가? 아무리 세건의 담력이 크다 해도 지금 이게 얼마나 미친 짓인지는 잘 알 수 있었다.

“뭐, 애초에 나는 뱀파이어의 세계를 별로 좋아하지 않아. 테트라 아낙스의 기만을 묵과할 생각은 전혀 없다.”

세건은 애써서 무시하려 했다.

“하지만 그 기만을 대신해서 이 폭거가 세상을 유린하는 걸 묵과할 건 아니지?”

“웃기지 마.”

서현의 질문에 한세건은 반발했다. 하지만 뭐라고 할 수가 없다. 한세건이 헌터가 되면서 세운 신조는 단 하나…….

뱀파이어들에게 비용을 지불하게 한다.

그것이었다.

그러나 지금 이건… 풀리게 될 경우 뱀파이어뿐만 아니라 인류가 파멸할 수도 있는 위험한 무기다. 물론 이것은 어디까지나 테트라 아낙스가 책임질 일이다. 뱀파이어끼리 싸우다 서로 죽인다면 그것 또한 기쁜 일이지.

"뭐, 이건 비단 뱀파이어에게만 통용되는 이야기는 아니지만 말이야. 왜 이놈들은 자기들이 배에 구멍 뚫고 불 질러놓고 배가 가라앉기 시작하면 모든 사람이 힘을 합쳐서 재난을 이겨내자고 하는지 모르겠어."

재앙이 다가오는 순간 인간은 단결한다. 자신이 속한 조직이, 사회가, 세계가 파괴되려 할 때 그들은 목숨조차 내놓으면서 저항한다. 하지만 사실 조직을 운영하던 상급자, 지배자들은 그 책임을 지지 않는다.

지금 이것도 그러하다.

테트라 아낙스의 기만이 파괴당한다? 그 결과 인류가 위험하다고?

그건 테트라 아낙스가 알아서 할 일이지, 왜 테트라 아낙스의 기만에 의해서 희생당한 자가 이 기만을 유지하기 위해 힘써야 하는가?

"나는… 설령 뱀파이어를 돕지 않으면 모든 인류가 죽는다 하더라도… 차라리 죽어 없어지는 쪽을 택하겠어. 뱀파이어가 기만하고 지배하지 않으면 인류가 생존할 수 없다? 그런 걸 인정하느니 차라리 죽어 없어지는 게 낫지."

"뭐, 그 점은 나도 동감하지."

"……."

이게 또 기분 나쁘다. 세건이 뱀파이어에 대해서 악의를 발산하고 열을 올려봐야… 눈앞에 있는 놈은 라이칸스로프니까 소 닭 보듯 한다. 괜히 혼자 열 내는 것 같아서 헛도는 기분이랄까.

"세상이 나에게 엿같이 굴면 나 역시 세상에 엿을 먹일 권리가 있어. 다만……."

"다만 뭐? 서린이 네 동생이라 감싸고 드는 거냐?"

"아니, 그냥… 앙리 유이가 내 앞에서 잘난 체하는 꼴을 보느니 크게 다리를 걸어주고 싶달까. 그런 거 있잖아. 눈앞에서 거대한 음모가 꿈틀거리고 있으면 왠지 남의 일이지만 초를 치고 싶고."

"……."

그 점은 동감이다. 테트라 아낙스도 마음에 안 들지만 그렇다고 앙리 유이가 마음에 드는 것은 아니다. 앙리 유이가 이렇게 열심히 계획을 세워두고 그 계획을 차근차근 수행해 어떤 성취를 달성한다는 게 마음에 들지 않는다. 뱀파이어가 이렇게 공들여서 뭔가 쌓아가고 있다면 그게 설령 인류를 구원하기 위한 백신을 만드는 일이거나 제3세계의 기근과 사막화를 막는 일이라 해도 방해할 것이다. 한세건은 그렇게 맹세하고 있었으니, 앙리 유이의 일을 막을 근거는 충분하다.

'와, 진짜 이 자식들 둘 다 성격 무지 나쁘군.'

루스킨은 서현의 말에 세건이 흔들리는 걸 보고 혀를 내둘렀다. 앙리 유이가 착하다거나 동정할 마음은 없지만 앙리 유이가 뭔가 전력으로 하려는 게 마음에 안 들어 방해하자는 시시껄렁한 이유로 이런 걸 결정짓다니…….

2

그 옛날… 아낙스는 고결한 존재였다.

늙은 고든 R의 모습이 되기 전… 그는 지중해에 인접한 서아시아 지역, 혹은 북아프리카에서 처음 모습을 드러내었다. 릴리쓰의 아들로 태어나 '속삭이는 영(靈)'들에게서 마법의 비의를 터득하고 가장 강력한 마법사이자 진마로 각성한 그는 세상을 돌아다니며 많은 뱀파이어를 구조해 주었다.

그러던 중 그는 두 명의 젊은 마법사를 만났다.

진마 팬텀과 진마 앙리 유이.

두 젊은 뱀파이어 마법사는 아낙스의 가호를 받아 그의 제자가 되었다.

지금으로부터 천오백 년 전, 팬텀과 앙리 유이에게 만약 그들의 스승을 사랑하냐고 물었다면 그들은 어찌 감히 자신들이 사랑한다 할 수 있겠느냐 할 것이었다.

은혜로운 대지, 자애로운 강, 위대한 태양을 한낱 미물인 그들이 사랑한다 한들 무슨 의미가 있겠는가. 그만큼 아낙스는 위대한 존재였다.

팬텀은 호승심이 없었기에 아낙스의 밑에서 순종할 수 있었지만…….

호승심이 강한 앙리 유이는 아낙스를 숭배하기엔 너무나도 자존심이 상해서 견딜 수가 없었다. 아낙스처럼 되거나 그를 능가하고 싶다는 욕망이 아낙스를 경애하는 마음과 상충되어 그의 내면을 갈기갈기 찢어발길 지경이었다.

고결하고 아름다운 위대한 존재. 신의 아들, 뱀파이어의 구세주, 그를 능가하는 존재가 되고 싶다면 그의 밑에 있어서는 안 된다. 하다못해 적수라도 되고 싶다. 그가 날 의식하게 만들고 싶다. 동경까진 아니더라도 하다못해 짜증 나는 존재로 자주 뇌리에 떠올리게 하고 싶었다.

앙리 유이는 아낙스의 밑을 떠나 독자적으로 연구를 시작했고 아낙스는 그런 앙리 유이의 일탈을 묵인했다. 기묘한 사제 관계였다. 앙리 유이는 공식적으로 아웃로가 되어 테트라 아낙스의 율법을 벗어난 존재가 되었지만 그렇다고 해서 테트라 아낙스의 질서를 본격적으로 파괴하진 않았다.

그리고 세월이 흘러 아낙스는 영락했다.

뱀파이어 종족을 지키기 위해서 아낙스는 해서는 안 될 금기를 범했고 신의 아들, 고결한 구세주에서부터 점차 폭군으로 변해갔다. 그가 지닌 예지의 힘은 양날의 검이 되어 그의 영혼을 유린했고 상처는 점차 벌어져 그를 썩어가게 만들었다.

그는 가장 강력한 폭군, 독재자가 되었다.

앙리 유이는 테트라 아낙스의 영락을 보고 기뻐했다.

자신이 넘볼 수 없는 위대한 신의 아들이 젊음과 영세를 탐하며 다른 리림의 몸을 노리는 자로 전락했을 때 그는 참을 수 없는 희열을 즐겼다.

'보라! 역시 이 지상을 걷는 자! 감히 참람되게 신성에 접근하면 아니 되느니! 드높은 이상은 반드시 무너지게 마련! 현실에

발을 딛고 속물로 살면서 도를 구하지 않으면 사상누각에 불과하다! 아낙스의 파멸은 이미 예견되어 있었다!'

희열에 차서 외치는 앙리 유이는 또한 애석해했다.

아마도 그가 평생 동안 가장 깊이 사랑했을 자.

아름답고 고결한 것이 이제 세상에 남지 않았음에 슬퍼하고 절망했다. 이렇게나 아름답고 고결한 것조차 시간이 지나 늙고 쇠락하고 붕괴한다면 대체 무엇이 가치가 있을까?

판타레이.

만물은 유전하며 결코 같지 않다는 사실은 이미 오래전부터 그리스의 경구로 남아 있지만… 그 만물 유전이 아낙스에게도 적용될 줄은 몰랐다.

테트라 아낙스를 대신한 자는 아낙스에게서 느낄 수 있던 품위, 고결함과는 거리가 먼 애송이였다.

새로운 테트라 아낙스 서린.

테트라 아낙스를 대신하기 위해 릴리쓰에게서 태어난 새로운 리림. 그는 테트라 아낙스의 모든 것을 물려받았지만 아낙스가 유지하던 독재 장치, 철권의 지배 장치를 스스로 포기했다.

무수히 많은 뱀파이어를 만들어 감금해 두고 정신적으로 연결하는 오라클 시스템을 폐기하며 뱀파이어에 대한 테트라 아낙스의 강권을 많이 해제했다. 물론 여전히 함부로 뱀파이어를 늘리는 것, 뱀파이어의 정체를 밝히는 것은 금하고 있지만 죽음의 처벌이나 영겁의 착취 같은 징벌을 없앴다.

그 결과 현재 그의 예지는 많은 구멍이 뚫려 있는 상태다.

아니, 그게 아니더라도 그는 옛 아낙스에게도 있던 부드러운 부분을 그대로 물려받았다. 테트라 아낙스는 앙리 유이의 계획을 알고 있었지만 그것을 방치하고 있었다. 고든이 테트라 아낙스의 정점에 있는 이상 앙리 유이의 계획은 그저 앙리 유이 자신의 상처받은 자존심을 달래기 위한 자위에 불과했다. 아직도 고든이 뱀파이어 사회를 지배하고 있었다면 어찌 감히 그에게 도전할까?

하지만 서린이 올라서자 이야기가 달라졌다. 이제 앙리 유이의 계획은 단지 그가 아낙스에게 질투하면서 수립한 자위성 계획이 아니라 아낙스의 후계자가 되기 위한 도전장이 되었다. 그리고 그런 사실은 서린 역시 알고 있었다.

네바다 주 주도 카슨시티 인근에는 몰몬교도의 강력한 반대를 무릅쓰고 만들어진 플렉스 메디칼의 생명공학 연구소가 있었다. 인체 실험을 하지 않는다는 조건을 내걸고 만들어진 연구소이지만 플렉스 메디칼의 연구소 인근에는 원리주의자 기독교도인들, 몰몬교도들이 종종 반대 시위를 하곤 했다.

네바다 주지사에게 플렉스 메디칼이 막대한 정치헌금을 하지 않았던들 지금도 이곳에 연구소를 세울 수 있었을지는 미지수였다.

물론 플렉스 메디칼을 보유하고 있는 이들이 그들의 진면목을 발휘한다면 어떤 설득도, 정치헌금도 필요 없었을 것이다. 플렉스 메디칼의 보유자는 테트라 아낙스, 뱀파이어들 사이에서도 강력한 예지 능력과 암시 능력으로 유명한 월야의 왕이라 불리는 뱀파이어들이었다.

그 테트라 아낙스의 4명의 리더 중 한 명인 베이런은 붉은 허니블론드를 쓸어 올리며 생각에 잠겨 있었다. 그의 앞 테이블에는 몇 개의 약병이 놓여 있었다.

"이게 아웃로들 사이에서 유통되는 약… 아웃레이지예요, 베이런."

베이런이라 불린 허니블론드의 청년 앞에는 검은 옷을 입은 동양인 청년이 약병 안의 알약들을 꺼내어 테이블에 늘어놓고 손가락으로 그것을 찍어 눌렀다. 테트라 아낙스의 새로운 리더, 서린이었다.

쉬이이익!

검은 연기가 피어오르며 알약이 타오른다. 그걸 본 베이런은 쓴웃음을 지었다. 검은 연기 안에 담겨 있는 저주를 꿰뚫어 보았기 때문이다. 앙리 유이가 이런 걸 획책하고 있다는 건 이미 알고 있었다. 천 년 전부터……. 하지만 아낙스는 앙리 유이를 귀여워했다. 마치 손주의 재롱을 바라보는 조부처럼, 눈에 넣어도 아프지 않을 만큼 그를 아끼고 있었다. 설령 그가 테트라 아낙스의 지배 체계를 부정하고 떠나갔어도 아낙스는 그런 점마저 오히려 높이 평가하고 있었다.

수차례… 베이런은 앙리 유이가 위협이 될 거라 여겼으나… 그의 예지와 분석 능력은 고든이 살아 있는 이상 앙리 유이가 저 연구를 실제로 가동시킬 일은 없다고 생각하고 있었다.

저건 아낙스에 대한 열등감을 이겨내기 위한 앙리 유이의 몸부림이었다. 앙리 유이 역시 아낙스를 존경하고 사랑하고 있었으니… 열등감을 이겨내기 위해 사랑하는 자를 자신의 손으로 파멸시키려 덤빌 리 없다.

문제는 태초의 아낙스, 고든이 죽어버렸다는 것이다. 베이런은 고든의 복제품이긴 하나 고든을 대신할 수는 없었다. 릴리쓰에게서 주어진 신적인 영성은 오직 고든에게만 있었고 그 영성을 이어받은 서린만이 오라클 시스템을 가동하고 진정한 영지를 얻어 월야의 세계를 유지할 수 있었다.

서린은 알약을 태워 그 안에 담겨 있는 저주를 해석하며 말했다.

"일단 한번 복용하면… 약을 끊는 순간 커럽티드가 될 겁니다. 강력한 저주, 검은 영의 파편이 VT인자와 유사한 저주 효과를 일으켜서 무시무시하게 강력한 뱀파이어로 그를 바꾸어줍니다. 하지만 이 약의 공급이 끊어지는 순간 VT인자와 달리 구속력이 안정화되지 않고 방사되어서… 육체가 확장됩니다. 재생력이 폭주하면서 인간의 형상을 벗어나게 되겠지요. 진짜 VT인자도 저주라 할 만한 것이긴 하지만 이건 더 즉효성이 강한 저주예요. 약을 끊으면 바로 파멸을 선사하는 그런 종류의 저주입니다."

"한번 복용하는 순간, 앙리 유이의 노예가 된다는 거군. 커럽티드가 되지 않으려면 계속해서 저 약을 복용해야 할 테니. 지금 상황에 아무런 불만이 없는 자라면 속여서 먹이지 않는 이상

저걸 복용할 리가 없어. 제정신 가진 놈이라면 이런 약에 부작용이 없을 리 없다는 걸 알 테니까."

"하지만 그런 뱀파이어가 몇이나 될까요?"

서린은 쓴웃음을 지었다. 테트라 아낙스의 율법 아래 있는 뱀파이어들은 막대한 부와 권위를 누리며 살고 있지만 당연히 그런 혜택을 받는 이는 극소수. 대부분의 뱀파이어는 사람과 태양, 헌터들을 피해 숨어 다니고 있었다. 테트라 아낙스는 자신들의 지배에 협력하는 극소수에게만 막대한 부를 부여하면서 다른 이들에게 자신의 말을 듣도록 조련해 왔다. 이것은 그야말로 당근과 채찍. 당근이 먹음직하고 채찍이 아파야 말을 잘 듣는다. 그런 믿음하에 뱀파이어 사회 전체를 흡사 우마(牛馬)처럼 끌고 왔다.

소수의 귀족, 클랜의 일원들만이 부유하고 나머지는 황폐한 야수의 삶을 살아가고 있었다. 밤의 황야를 배회하며 인간들을 먹어치우고 그러다 헌터에게 걸려 한 줌 핏덩이로 산화하는 가련한 존재들, 그들이 이 알약에 손대지 않을까? 테트라 아낙스가 주지 않는 구원을 앙리 유이가 약속한다면 그를 지지하지 않을까?

"효과는 절대적이에요. 진마에 버금가는 존재가 됩니다. 비록 반편이지만… 이런 거라도 되고 싶어 하는 이들이 많겠지요."

"나는 그 약이 유통되는 걸 방관하지 말자고 했어. 지금이라도 늦지 않았으니 병력을 투입해서 그를 죽여야……."

베이런은 앙리 유이를 쳐 죽일 것을 제안했다. 이미 수차례,

앙리 유이가 차후 테트라 아낙스에 대한 위협이 될 거라며 그를 제거하자는 의견을 내놓았었다. 그리고 테트라 아낙스에게는 그를 제거할 만한 힘이 있었다.

테트라 아낙스의 예지력이면 앙리 유이가 아무리 마법으로 자신을 감추려 해도 알아낼 수 있다. 그가 숨어 있는 곳을 찾아내고 공격해 그를 죽인다면 이 사태를 막을 수 있지 않을까?

하지만 서린은 고개를 절레절레 저었다.

"그런 짓을 하면… 새로운 앙리 유이를 하나 더 만드는 꼴이 될 겁니다."

"새로운 앙리 유이?"

"팬텀 말이지요."

서린은 팬텀을 언급했다. 베이런이 그 말을 듣고 쓴웃음을 지었다.

앙리 유이와 동문, 네크로폴리스 출신의 사법사 팬텀은 최근 백여 년간 사법을 버리고 사법사가 아니게 되었다. 그는 자신의 몸 안에 융합되다시피 한 검은 영, 사법사의 마법서를 뽑아내어 봉인해 버리고 사법사라는 저주의 굴레로부터 도망쳤다.

이후의 팬텀은 신사적이고 매력적인 인물로 탈바꿈했다. 선량하고, 의롭고, 자비롭다. 인간의 피를 빠는 괴물이지만 돈으로 피를 사고, 정당하고 공정한 거래로 피를 입수한다면 괴물인지 아닌지 규정하는 건 그의 행실이지, 식습관이 아니다.

고로 팬텀은 매우 훌륭한, 테트라 아낙스의 추종자다. 비록 그는 테트라 아낙스의 명령에 껌뻑 죽는 시늉은 하지 않았지만,

조반니 반테로처럼 테트라 아낙스에게 종속된 존재는 아니지만, 테트라 아낙스를 존중하고 몇몇 요청은 기꺼이 들어주었다.

하지만 앙리 유이를 테트라 아낙스가 처단한다면… 팬텀은 다시 사법사로 돌아올 것이고 그렇게 되면 지독한 인과의 곡선을 따라서 팬텀이 새로운 앙리 유이가 되어 테트라 아낙스에게 도전하리라.

팬텀 역시 아낙스의 제자로서 그를 경애했지만…….

그야말로 앙리 유이보다 위험한 자다.

선을 이루고자 하는 자가 악을 이루고자 하는 이보다 위협적인 것은 역사가 이미 증명해 온 당연한 명제다.

"게다가… 슬프게도 지금 전력으로 앙리 유이와 정면 대결을 하면……."

"우리가 진다?"

베이런 역시 예지 능력자. 그가 가진 힘으로 볼 때 앙리 유이의 힘은 눈덩이처럼 불어나고 있었다. 하지만 테트라 아낙스를 세력에서 이미 능가했단 말인가? 그럴 리가?

"오라클 시스템을 가동하고 늘려 나가면 어때? 우리가 가진 정신 공격 능력은 저런 조잡한 저주를 받은 뱀파이어들에게는 특효약이 될 텐데?"

서린이 오라클 시스템을 폐기한 덕분에 예지 능력이나 정신 조작에 힘이 많이 들어가는 것을 우회해서 비난한다. 서린은 대답 대신 싱긋 웃어 보였다.

"뭔가 다른 계획이 있나 보군."

"네. 그러니 절 믿고 좀 기다려 주시겠습니까? 아, 물론 그동안 절대자이자 폭군이던 테트라 아낙스의 이미지에는 좀 손상이 가겠지만… 뭐, 운 좋게 다들 절 테트라 아낙스의 수장이 된 애송이로 보고 있으니까 좋은 기회지요. 이미지에 금 갈 것을 걱정할 필요 없이 마음껏 일을 저지를 수 있는 기회는 이번뿐일 테니."

"그렇게 말한다면야……."

마치 뭔가 음흉한 계획이라도 있는 것처럼 말하니 베이런은 홀리지 않을 수 없었다. 서린은 대체 뭘 획책하고 있는 것일까? 같은 테트라 아낙스의 일원이면서도 그는 서린의 생각을 감히 읽을 수 없었다.

"그러면 공격을 받아볼까요?"

"…맙소사."

그 순간 베이런에게 갑자기 예지가 찾아왔다.

예지 능력자는 대부분 오래 살지 못한다. 꿈이나 환각으로 예지를 보는 사람이라면 이내 현실감각을 상실해 어느 것이 예지이고 어느 것이 현실인지 분간하지 못하게 되기 때문이며… 테트라 아낙스처럼 의식적으로 예지를 선택해 볼 수 있을 정도로 능력 제어가 뛰어난 이라 해도 대량의 정보에 노출된 자아가 점차 마모되어 버린다. 정신분열증의 주요 증상이 무엇이 현실이고 무엇이 환상인지 분간하지 못한다는 걸 보면 예지 능력자가 미치는 것도 당연하리라.

그래서 초대 아낙스, 고든은 자신에게 주어지는 부담을 덜기 위해 아낙스의 혈족을 늘렸고 베이런과 마틴, 레베카라는 자신의 클론을 만들어내었다. 그 외에 실패한 클론이나 일반적인 테트라 아낙스 계열 뱀파이어들은 오라클로, 부담을 줄이게 만들어졌다. 그럼에도 불구하고 예지의 칼날은 계속 그들을 난도질하는 양날의 칼이 되기에 베이런은 자신의 신변을 위협하는 예지가 아니면 무시하고 일부러 그로부터 시선을 돌리고 있었다. 그런데…….

지금 이 순간 그는 자신이 있는 건물, 네바다 주의 주도 카슨시티의 외곽—이라고 해도 차로 1시간 거리긴 하지만—에 헬파이어 미사일이 꽂히는 장면을 보았다.

"프레데터 2대가 헬파이어 미사일을 탑재하고 이곳으로 날아오고 있습니다. 제법이군요."

서린은 그리 말하며 벽을 향해 손을 뻗었다. 아무도 건드리지 않았는데 벽에 붙어 있는 화재 경보용 벨이 눌리고 요란한 경보가 시작되었다. 연구원들이 대피하고 주요 화학약품들, 유전자 변형용 바이러스가 담겨 있는 곳이 폐쇄되기 시작했다.

"오라클 시스템을 가동시켜야 해! 서린! 승인을!"

베이런은 오라클 시스템을 가동시킬 것을 요구했다. 강력한 텔레파시와 클레어보이언스(Clairvoyance) 능력을 갖춘 오라클 시스템은 그 자체로 예지와 세뇌의 도구일 뿐 아니라… 정신 병기기도 했다. 오라클 시스템의 텔레파시를 한 개체에 집중시키면 동종 능력을 가진 테트라 아낙스나 리림, 이사카 베르게네프를 제외하고는 뇌 신경계가 파괴되어 버린다. 뱀파이어나 라이칸스로프라면 재생하긴 하겠지만 이미 그 정신은 죽어서 미친 채로 육신만 재생하는, 정신상의 죽음을 맞게 된다.

서린의 예지상 테트라 아낙스가 앙리 유이의 세력에 밀린다고 하지만 그것은 오라클 시스템을 사용하지 않을 때의 이야기일 것이다. 이런 강력한 병기가 있다면 앙리 유이에게 질 리가 없다. 그러나 서린은 오라클 시스템을 재가동할 의지가 없었다.

"늦었습니다. 오라클들은 이미 다 오염되었어요. 재가동시키면… 우리가 죽습니다."

마치 이미 오라클 시스템이 앙리 유이의 손에 넘어간 것처럼 말한다. 그런 말을 듣고 베이런이 당황했다.

"어째서? 나는 그런 걸 알지 못했다. 대체 어째서 테트라 아낙스의 예지를 뚫고 이런 일을 벌일 수 있지? 앙리 유이 따위가?"

"…왜냐면 매우 강력한 내통자가 한 명 있기 때문이지요."

"누구인데?"

예지 능력자인 베이런은 즉시 혈인 능력을 가동해 서린이 말하는 내통자를 찾으려 했다. 하지만 찾을 수 없다. 설마 레베카나 마틴이? 그들이라면 베이런의 예지로부터 자신을 감출 수 있겠지만 예지가 안 되는 것 자체가 이미 선택의 여지를 좁히는 행동이다. 테트라 아낙스의 예지를 막을 수 있는 건 이사카 베르게네프, 아니면 테트라 아낙스 본인밖에 없다.

"그건 나중의 즐거움으로 남겨두지요."

"뭐……."

그 순간 베이런은 눈앞의 서린을 의심했다. 지금 뱀파이어들 사이에서는 서린을 운 좋게 테트라 아낙스의 자리를 빼앗은 애송이쯤으로 보고 있지만 서린은 릴리쓰의 함정이었다. 그렇게 만만한 애송이는 절대 아니다.

"자, 그럼 이번 사건의 희생자를 없애볼까요? 희생되는 게 있다면 테트라 아낙스의 권위 정도겠지요."

서린은 그리 말하고 한 팔을 붕붕 휘두르더니만 강화 유리창을 향해 휘둘렀다. 순식간에 늑대 인간으로 변이한 서린의 팔이 단번에 강화유리창을 부숴 버렸다. 서린은 그 파열된 창문 밖으로 휙 뛰쳐나가더니 창문의 프레임, 강철로 만들어져 유리창은 물론 건물 하중까지 버틸 수 있게 만들어진 철빔을 뽑아 들었다.

그리고 전신 변이를 시작했다. 늑대의 머리를 가진 거구의 괴물로 변신한 서린은 철빔을 머리 위로 치켜들었다. 천장이 높은 연구소 외벽을 지탱하던 프레임은 그 한 가닥만 해도 1톤이 족히 넘을 텐데 서린은 그걸 무슨 투창 선수가 도구 다루듯 가볍게 들어 올린다.

새파란 창공, 네바다 주의 건조한 기후 저 너머로 무인기가 강하하며 만들어내는 수증기 궤적이 보인다. 상공을 날다 급강하하면서… 저고도로 헬파이어 미사일을 발사하려는 것이다.

"그럼… 미사일 한 대는 막아볼까요."

서린의 몸이 연구소 건물 위를 달리며 1톤짜리 프레임이 투창처럼 하늘로 날아간다. 하지만 이걸로 헬파이어 미사일의 궤도를 요격할 수 있을 리가… 싶은 순간 서린의 양손이 허공을 튕겼다.

투확!

투창처럼 하늘을 날아가던 강철 프레임이 허공에서 뭔가에 맞아 세 토막 나면서… 그 파편들이 무시무시한 속도로 가속했다. 파편들의 태풍이 하늘 멀리 날아가며 보이지 않는 장벽을 형성했다.

쾅!

그 장벽과 직각을 이루는 방향에서 헬파이어 미사일 한 발이 날아와 연구소의 벽에 명중하고…….

장벽 방향에서 날아들던 헬파이어 미사일은 서린의 요격망에 걸려 방향을 틀고… 연구소 직원들이 차를 주차해 둔 주차장에 떨어져 폭발했다.

"아차… 뭐, 이 정도가 한계인가요. 미사일 요격용 CIWS 같은 걸 민간 연구소에 달 수는 없으니까."

서린은 투덜거리며 다시 변신을 풀고 인간의 모습으로 돌아왔다. 마법 문양을 자수로 수놓은 그의 옷은 이 변신에도 찢어지지 않고 다시 그의 몸을 감싸주어 알몸이 되는 건 피할 수 있었다.

"연구동이 불타고 있는데."

"이미 연구동 사람들은 대피해서 희생자는 없습니다. 기계나 좀 타겠지. 그게 아니더라도, 쿨가이는 폭발 따위 돌아보지 않아요."

"……."

베이런은 그 모습을 보고 기가 막혀 하고 있었다.

테트라 아낙스의 예지, 지혜의 힘과 늑대 인간으로서의 말도 안 되는 신체 능력, 그리고 릴리쓰의 자식으로서 가지는 초능력을 활용해 미사일을 육신의 힘만으로 떨어뜨린 것이다. 물론 두 발 중 한 발만 막았을 뿐, 다른 한 발은 연구동에 명중해 막대한 재산 피해를 내고 타들어가고 있었다. 그렇지만 저것은 서린이 일부러 방치한 것이다. 정말 이 녀석이 막고자 했다면 첫 발도 명중할 리가 없었다.

"과연… 라이칸스로프와 뱀파이어의 하이브리드답군. 하지만 어쩔 건가? 우리가 미사일을 맞았다는 결과만이 남으면… 앙리 유이를 지지하는 이들은 더더욱 기고만장해질 텐데. 그게 네가 바라는 일인가? 혼란이 가중된다."

베이런은 불타오르는 연구동을 보고 눈살을 찌푸렸다. 뱀파이어 사회에서 서린의 능력은 상당히 과소평가되고 있었는데 여기에 더해 이번 사건이 퍼져 나간다면 앙리 유이의 세력은 더욱 기고만장해질 것이다.

테트라 아낙스가 보호하지 않지만 그럼에도 불구하고 테트라 아낙스가 두려워서 적극적으로 저항하지 않던 계층도 이제 본격적으로 앙리 유이에게 호응하게 될 것이다. 앙리 유이는 지금 공격으로 테트라 아낙스가 예전 같지 않으며 자신이 진정 강력한 도전자임을 만방에 과시한 것이다.

하지만 이 헬파이어 미사일이 일으킨 불기둥, 반역의 봉화를 등지고 있는 서린을 본 베이런은 혀를 차고 있었다. 서린은 슬픈 표정으로 웃고 있었다.

"그 내통자가 누군지 알겠군."

베이런은 쓴웃음을 지었다.

플렉스 메디칼 연구동에 헬파이어 미사일이 꽂힌 사건은 어디까지나 테러범에 의한 사제 폭발물 사건으로 처리되었다. 테러리스트에게 미 공군의 드론이 탈취당하고 미사일이 발사되었다고 하면 드론의 신뢰성이 떨어지고 미국의 군사 체계가 전면 재점검을 받게 될 대사건이라고 생각한 테트라 아낙스가 사건을 이 정도로 무마한 것이다. 실제로 드론을 이용해 플렉스 메디칼에 그대로 미사일을 꽂아버린 이들은 앙리 유이의 마법에 의해 조종당한 실제 군인들이었으니 그들에게 책임을 묻기도 애매하다.

마법에 조종당한 인간들을 군 감옥으로 직행시키는 것은 너무하지 않은가?

그러한 이유로 서린은 이번 사건을 그렇게 무마시켰지만 다른 뱀파이어들은 다들 이것이 테트라 아낙스가 자신의 권위를 지키기 위해 애쓰고 있는 것이라 여기게 되었다.

그리고 권위라는 것은 원래 그러하듯…….

지키려 애쓰면 애쓸수록 빠르게 실추되는 법이다.

서린은 자신의 권위를 지키려 애쓴 적이 없지만 그렇게 보이는 것만으로도 권위가 실추되기에는 충분했다.

3

서현은 눈 튀어나오게 바쁜 나날을 보내고 있었다.

앙리 유이의 추종자들, 앙리 유이가 한국에 뿌려둔 씨앗들을 정리하는 작업을 하면서 다른 한편으로는 국비로 자동차 정비 자격증 강좌를 듣기도 하고 거래처를 찾아서 여기저기 영업을 뛰러 다니기도 했다. 비현실과 현실을 오가며 양쪽 모두 충실하게 활동하고 있자니 바쁘긴 해도 살맛이 난다.

한때 목표를 상실하고 공허감에 사로잡혀 방황한 적도 있었는데… 이렇게 빨리 손바닥 뒤집듯 태도를 바꿔도 되나 싶을 만큼 살맛이 나는 게 탈이다. 서현은 그런 점에서 자신이 단순하다는 사실을 깨닫고 좌절했다. 좀 사람이 복잡한 맛도 있어야 할 텐데, 이렇게 단순하다니.

"그런데 루스킨, 넌 일 안 하냐?"

서현은 자신들의 건물에서 실제로 차량을 한 대 분해해 보면서 옆자리에 앉아 있는 루스킨을 바라보았다. 루스킨은 온라인 게임에 열중하고 있었다.

"이게 다 중고차 딜러 애들이야. 거래처랑 인연을 다지는 데 게임만 한 게 없지."

"낮 시간인데 다들 게임 삼매경이라니… 불황인가 보구나?"

"원래 이 바닥이 버는 애는 확 벌지만 대부분은 밥값도 못 하다가 떠나는 시장이라……. 아, 젠장. 죽잖아. 탈출……."

루스킨은 게임에 열중하고 있었지만 그래도 할 건 잘하는 타입이다. 근육질에 귀가 짓이겨진 이 몽골리안 친구는 사람을 위협할 때면 흡사 불독같이 으르렁거리며 위압감을 주나, 친해질 때는 또 쉽게 친해지는 재주가 있었다. 특히 테스토스테론 과잉인 마초들 사이에서 루스킨은 친화력을 발휘해 금세 친해진다. 마피아들 사이에서도 루스킨은 굉장히 인망이 높았다.

"뭐, 이놈은 실적이 있으니 그렇다 치자."

루스킨이 여러 중고차 딜러를 통해서… 수입해 온 외제차의 한국 내 차량 등록 수속을 분산시키는 덕분에 까다로운 세무조사나 차량 이력 조사를 피할 수 있었다. 차대 번호는 깨끗한 걸 수입해 오지만 거래처가 마피아다 보니 도난 부품이나 불법 재생 부품 등을 쓰지 말라는 법이 없어서, 이렇게 중고차 딜러와의 인맥을 넓혀 나가는 루스킨의 존재가 매우 고맙다.

반면 빼도쥬는…….

드륵드륵…….

재봉틀 앞에 앉아서 옷감을 재단하고 있었다. 이제 와서 그들이 직접 바느질해 가며 옷을 만들어 입어야 할 만큼 가난하냐면 그건 아니다. 빼또쥬가 만들고 있는 것은 돈을 주고 살 수 있는 게 아니다.

"…뭐 하는 거야? 손재주 많이 좋아졌네?"

서현은 쇠사슬을 당겨서 손힘으로 간단히 차량에서 엔진을 탈거하며 빼또쥬에게 물어보았다. 그러자 빼또쥬가 어깨를 으쓱해 보였다.

"코스튬플레이용 옷."

"…코스튬플레이?"

"응……. 아, 이사카. 이거 사도 돼?"

빼또쥬는 재봉틀을 움직이던 손을 멈추고 태블릿 컴퓨터로 쇼핑몰 사진을 보여주었다. 커다란 DSLR 카메라와 스트로보, 반사판과 카메라 거치용 레일이다. 족히 수백만 원, 근 천만 원에 달하는 가격이 붙어 있는데 더구나 중고다. 원래 가격은 대체 얼마라는 거야?

"…독립 영화라도 촬영할 셈이냐?"

"그것도 좋겠지만 날 찍으려고."

"뭐?"

서현은 말문이 막혀서 루스킨을 바라보았다. 자신을 찍기 위해서 저런 장비를 사겠다니 나르시시즘에도 정도가 있지… 대체 애를 어떻게 키웠길래 이 모양이 된 거야? 그런 의미로 루스킨을 바라보자 게임에 몰두하던 루스킨이 투덜거렸다.

"나보고 뭐라고 하지 마. 원래 쟤가 좀 저런 끼가 있었어. 그리고 저래 봬도 빼또쥬는 꽤 인기 있다고. 막 인터넷에 올리면 전 세계로 쭉쭉 퍼져 나가. 특히 여장을 잘하지. 적성에 잘 맞아서 팬도 많으니 뭐, 냅둬도 괜찮지 않겠어?"

더 안 좋잖아. 서현은 빽 소리를 지르고 싶은 심정이었다. 신분 세탁을 하긴 했지만 그들은 유명한 소년병 집단으로 그루지야, 키르기스스탄, 우즈베키스탄 등에서 해외 유명 상사 주재원을 납치해 돈을 벌기도 하고 자원 개발 중인 곳에 출몰하면서 뒤로는 PMC와 거래를 해 그들에게 뒷돈을 받기도 했다.

온갖 전쟁범죄에 가담했으니 한세건이 그들을 전범이라고 욕하는 건 턱없는 비난이 아니라 사실을 말하는 것일 뿐이다. 이제 와 손 씻는다는 게 좀 뻔뻔한 이야기 같지만 어쨌거나 손 씻었으면 눈에 띄는 일은 좀 삼가야 하지 않겠는가? 그런데 유명 코스플레이어라니?

"괜찮아, 안 걸려. 등잔 밑이 어두운 법이야. 게다가 여장을 주로 한다니까. 인기도 좋아."

"아니, 뭐 인기야 있겠지만 애 버릇 나빠지잖아."

"다 부모 되는 누구 씨가 버려두고 가서 나빠진 거 아니겠어?"

"…거기서 내 탓이냐? 이제 그만해 주지 않을래?"

"난 언제든지 널 탓할 쿠폰이 있다고."

루스킨이 허공에 손짓하면서 종이 세는 시늉을 해 보였다. 그러는 사이 빼또쥬는 작업 중인 서현이 벗어둔 상의에서 신용카드를 찾고 있었다. 멋대로 결제할 셈인가 보다.

"스톱. 거기까지. 언제까지 옛날 방식대로 살래?"

"이사카는 너무해. 세실 누나는 이사카랑 결혼할 날만 손꼽아 기다렸는데 뻥 차버리고… 언젠가 테트라 아낙스의 자리를 잡으면 막 한 명당 비즈니스 제트도 한 대씩 사준다고 했으면서 쪼잔하게 이런 것도 안 사주고……."

빼또쥬가 서현을 원망하자 서현이 쥐고 있던 엔진이 덜컥 하면서 한 칸 내려갔다. 하지만 서현은 사슬을 다시 끌어 올려 갈고리에 걸어놓고 코웃음 쳤다.

"뭐라고 비난해도 그런 사치품을 사는 건 금지다. 무엇보다

난 신용카드가 없어서 그걸 결제할 수도 없고 넌 그냥 카메라로도 충분하잖아. 아니면 뭔데. 프로 모델이라도 될 셈이냐? 라이칸스로프가 연예인이라도 되고 싶…….”

“…….”

“진심이냐?”

서현이 미간에 손가락을 찍고 두통을 억누르는 시늉을 했다. 확실히 빼또쥬는 잘 안 씻고 꼬질꼬질했던 과거에도 귀여운 용모로 나름 사랑을 받았는데, 자라면서 머리카락색도 좀 밝아지고 젖살도 빠지면서 매끈한 미소년으로 변하고 있었다. 오똑한 콧날에, 살짝 웨이브진 반곱슬의 밝은 갈색 머리칼은 감고 수건으로 털기만 해도 뽀송뽀송하게 올라온다고 할까.

연예인을 하겠다고 하면 못 할 것도 없다. 춤이나 노래는 잘 모르겠지만 액션 영화쯤은 손쉽게 소화할 수 있는 신체 능력이 있고… 용모도 받쳐주니까. 다만 월야의 주민이 대중의 스포트라이트를 받으면서 언제까지 그 정체를 감출 수 있느냐가 문제지. 보통 인간보다 3배는 더 긴 수명을 가진 라이칸스로프가 대중의 관심을 받으면 어쩌자는 건가?

“그냥 얌전히 코스프레만 하면 안 되겠니? 사진은 어차피 남이 찍어줄 텐데?”

“이사카는 테트라 아낙스가 되겠다는 꿈이 좌절되니까 막 울분을 터뜨려 놓고선 왜 내 꿈을 좌절시키려고 해? 난 나의 자아를 실현하고 싶어! 남들이 내 모습을 보고 하악대는 게 좋단 말이야.”

빼또쥬는 투덜거리고 있었다. 그래 그게 자아실현의 길이라면 불만을 가질 만하지. 하지만 왜 하필 라이칸스로프가 그런 자아실현을 목표로 한단 말인가?

"너희, 내 탓 하는 데 맛 들렸구나? 뭐라고 해도 안 되는 건 안 돼. 사고 싶으면 용돈 모아서 사라. 응? 저 카메라랑 스튜디오 장비 산다고 네 꿈에 한 발짝 더 가까워지는 것도 아니잖아. 어차피 모델 일은 남이 찍어주는 거거늘……."

서현은 기름때가 묻은 손을 직접 유기용매로 씻어낸 뒤 수건으로 닦았다. 보통 사람 같으면 피부가 녹아내려서 엉망이 되겠지만 재생력이 있는 라이칸스로프다 보니 순식간에 매끈한 피부로 돌아왔다. 무식하기 짝이 없는 방법이지만 이게 바로 라이칸스로프들의 방식이다.

"용돈 모아서 저걸 사려면 몇 년, 아니, 몇십 년은 걸리잖아?"

"그러니까. 갖고 싶으면 그 정도 준비하라는 거지. 아, 손님 오네."

서현은 그렇게 투덜거리다 문득 차고 문 쪽을 바라보았다. 창문 너머로 근사한 링컨 세단이 들어오는 게 보였다. 과하게 비싼 차량은 아니지만 인적이 드문 주택가와 상가 사이의 길이다. 저런 차량이라면 확실히 눈에 띈다.

"한세건은 아니군. 그럼 누구지?"

늘 픽업트럭과 오토바이를 추구하는 한세건이 세단을 탈 리가 없지. 그럼 대체 어디서 온 손님일까?

"흡혈귀 냄새가 나는데?"

루스킨이 그리 말했지만 그는 컴퓨터 앞을 떠나지 않았다. 이제 막 게임이 한창이기 때문이기도 하고 뱀파이어를 전혀 두려워하지 않기 때문이기도 하다.

"그래도 지금은 해가 뜬 시간인데? 이 시간에 오다니 위험한 거 아냐?"

빼또쥬는 그리 말하면서 자리에서 일어났다. 서현에게 잘 보여 용돈을 인상받고 싶어서일까?

잠시 후 차고 문 옆으로 양복 차림의 보브커트를 한 젊은 여성이 걸어 들어왔다. 약간 작은 체구지만 넥타이 없는 양복 차림에 다리가 길어서 세련된 미인이라는 인상이 강하다. 게다가 그녀의 셔츠에는 테트라 아낙스가 경영하는 플렉스 메디칼의 마크가 들어간 넥타이핀이, 넥타이도 없는데 끼워져 있었다.

"진마는 아닌 것 같은데 일광을 버티고 있군."

서현은 그런 그녀의 모습을 보고 당황했다. 분명히 눈앞에 있는 여자 뱀파이어는 진마가 아니라 일반적인 뱀파이어인데 일광 아래에서도 당당하게 서 있다. 그럼 그 앙리 유이가 만든 약을 쓴 놈일까? 하지만 그런 놈들에게서 느껴지는 특유의 아우라도 없다. 그보다는 오히려 외국계 기업의 유능한 커리어우먼 같다. 나이는 외모로 볼 때 30대 중반, 중국계와 오로스트네시아 인종 혼혈, 아마도 말레이인일까?

"안심하세요. 전 틀림없이 테트라 아낙스의 사자니까."

"그런 걸로 안심하겠냐!"

게임을 하고 있던 루스킨이 투덜거렸지만 여전히 게임을 하고 있는 걸 보니 안심하고 있는 모양이다.

"당신이 서린 님의 형, 서현 씨로군요. 참… 인상적인 생활환경이군요."

"…지금 이거 욕하는 거 맞지?"

빼또쥬가 물어보았다. 그러나 서현은 고개를 가로저었다. 빈정거리는 거긴 하지만 뭐, 저 정도도 못 참아 넘길 만큼 급한 성미는 아니다.

"플렉스 메디칼 싱가포르 지사의 영업 매니저, '제니퍼 리'라고 해요. 몇 가지 정보를 전달하고 의뢰를 하러 왔어요. 설마 절 해치진 않겠죠?"

그녀는 그리 말하고 손을 뒤로 돌렸다. 그러자 운전기사로 따라왔던 흑인 남자가 태블릿 PC를 건네주었다. 벌써 서현이 자신을 공격하지 않을 거라고 확신하고 있나 보다. 뭐, 공격하지 않을 생각이었지만 바로 본론에 들어가다니…….

"당신 정도 시력이면 여기서도 자세히 보이겠지요. 이걸 보세요."

그녀가 보여준 영상은 플렉스 메디칼의 연구소를 향해 헬파이어 미사일이 날아드는 장면을 촬영한 영상이었다. 물론 서린이 직접 미사일 중 하나를 격퇴하는 장면도 고스란히 담겨 있었다.

그걸 본 서현의 눈이 이채를 띠었다.

"와… 역시 리림은 리림이구나. 옛날엔 그냥 물렁물렁하다고 생각했는데 미사일을 요격하다니……."

빼또쥬가 그 모습을 보고 감탄했다. 하지만 서현은 다른 의미에서 감탄했다.

"공격 헬기도 아니라 드론에서 발사한 헬파이어로군. 미군에게 공격당한 건가, 이거?"

"네. 앙리 유이가 미 공군 장교들을 직접 조종해서 공격시킨 거예요."

정신 조작을 특기로 하는 테트라 아낙스에게 정신을 조작한 인간들을 이용해 공격을 감행하다니. 놀라운 일이다.

앙리 유이는 이 공격으로 테트라 아낙스가 더 이상 예전 같지 않은 존재라는 걸 만천하에 까발린 것이다. 이제 다른 뱀파이어들은 다 서린을 종이호랑이쯤으로 여길 것이다.

거기에 그 약을 미끼로 뱀파이어들을 선동한다면 그야말로 흡혈귀의 대군이 앙리 유이의 휘하에 들어갈 것이다.

"앙리 유이는 그럼 지금 미국에 있단 말인가?"

본격적으로 테트라 아낙스를 공격하기 위해서? 서현이 그걸 물어보자 제니퍼 리가 어깨를 으쓱해 보였다.

"그건 확신할 수 없습니다. 왜냐면 그의 본질은 기괴한 영체들과 함께 분산되어서 테트라 아낙스의 예지로도 확정할 수 없을 만큼 강력하게 보호되고 있으니까요."

"테트라 아낙스의 예지로도 확정할 수 없다는 게… 테트라 아낙스의 공식적인 의사 표명인가? 아니면 나에게만 하는 말인가?"

서현이 그걸 물어보자 제니퍼 리는 어깨를 으쓱해 보였다.

"공식적인 의사 표명이지요."

"그건 이상하군. 마치 반란을 일으키라고 부추기고 있는 것 같잖아."

서현은 제니퍼 리를 흘겨보았다.

"아니면 그렇게 생각해 주길 바라고 허세를 부리는 것일 수도 있지."

루스킨은 그리 말하고 겨우겨우 컴퓨터에서 벗어났다. 이제 좀 쉬어도 되는 상태인가 보다.

"설마 서현… 동생 일이라고 이런 거에 말려들 생각은 아니지? 우리가 이거에 말려들 이유는 없어."

방금 전까지 게임이나 하던 주제에 그런 소리를 하며 제니퍼 리를 노골적으로 쏘아본다. 축객령까지는 아니지만 바로 나가지 않으면 한 소리 퍼부을 기세다.

"아니, 정보는 받아둬야지. 내가 보기에 앙리 유이가 이루고자 하는 성취는 필연적으로 몇 가지 재료가 필요해. 비스트나나 같은 아주 특이한 소재가 필요할 거야. 그러니까 남의 일은 아냐."

"……."

루스킨이 불만스러운 표정을 지어 보였다. 물론 루스킨도 대략적인 건 서현에게 들어서 이미 알고 있었다. 그렇지만 그걸 굳이 테트라 아낙스의 사자 앞에서 이야기해 저 여자에게 자신감을 불어넣어 줘도 되나? 교섭이라는 건 저쪽에 유리한 재료는 숨기고 이쪽에 유리한 재료만 가지고 요리해야 하는 건데 서현은 너무 동생에게 무르다. 이미 온 세상 부귀공명을 다 거머쥔 놈이 서현의 관심과 헌신까지 독차지한다고 생각하니 시기심이 끓어오른다.

"그런데 뭐 전해줄 거 있으면 빨리 줘."

"네?"

제니퍼 리는 갑자기 맡겨둔 물건 찾아가듯 말하는 서현을 보고 당혹스러워했다.

"내 휴대폰은 테트라 아낙스가 넘겨준 거니 여기에 메일 주소나 클라우드 디스크로 자료를 올려주면 되잖아? 직접 찾아왔으니 아마 넌 뭔가 내게 줘야 할 물건을 가져왔을 거야. 그렇지?"

서현이 그리 말하자 제니퍼 리가 당혹스러워했다.

"무슨 탐정 흉내라도 내시는 건가요."

"뭐, 당신이 낮에 불면증에 시달리고 있고 뱀파이어치고는 특이하게 결혼 경력도 있으며 테트라 아낙스의 혈족이긴 하지만 클랜 내에 들어온 건 최근 2년 사이라는 것 정도는 알 만하지."

"……."

제니퍼 리의 표정이 구겨졌다.

"셜록 홈즈 좀 그만 봐."

루스킨도 한마디 해주었다. 그러자 서현은 어깨를 으쓱해 보였다.

"다들 너무하네. 보통은 어떻게 알았냐고 물어보지 않아? 물어봐 줘야 설명할 기회가 생기지. 여기서 아무도 안 물어보는데 나 혼자 설명하면 정말 바보 같잖아?"

그러자 그 순간 방금 전까지 적이던 루스킨과 제니퍼 리 사이에 공감대가 형성되었다.

'절대 물어보지 말아야지.'

'물어보지 맙시다, 응?'

그들은 말없이 서로의 마음을 나누었다. 앙숙으로 소문난 뱀파이어와 라이칸스로프 간에 이심전심이 이뤄지는 보기 드문 장면이었다.

"예지 능력자에게 그런 걸 물어보는 건 바보짓이지요."

제니퍼 리는 그리 말하고 작은 크리스털 구체 하나를 넘겨주었다. 서현이 받아 들어 살펴보니 구체 안에는 투명한 기름 같은 게 가득 차 있고 그 사이에 기름에 섞이지 않는 한 방울의 검은색 점액이 떠다니고 있었다.

"이건 뭐지?"

"앙리 유이의 피입니다."

제니퍼 리는 별다른 감흥 없이 말했다.

4

테트라 아낙스가 직접 공격당했다는 사실은 빠르게 퍼져 나갔다. 정보를 관장하는 테트라 아낙스 자신이 이 사건을 감출 생각이 없었기 때문에 헌터와 뱀파이어들, 그리고 마법사들 사이에서는 이미 기정사실이 되어버렸다.

새로운 테트라 아낙스, 서린은 과거의 아낙스와 같지 않다.
뱀파이어들의 왕좌를 지키기에는 너무 무르지 않은가?
이것은 테트라 아낙스의 강압적인 지배에 신음하던 다른 뱀파이어들에게 매우 기쁜 소식이었다. 게다가…….

대한민국 부산, 저녁.
외국인 선원들이 주로 이용하는 외항선원 거리의 술집에는 동남아 여성 가수가 노래를 부르고 있고 팔에 문신이 가득한 러시아 선원들과 동남아 사람들이 테이블에서 포커를 치고 있었다. 짙은 담배 연기가 어두컴컴한 조명 사이로 마치 스스로 빛을 발하는 안개처럼 반짝인다.
전형적인 외항선원용 바에는 요새는 보기 드문 배불뚝이 브라운관 TV가 아무도 관심 없는 방송을 보내고 있었다. 그 구석에서 한 남자가 다른 남자들과 시시덕거리며 노란 약병을 꺼냈다.
아무런 특색도 없는 약병 안의 물건이 테이블에 늘어놓아지자 음료를 나르고 있던 술집 직원의 표정이 잠시 굳어졌다. 마약류 단속이 심해진 지금에도 선원들의 개인 화물을 이용한 밀수는 막을 수 없었다. 한 인간을 완전히 통제할 수 있는 수용소나 교도소에서도 사람들은 어떻게든 물건을 숨겨 반입해 오게 마련이다. 선원들을 모두 홀딱 벗겨서 일일이 조사할 수도 없는 일이고 마약 수사반 대부분은 소매 단계에서 사람을 잡아 거슬러 올라가는 방식으로 수사하기 때문에… 다음 주면 한국을 떠

날 이런 선원들에게 마약 밀수는 짭짤한 보상이 된다.

가게 점원이 설사 개인적 양심 때문에 그들을 밀고한다 하더라도 글쎄, 요즘 부산항은 불황이다. 외항선원 상대로 장사하던 가게 상당수가 문을 닫고 있는 지금, 별다른 소득도 없이 영업에 큰 타격을 줄 밀고를 과연 할까?

게다가 이들이 내놓은 약은 사실 마약이 아니었다.

"이 약을 먹기만 해도… 태양광에 내성을 가질 수 있단 말이지?"

선원이 펼친 약을 보고 테이블에 앉아 있던 젊은 한국인이 감탄했다. 아무리 살펴도 선원으로는 보이지 않는 남자다. 당연하다. 뱀파이어는 선원으로 활동하기 쉽지 않다. 가장 햇빛을 접할 일 없는 기관사래도 어쨌든 선박 일이라는 게 공동생활이고, 그 안에서 뱀파이어가 자신의 정체를 숨기기란 쉽지 않다.

왼팔에 뱀 문신을 한 일본인 선원이 거의 다 타들어가는 담배를 입에 문 채 카드를 섞으면서 말했다.

"날 봐. 뱀파이어인데 선원으로 활동하고 있잖아. 여기 선원수첩 보이지?"

선원들에게는 여권을 대신하는 선원수첩이 있는데, 이 선원이 보여준 선원수첩에 적힌 기록을 보면 아무래도 일광에 노출될 수밖에 없다. 대형 선박의 기관사도 아니고 항해사를 하고 있으니 분명하다.

"테트라 아낙스는 이제 한물갔어. 이게 있는 이상 안심하라고. 내 피부 보여? 이거 자연광으로 한 선탠 자국이야. 아, 선원일 하니까 본의 아니게 태닝이 돼."

실제로 선원의 뱀 문신 한 팔뚝 위쪽은 새하얗다. 일반 선원이라면 당연한 일이지만 뱀파이어가 선탠이라니?

"뭐 비싼 건 아니지? 중독성이 있나?"

한국인 남자는 아직도 믿어지지 않는다는 듯 그 약을 보면서 반문했다.

"중독성?"

일본인 선원이 키득키득 웃었다.

"한번 태양을 봐버리면, 그걸 볼 수 있는 일반인 생활을 맛봐버리면 그것 자체가 중독성이지. 안심해. 대금은 후불로 받을 테니까."

그는 킥킥 웃으며 몇 개의 약병을 추가로 테이블에 쌓아두었다.

"이제 테트라 아낙스는 끝장이야."

그는 그렇게 단언했다.

第9夜

무법자들의 시대

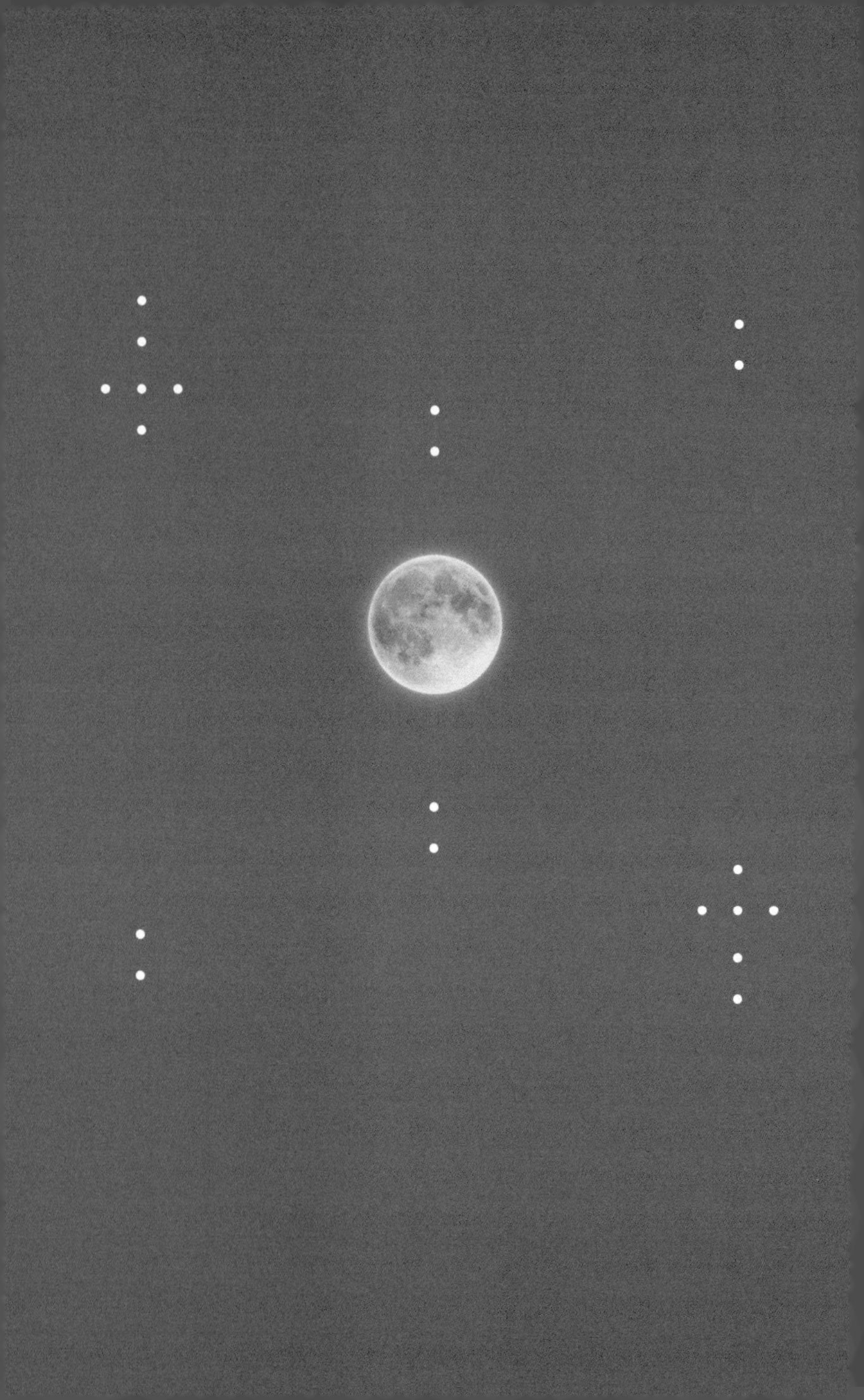

1

테트라 아낙스는 월야의 절대자로, 그의 존재가 스러지면 뱀파이어는 물론, 인류 문명까지 파괴될 거라는 건 생각이 조금만 깊은 이라면 능히 알 수 있는 사실이다. 뱀파이어는 인간을 먹고 사는 존재. 인간이 전부 뱀파이어가 되어버린다면 결국 뱀파이어만이 남아 서로서로 먹고 죽이며 마침내 완전히 파멸하게 될 것이라는 것쯤, 약간의 상상력만 있으면 알 수 있었다.

하지만 그럼에도 불구하고 테트라 아낙스를 죽일 수 있다면 기꺼이 죽이려 하는 뱀파이어들도 넘쳐났다.

특히 '배니싱 블러드' 클랜은 더더욱 그렇다.

원래 이들은 대항해시대에 동방으로 도망쳐 나가사키 조계지로 흘러들어 와 관서의 야쿠자들을 음지에서 조종하던 진마 자인의 후예였다.

마약과 매춘, 폭력, 공갈 등의 범죄와 건설, 사채, 채권 매입, 경매 등의 사업을 오가며 테트라 아낙스의 가호를 아낌없이 누렸다.

야쿠자로서도, 뱀파이어로서도 승승장구하며 막대한 부와 권력을 누렸고 그 삶에 거리낄 것이 없었다.

돈만 있으면 귀신도 부릴 수 있다는 인간의 속담이 있는데 그 귀신이 돈까지 가지고 있으니 기세가 등등할 수밖에.

하지만 한국에서 자인이 죽임을 당한 이후, 그의 후계자는 테트라 아낙스의 인가를 받지 못했다.

테트라 아낙스의 가호를 받고 있으면서도 야금야금 테트라 아낙스의 율법을 어겨왔던 것을 빌미로 삼았다. 자인의 죽음 이후 배니싱 블러드는 아웃로로 낙인찍혔다.

말도 안 되는 폭거다. 테트라 아낙스의 가장 모범적인 제자라고 하는 진마 팬텀조차 테트라 아낙스의 율법을 종종 어긴다. 테트라 아낙스의 가호를 받는 자 중에 그 율법을 완전히 지키는 자 따위는 없다. 그럼에도 불구하고 그것을 빌미로 아웃로로 낙인찍는 것은 일종의 숙청이었다.

테트라 아낙스는 뱀파이어의 수를 줄이려 한다!

그 소문이 진실로 확인된 것이다.

뱀파이어라는 종족의 수가 늘어나면 늘어날수록 부담이 더해지는 게 테트라 아낙스. 뱀파이어의 수를 줄이려 하는 것은 어찌 보면 당연한 일이다. 하지만 테트라 아낙스의 칼날에 쳐내지는 뱀파이어들이 그것을 수긍할 리 없다.

하나 이미 진마도 잃어버린 클랜이 그런 테트라 아낙스의 폭거에 저항할 수단은 없었다.

결국 그들은 쇠락할 수밖에 없었다. 폭력 조직으로서의 형태는 테트라 아낙스의 비호가 없더라도 방패막이 될 수 있었지만 일본은 버블 붕괴 이후 기나긴 불황과 마이너스 금리에 시달리고 있었다. 폭력 조직이 격동적으로 다투지 않는다면 뱀파이어가 제공할 수 있는 무력은 필요가 없다.

무투파 조직은 설 자리를 잃고 기업형 조직이 대세가 되었다. 명문대 출신도 취업을 못 해 극도(極道:야쿠자)로 들어오는 경우가 흔했다. 진마 자인의 비호 아래, 테트라 아낙스가 나누어주는 예지를 받아먹으며 승승장구하던 배니싱 블러드는 이제 헌터들의 사냥감으로 전락하는 굴욕을 맛봐야 했다.

카나가와 교지, 일본인 이름이지만 누가 보더라도 홍모벽안의 외국인이다. 본래 포르투갈 출신의 뱀파이어, 진마 자인과 함께 아시아로 이주해 온 그는 몇 세대째 호적을 바꾸며 살아가고 있었다. 하지만 이제는 한계에 달했다.

이제 30대의 외모지만 호적상 그의 나이는 70세… 연배로 따지면 관서 제일, 야쿠자들 사이에서도 대두목이어야 한다. 겉보기와 나이가 다르니 슬슬 호적을 바꿔야 할 때, 하지만 테트라 아낙스의 가호가 없으니 쉽지가 않다.

물론 극도에 발을 담근 몸, 지금 이 순간에도 무수히 죽거나 실종되는 이들의 호적을 빌리는 건 어렵지 않다. 하지만 한 조직의 장으로서 남의 호적을 빌려 신분을 바꾸는 것은 어리석은 짓… 일본 경찰이 그 정도로 무능하지는 않다.

테트라 아낙스의 손을 빌려 자식의 호적을 만들고 신분을 바꾸는 것과, 남의 신분을 빌리는 것은 천지 차이다. 경력, 혈연, 지연, 학연을 만들어내어 무난하게 자신의 옛 재력, 배경을 새로운 신분으로 옮기는 것과 달리 이건 단순한 명의 도용에 불과하다. 재산과 경력을 옮기게 되면 바로 모든 게 들통나 버린다.

그렇다고 한때 모든 걸 누리던 그가 이제 와서 자신이 가지고 있는 재산, 배경을 다 버리고 새 출발 할 수는 없다.

"테트라 아낙스에게 버림받는다는 게 이런 건가! 제기랄!"

새로운 테트라 아낙스, 서린이 등극했을 때 이것을 어떻게 해 줄 거라고 믿었는데 서린 역시 예전 테트라 아낙스처럼 그들을 버려두었다. 그사이에도 배니싱 블러드는 점점 통제력을 잃어가고 있었다. 말단이 헌터들에게 계속해서 공격받고 있고 야쿠자 조직에서는 차례차례 절연장을 보내온다. 사업장은 남아난 게 없고 테트라 아낙스의 예지가 없으니 주식이나 채권으로 돈을 벌어들이는 것조차 못 한다.

많은 배니싱 블러드의 하부 계급 놈들은 자제력을 잃어버렸다. 강도 짓과 마약 거래를 더더욱 증폭시키고 있었다. 그 결과 그들은 헌터들에게 발이 잡혀 차례차례 살해당하고 있었다.

이 상황을 반전시킬 재료가 필요하다. 무엇보다도 카나가와 교지의 신분, 재산이 절실하다.

그래서 카나가와 교지는 과거, 테트라 아낙스의 가호를 받던 때는 상종도 안 했을 인물과의 약속을 잡았다.

진마 앙리 유이.

위험한 인물이다. 사법이라는 마법은 차라리 악마 소환보다도 어리석은 극단적인 마법. 그것을 사용하는 자로서 아낙스에 도전하는 앙리 유이는 존재 자체가 파멸의 화신이라 할 수 있었다. 아니, 파멸의 화신이라면 오해의 소지가 있겠다.

자멸의 화신.

그 쪽이 더 어울리겠지.

카나가와 교지는 애꿎은 담배를 연달아 뻑뻑 태우면서 기다렸다.

그때 그의 앞에 한 어린 소녀이 다가와 앉았다.

"……."

있을 수 없는 일이다. 비록 홍모벽안의 용모를 가지고 있어도 카나가와 교지는 수백 년 역사를 가진 야쿠자, 특히 세계대전 후 새롭게 정립된 야쿠자 조직의 살아 있는 역사라 할 수 있었다. 그런다고 돈 주는 조직은 없지만 관록은 남아 있다. 그런 그의 앞에 어린아이가 오만방자하게 앉아 있다는 건…….

"왜? 설마 앙리 유이 님이 직접 너 같은 시정잡배를 만나줄 거라고 생각했나?"

아이의 입은 신랄했다. 게다가…….

그 아이를 본 순간 카나가와 교지는 자신이 도저히 이길 수 없다는 걸 깨달았다. 이 아이는 진마… 아니, 그 이상이다. 아이의 주위에 도는 음습한 영기, 망령들이 보인다.

'뭐지? 지금까지 전혀 모르던 놈이다.'

이만한 뱀파이어가 있다면 이미 알고 있어야 했다. 어떻게든 소문이 났어야 했다. 뱀파이어의 사회는 그리 넓지 않다. 테트라 아낙스의 가호를 받으며 그의 밑에서 자주 얼굴을 들이밀면 대부분의 뱀파이어에 대해서 나름 견식을 갖추게 된다. 그렇지만 이런 소년은 본 적이 없다. 혹시 정신 건강을 위해 영화 속의 드라큘라 백작처럼 관 속에 들어가 스스로를 봉인하고 몇 세기씩 잠드는 타입의 뱀파이어인가? 그런 자들 중에 어린이의 모습을 취한 이는 아무도 없다. 보통 어린아이의 모습을 한 뱀파이어는 자연 발호종… 인간 중 우연히 그 안에 내재된 힘에 각성한 존재들이니까.

"이……."

하지만 아무리 그렇다 해도 카나가와 교지는 무투파로 이름 높은 자. 비록 자신들보다 월등히 약한 인간들을 학살하며 얻은 이름이라지만 그렇기 때문에 오히려… 자신보다 강자를 대하는 방법을 모른다. 상처를 입어본 적 없는 자존심은 굽힐 줄 모른다.

그리고 이 아이 형상의 뱀파이어는 그걸 잘 알고 있었다.

"알량한 자존심 때문에 나에게 도전하는 건 좋아. 하지만 테트라 아낙스의 세계에서 너희는 죽어 없어져야 할 존재다. 여기에서 나에게까지 이빨을 들이댄다면 앙리 유이 님의 세계에서도 너희는 죽어 마땅한 존재가 되는 거지. 어때?"

"뭘 원하지?"

"너희가 원하는 걸 행해줬으면 좋겠어."

"뭣?"

"앙리 유이 님을 찾아서, 비스트와 리림이 움직일 거야. 과거 앙리 유이 님의 은혜를 입은 자들 중에 배신하는 자들도 나왔지. 그걸 제거해 줘."

"하……."

카나가와 교지는 코웃음 쳤다. 앙리 유이는 그들을 히트맨으로 사용하려는 건가?

객관적으로 볼 때 앙리 유이에게 배니싱 블러드는 그리 필요 없는 패였다. 그럼에도 불구하고 주우려고 하는 것은 그들을 이용해 자신들을 추격하는 이목을 흐리기 위해서다. 테트라 아낙스의 예지가 이전에는 성김 한 곳 없는 하늘의 그물과 같았다면, 오라클 시스템이 폐기되고 새로운 테트라 아낙스 서린의 등극 이후에는 어딘지 모르게 구멍투성이였다.

게다가 이번 사건, 앙리 유이가 테트라 아낙스의 본진에 미사일을 처박는 짓을 벌인 이후로 기세는 완전히 뒤바뀌었다. 절대 강자이던 테트라 아낙스는 끝났다. 서린은 이전의 테트라 아낙스가 아니다. 앙리 유이야말로 뱀파이어를 이끌어가기에 타당한 자라고, 테트라 아낙스의 숨 막히는 철권통치에 지쳐 있던 이들은 환호했다.

그렇다고 해서 그들의 히트맨이 된다? 자살행위다. 카나가와 교지 자신이 이미 많은 젊은이를 히트맨으로 소모해 봐서 안다.

히트맨이 된다는 건, 줄지 안 줄지 모르는 보상만을 믿고 그 자신을 위험천만한 곳에 집어 던지는 어리숙한 행위.

"보상은?"

"이걸 주지."

소년은 테이블에 약병을 늘어놓았다. 카나가와 교지도 소문은 들어서 알고 있었다. 태양을 이기게 하고 초짜 뱀파이어조차 진마처럼 탈바꿈시켜 주는 비약, 아웃레이지다.

"하지만 이건 안정적이지 않아. 게다가 약물이라는 건 지속적으로 공급되어야……."

"딜러의 지위를 주지."

"…딜러?"

"이 동아시아에서 너희가 이걸 배분하는 거야."

"……."

믿을 수만 있다면 나쁘지 않은 조건이다. 앙리 유이가 새로 만들려고 하는 뱀파이어의 세계, 그 세계에서 이 아웃레이지는 그야말로 확고한 지배의 상징이 될 것이다. 돈과 권력, 그 모든 것이 이 약 안에 함축되어 있으니 그것을 배분하는 딜러가 된다는 것은 곧 앙리 유이가 임명하는 총독이 된다는 것이나 다름없었다.

'앙리 유이… 역시 아시아의 가치를 모르는 무모한 자인가?'

일본만 해도 그 경제력은 세계 수위, 한국과 대만, 중국, 러시아를 포함하면 이곳의 경제력은 어마어마하다. 그 땅에 딜러로서 확고부동한 지위를 주겠다면 나쁘지 않은 조건이다.

언제든지 손바닥 뒤집듯 뒤집을 수 있는 약속이라서 그렇지.

"이봐, 이 이상 딜하지 말자고. 테트라 아낙스는 뭐 당신들에게 영세불변의 약속을 나눴어? 이제 와서 그렇게 '당장 뒤집을 약속' 말고 뭔가 다른 걸 원하는 건 뻔뻔한 거야. 당신들이 계속 가치를 입증하면 당연히 굳이 거래처를 바꿀 이유가 없어. 안 그래? 나는 당신들에게 가치를 입증할 기회를 주는 거야. 그게 아니라면……."

소년이 그리 말했을 때 가게의 문이 부서지듯 열렸다.

이미 카나가와 교지가 데려온 부하들은 너덜너덜해진 상태지만… 그 외에도 불러온 보강 전력이… 모두 꼼짝 못 하고 있었다. 왜냐면 문을 열고 들어온 이는 알로하셔츠 차림에 반바지, 샌들을 바닥에 찍찍 끌고 걸어오는 노란 머리칼의 남자였기 때문이었다.

그는 선글라스에 담배 한 대를 입에 물고 필터를 질겅질겅 씹으며 걸어 들어온다. 아직 불을 붙이지 않은 그의 담배가 스스로 불붙어 타오른다.

"아그니……."

아웃로 계열 진마 중 동족포식자로 유명한 자다. 무투파 중의 무투파, 테트라 아낙스의 처형 부대조차 홀로 상대하는 전투광으로 유명한 그가 걸어오더니 소년의 옆에 털썩 앉았다.

"동전 좀."

소년에게 손을 내민 아그니가 요구한 것은 어이없게도 동전이었다. 소년이 동전을 꺼내 주자 그는 그걸 들고 휘적휘적…

가게의 한편에 설치된 자판기로 접근한다. 취객들을 위해 풍선껌과 멘토스, 캔디 등 입가심이 될 만한 것들을 넣어둔 자판기에 동전을 투입한 그는 아무 일 없었다는 듯 캔디를 뽑아내었다.

"결렬되면 언제든지 말하라고."

"……."

난감하다.

이 협상이 결렬된다면 아그니가 배니싱 블러드의 혈족들을 잡아먹는 것인가? 저 진마 아그니는 자신의 힘을 늘리기 위해서 오히려 뱀파이어들을 습격하는 악독한 놈이다. 그리고 현재 배니싱 블러드는 아그니를 상대할 힘이 없었다.

차라리 아그니가 등장하기 전에 이 교섭을 받아들였다면 그림이 좀 나왔을 것이다. 이래서야 무력이 두려워서 수긍한 꼴이 된다. 지금의 쇠락한 배니싱 블러드로서는 받아들이지 않을 수 없는 교섭 조건, 그걸 아그니가 등장하면서 무슨 협박에 굴복한 꼴이 되어버리는 게 싫다.

그러나 그런 한편으로 놀랍기만 하다.

대체 앙리 유이는 무슨 재주를 부렸길래 저 날뛰는 야생마를 길들였단 말인가? 테트라 아낙스조차 포기한 아그니를?

"켁… 시시하군."

아그니는 담배꽁초를 뱉어내고 자판기에서 따낸 멘토스를 한 움큼 입에 털어 넣었다.

"뭐, 아웃로들에 비하면… 저들은 비루하죠."

소년은 빙긋 웃었다. 처음부터 테트라 아낙스의 지배를 거부하며 항쟁을 거듭해 온 아그니에 비하면 배니싱 블러드는 온실 속의 화초다.

나름 극도니 뭐니 폭력배들의 세계에 뛰어들어서 험상궂은 척하지만 인간과 뱀파이어의 무력은 비교할 것이 못 된다. 격투기 훈련을 받는 정도로는 넘을 수 없는, 권총과 기관총을 들고 덤벼들어도 확연한 실력 차가 있다. 그런 세계에서 무력을 휘두른다고 해서 담력이 있다고 증명되는 게 아니다.

자기보다 월등한 약자에게만 강한 척하고 단 한 번도 스스로 위험에 노출된 적이 없는 자들이다. 테트라 아낙스에게 버림받았다고 온갖 궁상을 다 떨지만 아웃로의 뱀파이어들은 이미 저렇게 살아온 것이다. 남들 다 받은 고통을 이제 받는다고 징징대는 꼴이 아웃로 출신인 아그니에게 곱게 보일 리가 없었다.

"정말……."

아그니는 콜라가 담긴 페트병 마개를 따고 있었다. 입안에 멘토스를 그대로 담은 채다. 소년은 기겁했다.

"이봐요, 그건……."

"한번 해보고 싶었어."

아그니는 그렇게 말하고 입에 콜라를 부었다.

"푸악!"

입과 코, 사방으로 거품과 콜라를 뿜어대면서도 그는 계속 벌린 입에 콜라를 부었다. 길거리에서 바라보던 주위 사람들이 쳐

다본다.

"…카… 뭐야. 겁나 시원해!"

"…애들이 보고 따라 할까 봐 걱정이군요."

소년은 물티슈를 꺼내어 통째로 건네주며 말했다. 아그니의 얼굴은 콜라로 세수를 한 단계다. 물티슈 정도로 될까 모르겠다.

"그렇게 말하는 네놈이 애새끼구만."

아그니는 그리 말하고 눈앞의 소년을 살펴보았다.

그가 앙리 유이의 편에 서게 된 것은 어느 날… 이상한 뱀파이어 놈들의 습격을 받았을 때였다. 마치 보란 듯이 덤벼들던, 목숨 아까운 줄 모르는 뱀파이어들의 습격. 그것을 아그니는 평소처럼 가볍게 제압하고 놈들의 피를 빨았다.

하지만 그것은 극독이었다. 이놈들은 뱀파이어의 저주와 비슷하면서도 다른 힘으로 구성되어 있는 존재였다. 이미 동족 탐식의 경험이 많은 아그니는 급히 그 독들을 체내에서 제거하려 애썼지만 하마터면 죽을 뻔했다. 인간에게는 맹독인 시안화합물도 무슨 구강청정제처럼 우습게 보는 아그니에게도 이건 치명적이다.

그리고 앙리 유이가 그에게 모습을 드러내었다. 맹독이나 다름없는 저주에 걸려 막대한 힘을 손실한 이후 맞이하는 강적. 아그니는 자신이 살해당할 것을 예감했지만 앙리 유이는 아그니를 죽이는 대신 도리어 구해주었다.

물론 병 주고 약 주고다. 그게 아니라 정말 순수한 호의에서였다 하더라도 아그니는 그런 걸로 고마워서 따르는 호인이 아니다.

다만 앙리 유이는 아그니에게 다른 것을 보여주었다.

'멍청하게 모든 뱀파이어를 다 먹어치워서 힘을 늘리고 싶으냐? 그래서야 본질에 접근할 수 없다. 내가 모든 뱀파이어의 시원(始原)을 보여주겠다.'

뱀파이어의 피를 흡수해 VT를 늘려 나가던 아그니에게… 앙리 유이는 그 이상의 힘을 보여주겠다고 했다. 믿든 안 믿든 간에… 아그니는 따를 수밖에 없었다. 앙리 유이가 아웃레이지를 퍼뜨리면 퍼뜨릴수록 아그니가 먹을 수 있는 뱀파이어는 남아나지 않을 테니까.

음식물에 독을 푸는 자 때문에 먹을 게 없다면…….

감식관보다는 독을 푸는 자의 편에 서야 그나마 피해가 적은 법이다. 독을 푸는 자의 곁에 서면 적어도 뭘 먹어도 되고, 뭐는 먹으면 안 되는지 명확하게 알 수 있으니까. 그게 아니더라도 앙리 유이가 약속한 뱀파이어의 시원이라는 것에 흥미도 있고.

오늘 이 일도 그렇다. 만약 배니싱 블러드가 앙리 유이의 제안에 응하지 않으면 먹어도 되는 것이니 아그니가 먹어치운다. 그런 계약이었다.

"그나저나 일이 재밌게 되어가는군. 이미 꼬리를 내린 개들이 과연 뭘 할 수 있을까? 한국에 있는 너희 앙리 유이의 아이들을 배신한 녀석들은 한세건과 이사카 베르게네프의 비호 아래 있다며?"

"…네."

"상당히 까다로운 일일 텐데 희생을 각오하고 숙청(肅淸)할 필요가 있나?"

"아뇨. 그들을 숙청, 아니, 숙정(肅正)하는 것도 목적이지만 그보다는… 비스트와 리림의 상태 점검에 가깝지요. 그리고 희생이라고 해봤자 배니싱 블러드가 전부일 텐데요, 뭘."

"흠……."

아그니는 그런 소년의 모습을 보고 코웃음 쳤다. 밤의 거리를 걸으면서 그는 생각한다. 앙리 유이의 저력이 예상보다 어마어마했음에 놀랐지만 테트라 아낙스, 새로운 테트라 아낙스 역시 만만하진 않을 것이다. 지금 앙리 유이가 일으키는 반란은 결국 테트라 아낙스에게 숙청의 명분을 준다.

'뱀파이어를 줄이고 싶다.'

테트라 아낙스를 폭군으로 만들었던 그 욕망은 이제 앙리 유이의 반란에 의해서 정당화될 것이다. 앙리 유이와 테트라 아낙스의 대결, 이것은 지금까지 있어왔던 어떤 사건보다 파장이 크고 무거울 것이다. 왠지 그게 마음에 걸린다.

2

한세건은 수배자가 된 후에도 뱀파이어 헌터로 활동하기 위해서 많은 준비를 해왔다. 경찰의 눈을 피할 수 있는 아지트, 경찰차와 오토바이 등을 따돌릴 수 있는 무시무시한 성능의 바이크, 각지에 숨겨둔 감지 장치와 언제든지 바꿔 탈 수 있는 차량 등이 바로 그것이다.

그렇지만 수배된 신분으로 그것들을 유지하기 위해서는 적지 않은 돈이 들어간다. 다 타인 명의로 구매해야 하고, 유지 보수하기 위해서는 매번 신경 써야 할 게 적지 않다.

그래서일까?

서현이 사업 확장을 빌미로 한세건이 그간 보유하고 있던 아지트를 그대로 매입하고 대신 한세건에게 아지트로서 제공한다. 아지트 유지 보수를 해주는 대신 가지고 있던 부동산을 헐값에 넘겨주면 차량과 은신처를 제공하겠다는 뜻을 비춰왔다.

그리고 이 사실은 적어도 뱀파이어 헌터들 사이에서는 꽤 많이 회자될 수밖에 없다. 뱀파이어 헌터들이 가지고 있는 재산 중 유동성이 적은 부동산, 토지, 건물 등은 그 취득 과정에서 브로커들의 도움이 필요하다. 세무조사 같은 게 나와서 이 땅을 구입한 돈은 어디서 벌었냐고 물어볼 때 뱀파이어 피를 팔아서 벌었다고 대답할 수는 없는 노릇이니 당연하다. 그런데 서현은 그러한 브로커들의 도움 없이 독단적으로 돈을 세탁하고 자산을 세탁할 수 있다는 것을 보여주는 것이니, 기존의 브로커들의 신경을 건드릴 수밖에 없다.

당연히 소문이 나지 않을 수 없었고 이는 좁은 사회인 뱀파이어 헌터들의 입방아에 오르게 되었다. 한세건의 성격을 알고 있는 많은 뱀파이어가 서현의 그러한 행동에 코웃음 쳤다. 고고한 진마사냥꾼, 뱀파이어 헌터들과 가끔 행동을 함께하지만 기본적으로 철저히 타인의 접근을 꺼리는 한세건이 서린의 형이며 라이칸스로프 갱의 리더, 인류를 멸망시킬 뻔했던 자의 제안을 받아들일 리 없다고 생각했다.

그러나 한세건은 그것에 응했다.

그 결과 한세건의 아지트는 현재 서현이 합법적으로 소유하고 있는 중고차 거래업체와 차량 정비업체의 건물로 쓰이게 되었다. 차량을 유지 보수하고 성능을 점검해, 더러는 해외로 팔아치우고 더러는 한국에서 새로 차량 등록을 하는 작업을 하는 곳은… 뱀파이어 헌터의 아지트로서는 그야말로 이상적이다.

그게 아니더라도 미등록 상태의 차량을 제공할 수 있는 점은 매력적이다. 서현이 라이칸스로프이자 한때 뱀파이어 헌터의, 한세건의 강력한 적수였다는 사실이 걸리긴 하지만 그건 다른 헌터들이 한세건의 동기를 착각하고 있기 때문에 지레짐작한 것일 뿐이다.

한세건은 인간을 위해 뱀파이어를 사냥하겠다는 사명감을 가진 게 아니다.

사랑하는 가족을 죽인 자에게 복수하겠다고 설치는 것도 아니다.

그가 헌터를 하는 것은 그의 가족에 대한 가장 강렬한 추모이며, 그 자신을 짓밟은 자들이 치러야 하는 비용이다.

그들의 삶이 뱀파이어에게 먹히기 위한 것이 아니었음을 입증하기 위해서… 뱀파이어에게 인간을 먹는다는 행위가 얼마나 큰 비용을 치러야 하는 것인지 입증하기 위해서…….

뱀파이어나 세상의 체제의 정점에 선 자가 아무렇지도 않게 누군가를 희생시켰을 때… 그 희생의 대가가 얼마나 커질 수 있는지 보여주기 위함이었다. 그러니까 서현이 일단 뱀파이어 헌터로서 순응하기로 하면 합리적인 거래를 거부할 이유가 없었다.

물론 서현이 테트라 아낙스의 자객이라면 이렇게 거래한 뒤 한세건을 배신해 경찰 등에게 넘기는 것도 생각할 수 있겠지만…….

그럴 리가?

테트라 아낙스가 정말 헌터들을 제거하려고 한다면 경찰이나 군대에 그들을 위험인물로 찍어주고 계속해서 위치 정보를 갱신해 기어코 인간의 손으로 제거할 수 있다. 테트라 아낙스가 이룩한 질서에서 뱀파이어 헌터라는 존재는 반드시 필요했기 때문에 내버려 두는 것인데 이런 조악한 방법으로 뒤통수를 칠 리가 없다.

"뭐, 그런데 바이크는 그렇게 많지 않아. 네가 거래를 받아들인 덕분에 정비 공장으로 쓸 곳이나 차량 보관용 부지는 싸게 구할 수 있었지만 역시 돈이 부족하거든. 잘 팔릴지 어떨지 모르는 것들은 좀 그렇지."

서현은 정비 공장으로 변신한 허름한 건물의 안을 살피며 말했다.

서현이 만든 조직은 유럽 쪽을 통해서 들여오는 차량들을 정비하고 한국에서 차량 등록해 판다. 이 경우 들여오는 물건들은 주로 한국에서 인기 있는 세단형의 독일 차량으로 한정될 수밖에 없다. BMW나 아프릴리아 등 독일과 이탈리아의 바이크 브랜드들을 들여놓을 수는 있겠지만 한세건이 추구하는 장르는 슈퍼모터드, 바이크 트릭을 펼치며 도시의 각종 장애물들을 가뿐히 뛰어넘을 수 있는 준(準)묘기용 바이크다. 그런 물건은 수요가 한정되어 있고 쉽게 들여놓기도 힘들며 팔기도 애매하다.

"독일제 세단은 막 불티나게 상담 전화가 오고 있는데 말이야. 한국 사람들은 세단을 너무 좋아해. 아, 그래도 혹시 한국에서 팔려고 내놓은 물건 중에 괜찮은 거 있으면 연락 줄게. 너무 특이한 모델은 별로 안 내키지?"

"……."

세건은 벽에 장식된 브렘보 디스크브레이크 순정 부품을 보고 침을 질질 흘리… 진 않고 좋아하다가 퍼뜩 정신을 차렸다.

"특이한 모델……."

바이크 마니아로서는 당연히 탐나지만 수배된 입장에서는 역시 피해야 할 물건이다. 어쨌거나 정비 공장을 둘러보니 막 탐난다. 마니아가 자기 관련 물품들을 사고팔고 정비하는 업체를 간접적으로나마 소유하는 격이니 신나지 않을 리 없다. 일부러 무표정을 유지하고 있지만 서현은 세건이 신이 나 있다는 걸 알 수 있었다.

"…그러다 망해서 이거 훅 가는 건 아니지?"

최대한 평정을 유지하며 세건이 그렇게 물어보았다. 그러자 서현은 피식 웃으며 세건에게 ID 카드를 던져 주었다.

"뭐, 그 이후에도 PSH라는 사이비 종교를 털어서 자금을 좀 확보했고 그게 아니더라도 마피아 애들 사이에서 나는 좀 알아주지."

사실은 테트라 아낙스가 처음에 주었던 정착 자금도 해금되었지만 뱀파이어에게 돈 받았다는 이야기는 한세건 상대로는 안 하는 게 좋겠지. 서현은 그리 생각하며 정비 창고의 숙직실로 향했다.

"이건 뭐지?"

"네가 케네스 양에게 사들인 가짜 신분 중 하나로 만든… ID 카드야. 회사의 본사 매니저로 설정되어 있으니까 직원이 있더라도 이 정비 공장 분점 어디든 마음껏 드나들 수 있지."

실제로 직원들을 고용하고 공장을 굴릴 때, 직원들 사이로 아무렇지 않게 숨어들 수 있도록 손을 본 것이다. 이런 것까지 생각하다니 서현의 수완도 예사롭지 않다.

"그리고 여기 금고 안에 탄약이랑 무기를 갖춰뒀으니까 참고하도록 해. 쓸 일이 없으면 좋겠다만."

준비도 철저하다.

솔직히 세건도 서현과의 딜을 받아들이면서 반신반의하고 있었는데 결과가 마음에 든다. 헐렁하던 서린과는 근본적으로 다르다. 역시 한 조직을 이끌어온 수장답다고 할까?

"흠, 앞으로가 기대되는……."

한세건이 그렇게 말할 때였다. 갑자기 그들의 눈앞 허공에서 빛이 번뜩이더니 누가 봐도 파이프 폭탄으로 보이는 것이 한 뭉치 나타났다. 마치 허공이 사제 폭발물을 잉태한 것 같다.

그러나 그 순간 서현과 한세건이 동시에 손을 날렸다. 마치 리허설을 수차례 해가며 찍는 액션 영화의 한 장면처럼… 서현과 세건의 손이 번뜩이며 빠르게 사제 폭발물의 캡을 제거해 나갔다. 나사로 돌려서 박아 넣은 신관들이지만 폭발 시 파편 비산을 쉽게 하기 위해 줄톱으로 파이프를 갈아놓은 사제 폭발물은 손으로 당기면 찢어진다. 서현과 한세건 둘 다 핀치그립으로 사람 살점을 찢을 수 있는 괴력의 소유자… 파이프 봄 한 다발의 신관이 미처 작동하기도 전에 다 뽑혔다.

서현과 세건은 약속이라도 한 것처럼 화재 시 모래주머니를 모아둔 곳에 신관을 던졌다. 신관이 터졌지만 약간의 작은 폭발만 났을 뿐이다.

"이런……."

세건은 서현을 노려보았지만 이게 서현의 소행이 아니라는 건 단번에 알 수 있었다. 텔레포트는 마법으로는 거의 불가능에 가까울 정도로 어렵고 이득도 별로 없는 기술이다. 물질을 보지도 않은 공간으로 텔레포트시킨 걸 보니 이걸 혈인 능력으로 가지고 있는 배니싱 블러드의 잔당들임에 분명하다.

"아오, 개시 첫 손님이 천하 진상이네."

사제 폭발물이 텔레포트해서 날아오는 초유의 공격법을 너무나 간단하게 막아낸 서현은 신경질을 내며 캐비넷 안에서 드라구노프 소총을 꺼냈다. 그러는 사이 이번에는 수십 개의 파이프

봄이 일제히 산발적으로 텔레포트해 온다.

쇡!

한세건이 도검을 뽑아 휘두르자 신관들이 깔끔하게 잘리고 비료를 섞어 만든 ANFO 가루가 사방으로 퍼진다.

"장난해? 무슨 짓이야!"

가루가 날릴 때 신관이 터지면 위험하다. 물론 ANFO의 민감도상 가루 몇 개가 신관에 자극되어 대폭발을 일으킬 것 같지는 않다. 사제 폭발물이라는 건 민감도가 그리 높지 않아야 쓸모가 있는 법이니까.

딱!

세건의 칼질에 잘려 떨어진 신관들이 터졌지만 역시 별일 없다. 세건은 그걸 보고 서현을 노려보았다.

"별일 없잖아. 내가 폭탄을 한두 번 만져본 줄 아냐?"

"…라고 말하면서 사실은 식은땀을 흘리고 있지?"

"아니… 아니다. 그보다 얼른 적이나 잡아!"

세건은 그리 말하고 휴대폰을 꺼내서 모션으로 앱을 불러냈다. 한세건 자신이 직접 안드로이드용으로 만든 앱으로, 자기 GPS를 기준으로 주변에 박아둔 감시 장비들의 순환 점검을 하고 이상 있는 곳을 호출하는 어플리케이션이다.

이 정비 공장은 한세건의 아지트이기도 해서 그전에 근처 건물들에 감시 카메라와 적외선 모션 센서를 설치해 두었다. 모션 센서에는 256KB 플래시 메모리에 로그를 기록해 둬서 콜사인이 그리는 모션에 따라 반경 500미터 이내, 로그는 30초 전을 기준으로 신고하게 했다.

"재주 좋네."

서현은 봐도 봐도 신기한지 한세건이 이공계 능력으로 정보를 얻는 모습을 보고 감탄했다. 과연 세건이 미리 뿌려둔 감시카메라 중 하나에 쌍안경을 들고 사제 폭발물을 배낭에 넣어가지고 있는 수상한 남자가 보였다.

"저기군."

서현은 드라구노프를 조준도 하지 않고 쏘았다. 건물과 건물 사이라서 맞겠냐 싶겠지만…….

퍽!

놀랍게도 서현이 쏜 총탄은 전신주와 한국통신의 FTTH 광케이블이 거미줄처럼 꼬여 있는 낡은 골목을 아무것도 안 끊고 지나가서 적의 어깨에 명중했다.

"크악!"

게다가 서현은 아무렇지도 않게 세 발 연속으로 쐈는데 그게 각각 어깨 상완, 폐에 순차적으로 명중하니 뱀파이어라도 버티지 못하고 휘청휘청 춤추는 것 같다. 조준경이 붙어 있는 지정사수용 소총을 대충 쏴 갈겨도 저 정도 정밀도라니… 이번엔 세건이 놀랄 차례다. 그러고 보면 아까 전 폭발물이 나타났을 때 반사적으로 반응하는 반응 속도도 상당했지. 만약 서현이 아니라 서린이었다면 어버버하다가 폭발했을 거다.

"쳇!"

서현은 한세건이 들고 있는 휴대폰의 영상을 보고 혀를 찼다. 서현의 공격은 분명히 상당한 효과를 보였지만 배니싱 블러드에서 보낸 암살자 역시 보통이 아니었다. 그는 상당히 치명상을 입었음에도 불구하고 즉시 텔레포트를 해서 그 자리를 벗어났다.

"…텔레포트인가? 해괴한 능력을 쓰는군. 어디로 이동하는지 모르겠잖아?"

서현은 배니싱 블러드의 뱀파이어들과는 별로 안면이 없는지 그가 텔레포트로 사라지자 당황했다.

"배니싱 블러드, 일본 쪽에 거점을 두고 있는 유서 깊은 뱀파이어 클랜이었다."

"아, 그래? 그런데 그놈이 왜 널 공격한 거지?"

"널 공격한 거겠지."

세건은 그리 말하며 공장 안을 살펴보았다. 대부분의 파이프 봄이 불발한 덕분에, 공장 안은 멀쩡하다. 그러나 세건이 칼질하면서 날아간 신관 하나가 벽에 걸려 있는 부품 상자에 인접한 채 폭발해서 포장이 찢어진 제품이 있었다.

바이크에 달 수 있는 이탈리아제 브렘보 디스크 브레이크다.

"제품 포장이 상했잖아. 마침 내게도 두카티가 하나 있으니까 거기에 달면 되겠……."

"거기 스톱. 고객님, 지금 뭐 하시는 겁니까?"

"…아니, 그… 현격하게 상품 가치가 저하된 것 같아서 그냥 내가 쓰려고. 설마 이런 걸 소비자들에게 팔아넘기는 그런 몰상식한 짓을 하려는 건 아니지? 아무리 중고차 시장이 전형적인 정보 비대칭 시장이라지만 사람들이 불쌍하지도 않냐?"

"……."

사제 폭발물을 텔레포트시키는 위험한 암살자의 공격을 받는 놈의 입에서 상식이라는 게 튀어나올 줄이야. 예상 못 한 공격에 서현은 당황했다.

"어쨌거나 진마가 죽고 지리멸렬한 뱀파이어 조직이 갑자기 우리를 건드리고 나선 걸 보면 앙리 유이에게 배니싱 블러드가 넘어갔다고 보면 되겠지?"

그렇게 말하면서 한세건은 기어이 브레이크를 챙겼다.

3

강의찬은 유수한 제약 회사의 유일한 아들로, 만약 그의 아버지가 급사했을 경우 상속세로 내야 하는 금액만 물경 수백억에 달할 것이다. 게다가 본인도 의사. 나이가 적진 않지만 얼굴이 말끔하게 생겼고 군살이 전혀 없는 건강한 근육질의 몸을 가지고 있다.

결혼 정보 회사에 등록하면 그야말로 블루칩 중의 블루칩이라 할 수 있는 몸이다. 실제로 많은 여성이 어떻게든 그와 미팅, 애프터까지 가지만…….

그 후 대부분의 여성은 녹다운된다.

왜 그런지 모르겠다. 강의찬의 부모님, 예비 시부모님이 사실 앙리 유이라는 뱀파이어의 추종자라서? 다들 초능력자 가계라서? 그런 건 맞선에서 밝히지 않았다. 돈 많고 부유하고 외모도 괜찮은데 어째서 여자들이 정색을 하며 먼저 연락을 끊는 걸까?

강의찬은 아마도 자신의 매력이 넘쳐 그녀들이 도저히 감당할 자신이 없기 때문일 거라고 여겼다.

그 매력이 지나쳤기 때문일까?

거리에서 한 작은 체구의 소녀가 강의찬에게 건널목 저 너머에서부터 손을 흔들며 다가오고 있었다. 약간 주근깨가 있고 덧니가 드러나 보이는 소녀였는데 절세미인이라고 할 수는 없었지만 귀여운 인상이었다.

"오빠!"

모르는 여자다. 그러나 강의찬이 이래저래 스쳐 지나간 여자는 많다. 물론 저 정도 연배의 여성과 맞선을 보았을 리는 없다. 이제 10대 후반쯤으로 보이는데… 환자들 중 날 오빠라고 부르던 여학생이 있었나? 남자들 상대로 장사한다는 느낌이 강하지만 여성 환자도 적지 않으니까. 혹시 그중 하나일까?

그게 아니라면… 아니, 그럴 리 없다. 여기는 그의 병원 앞 횡단보도, 다른 사람도 많은 길… 게다가 대낮이다. 그러니까 설마 저 여자가 강의찬을 해치려는 자들의 자객일 리는 없다.

그런 생각을 하던 강의찬은 갑자기 전신의 털이 곤두서는 느낌을 받았다. 소녀가 가까이 다가오면서 그녀에게서 느껴지는 심상치 않은 흉성을 느낀 것이다. 놀란 강의찬은 대뜸 횡단보도에서 몸을 돌려 달아나려 했지만 그 순간 소녀가 확 뛰어들어 단번에 강의찬을 덮쳤다.

그리고 그다음 순간…….

강의찬은 자신이 지하 주차장에 와 있다는 사실을 깨달았다.

텔레포트? 아니면 정신을 조작해서 의식을 잃었다가 깨어난 것인가?

"와우… 오빠, 힘이 꽤 센데?"

소녀는 자신이 매달려 있음에도 서 있는 강의찬을 보고 감탄했다. 실제로 강의찬은 작은 체구의 여성이 매달려 봤자 가뿐하게 들어 올릴 수 있었다. 이 여자, 뱀파이어일 테니 그 완력이 어마어마하겠지만 절대적인 체중이 너무 적다.

하지만 여자가 강의찬의 팔뚝을 앙 하고 깨물자 강의찬의 몸이 축 늘어졌다.

"커윽……."

"푸하… 음… 맛이 괜찮군."

소녀는 그리 말하고 일어나 옷을 툭툭 털었다.

"원래는 지하 주차장에서 잡으려고 했는데 얌체같이 차만 주차시켜 놓고 안 오더라? 그래서 본의 아니게 사람들 앞에서 잔재주를 부렸지."

"크… 으… 사람들 앞에서 능력을 써도 괜찮나? 벌건 대낮에?"

VT인자가 10만을 넘으면 태양광 아래에서 마음껏 활보할 수 있다. 그러나 이 소녀 뱀파이어의 VT가 10만이나 할 것 같지는 않다. 그래서 물어본 건데 그녀는 강의찬의 의도를 달리 해석한 모양이다.

"뭐, 우리야 아웃로니까. 테트라 아낙스가 우리를 아웃로로 만들었으니… 테트라 아낙스의 율법 따위 엿이나 먹으라지. 도심 한복판에서 사람들을 마구 죽이고 잡아먹어도 테트라 아낙스가 수습해야 할 일이지, 테트라 아낙스에게 버림받은 우리가 신경 쓸 일은 아니지?"

한세건이 뱀파이어들에게 그들이 뱀파이어라는 이유만으로 비용을 지우려 하듯, 테트라 아낙스에게 버림받은 배니싱 블러드의 뱀파이어들은 테트라 아낙스에게 비용을 지우려 한다. 비록 그게 테트라 아낙스에게 직접적인 타격을 주지 못한다 하더라도 뱀파이어와 인간의 세계를 분리하려 하는 자에게는 꽤 뼈아픈 일격이 될 것이다.

"아, 감질나는데. 어디 보자. 내가 지금 우유팩 한 개 분량은 마신 것 같은데 더 마셔도 될까?"

"……."

강의찬의 머리가 빠르게 돌아갔다. 헌혈할 때 쓰는 수혈 팩이 400㎖, 우유팩 하나는 200㎖니까 우유곽 두 개 정도면 이미 수혈 팩의 피를 가득 채운다. 강의찬은 건강한 사람이니 그보다 더 많이 흘려도 죽지는 않겠지만 이 뱀파이어들이 피를 탐하는 걸 생각하면 어이쿠, 마셔주세요 하고 들이댈 성질의 것이 아니다.

도망을 치든가 해야 할 텐데…….

하지만 소녀는 다시 입을 벌려서 강의찬의 상처를 물었다. 이빨을 세우지 않고 상처 부위를 빨아서 피를 마시자 팔뚝에 시퍼렇게 멍이 들면서 피가 빨려 나간다.

"크……."

눈앞에 노랗게 변한다는 게 이런 거군……. 강의찬은 의식이 가물가물해지는 걸 느끼며 주머니를 겉으로 눌렀다.

삑!

지하 주차장에 주차되어 있는 강의찬의 SUV 한 대가 반짝하고 빛났다. 뱀파이어 여자는 그걸 보고 피식 웃었다.

"뭐야? 차 문이라도 연 거야? 난 또 뭐라고… 저거 혹시 나이트라이더의 키트 같은 거 아니지? 음, 이제 한 우유팩 두 개 분량 정도 먹었나?"

그녀가 언급한 '나이트라이더'는 한국에서 '전격제트작전'이라는 이름으로 방영된 미국 드라마로, 인공지능 자동차 키트의 활약이 인상적인 시리즈였다. 그걸 언급하는 걸 보면 역시 이 어려 보이는 소녀의 나이가 상당함을 알 수 있었다.

강의찬은 그녀의 주의가 흐트러졌을 때 잠시 몸을 빼서 빠져나왔지만 갑자기 몸을 움직이자 빈혈이 뇌를 조여왔다. 빈혈로 흔들려서 도망칠 수 없다니… 이게 우유팩 한두 개 정도라고? 아니다. 이 여자가 말한 것보다 훨씬 많은 피를 빨렸다. 그런데도 이 여자가 우유팩 한두 개 분량이라고 착각하고 있다면 미필적 고의로 살해당하게 생겼다.

그때 그녀의 앞에 한 남자가 나타났다.

"네 우유팩은 뭐 일 리터들이냐? 그만 먹지. 죽이지 않고 살려서 인질로 써야 하니까."

"아……."

여자는 자신의 앞에 모습을 드러낸 남자를 보고 아쉬운 표정을 지어 보였다. 남자는 텅 빈 배낭을 아무렇게나 근처 차량 밑으로 던져 넣고는 한숨을 내쉬었다. 그의 어깨, 목 부위에서 혈액에 뒤섞인 뭔가가 유출되어 떨어졌다. 셀룰러… 뱀파이어 헌터들이 흔히 쓰는 콜로이드성 독약이다. 일반적인 독, 특히나 알칼로이드계의 독들은 뱀파이어들에게는 잘 듣지 않는다. 하지만 이 셀룰러는 순전히 수분에 반응해서 혈전을 만들어내고, 인간이나 어설픈 뱀파이어들에게는 굉장히 치명적인 독으로 작용한다. 하지만 이처럼 기본기가 뛰어난, 경력 있는 뱀파이어라면 자신의 피 안에서 이물질을 걸러낼 수도 있다.

"그 모습을 보아하니 비스트와 테트라 아낙스의 친형을 제거하지 못한 모양이군?"

"텔레포트시킨 폭약을 그 자리에서 해체할 정도던데."

"좀 더 머리를 쓰지 그랬어? 보이는 곳에 보내지 말고 건물 밖에 보내서 터뜨리면?"

"…내 사제 폭발물로 철근 콘크리트 담을 부술 수는 없어. 폭탄을 너무 쉽게 생각하는 거 아냐? 거긴 공장이라 안에 철골이 들어 있더라고."

남자는 그리 투덜거리며 상처를 살펴보았다. 보통 인간에게는 치명적인 부위지만 셀룰러를 제거하자 상처가 빠르게 아물어간다.

"그럼 물러가지."

그들은 빈혈기를 일으키고 있는 강의찬에게 손을 뻗어왔다.

4

"음."

세건은 바이크를 타고 가던 중 자신의 핸드폰에서 기이한 벨소리가 울리는 것을 듣고 신호 대기 중에 잠시 서서 상황을 살펴보았다. 각종 상황을 소리만으로 알 수 있게 해둔 것인데 지금 울리는 건… 강의찬에게 준 비상벨이 작동한 것이다.

"이런, 젠장."

앙리 유이 추종자들 사이에서 명백한 배신행위를 저지른 강의찬은 그들의 숙청 대상이 될 가능성이 높다. 그래서 세건은 강의찬을 위해 그런 비상벨을 만들어 건네주었고, 서현은 생계에 별 도움이 되지 않는 빼또쥬를 경호원으로 붙이고 있었다.

서현과 함께 공격을 받은 순간 강의찬에 생각이 미쳐 그쪽으로 달려가고 있는 중인데 연락이 오다니.

'하긴 그 녀석들의 공격… 나나 그 전범 라이칸스로프가 잘 대응해서 망정이지, 보통은 막기 힘든 공격이었지.'

파이프 폭탄에 폭발물을 채우고 신관을 작동시킨 후 텔레포트시키는 공격법은 매우 파괴적이다. 서현과 세건의 잽싼 반응이 아니었다면 어찌 되었을까?

'그 빼또쥬라는 이상한 라이칸스로프 혼자로는 막기 힘들었을 테지……. 큰일이군. 텔레포트로 도망 다니는 놈들이 그 의사를 납치해 가면 어쩌지? 젠장. 역시 강제로 붙잡고 감시하고 있어야 했나?'

원래 한세건은 강의찬을 자신의 아지트에 모셔(감금해)두고 보호하려 했었다. 하지만 강의찬은 자신의 진료 행위에 뭔가 동의하기 힘든 사명감을 가지고 있었고 서현의 라이칸스로프 갱에는 법적으로 미성년자인 빼또쥬가 놀고 있었다.

강의찬의 의사와 마침 남아도는 잉여 자원을 활용한 것이었는데 설마 배니싱 블러드의 뱀파이어들이 나타날 줄은 몰랐다. 그렇다는 건 그들 역시 앙리 유이 파벌에 들어갔다는 뜻인데…….

'전범 라이칸스로프에게 전화를 해야 하나.'

한세건은 그리 생각해 보았지만 고개를 저었다. 일단 곧 현장에 도착할 테고… 만약 빼또쥬가 배니싱 블러드의 뱀파이어와 교전했다면 서현에게 보고했으리라는 생각 때문이었다. 알아서 잘하겠지. 물론 그들이 라이칸스로프이니 일정 이상 거리를 두어야겠다는 세건 특유의 결벽증도 한몫했다.

마침 신호가 바뀌어서 한세건은 다시 바이크를 몰고 앞으로 나아갔다.

한편 서현은 느긋하게 케네스 양과 전화 통화를 하고 있었다.

빼또쥬에게 보고가 없었고 마침 습격도 받았겠다, 배니싱 블러드에 대해서 물어보기 위해서였다. 케네스 양은 원래 정보팔이지만 한세건과 서현에게 빚진 게 많은지 이런 사소한 것은 요금 청구를 하지 않고 시원시원하게 말해주었다.

—아, 배니싱 블러드? 그들은 원래 일본에 기반을 두고 있는

친구들인데…….

"인데?"

—진마 자인을 잃어버린 후로는 몰락 일변도라서 별로 설명할 게 없네. 왜?

"오늘 습격을 받았거든."

—그렇다는 건… 그들도 앙리 유이에게 들러붙었다는 건가? 오, 정말 대단한데. 이거 전쟁 한판 크게 벌어지겠어. 총기값 올려야지.

"……."

뱀파이어들의 분쟁이 예상되자 총기의 값을 올리겠다고 선언하는 케네스 양이었다. 아니, 뭐, 좋은 상인이긴 하다. 암시장 상인이 그 정도 야바위는 좀 쳐야지, 상도를 지키면 그건 그거대로 웃기지 않은가?

—그런데 그 의사 양반은 괜찮아? 배니싱 블러드라는 애들은 어쨌든 진짜 야쿠자였던 놈들이라 좀 고지식한 면이 있어. 앙리 유이 조직의 배반자라고 할 수 있는 의사 양반을 내버려 둘 리 없는데?

"뭐, 그런 거야 다 대비하고 있지. 경호원을 붙였거든."

서현은 그리 말하다 문득 통화 중 다른 전화가 오는 걸 보고 귀에서 휴대폰을 떼어냈다. 빼또쥬의 전화다. 그는 얼른 케네스 양에게 양해를 구하고 빼또쥬의 전화를 받았다.

"무슨 일이냐? 괜찮아?"

—저기… 이사카… 화내지 말아야 한다?

"무슨 일인데?"

—화내지 않는다고 약속하면 말할게.

"아, 그건 염려할 필요 없어."

이미 화났거든.

하지만 서현은 그 말은 하지 않았다. 그러자 빼또쥬가 자기 좋을 대로 해석하고 천천히 말을 이어나갔다. 언젠가는 말을 해야 할 일이니까.

—그게 저기 말이지. 잠깐 한눈을 판 사이에… 의사가 습격을 당한 것 같아.

"응, 거기 꼼짝 말고 있어. 내가 지금 자전거 타고 간다."

—화… 화난 거야? 화내지 않기로 했잖아?

하지만 서현은 더 이상 듣지 않고 통화를 끊었다.

한세건은 강의찬의 병원에 도착했다. 강의찬에게 준 리모컨이 발동한 위치는 강의찬의 병원 지하 주차장이었다. 세건은 거기 들어가기 전에 경비실에 들러서 CCTV 기록 영상을 확인하기로 했다. 주차장에는 CCTV가 있을 테고… 만약 강의찬이 살해당하거나 할 경우 범죄 현장에 접근했다 CCTV에 찍히는 건 바람직한 일이 아니다. 한세건은 수배당한 폭탄 테러범, 설령 본인에게 알리바이가 있든 없든 경찰과 얽히는 일 자체를 피해야 하는 것이다. 그래서 세건은 병원의 주차장 쪽 출입구로 들어섰다. 그러자 주차장 쪽 입구를 지키고 있던 경비원이 자리에서 일어났다.

"음? 무슨 일……."

그러나 그는 말을 다 잇지 못했다. 한세건이 단번에 경비의 목을 틀어쥐고 실신시켜 버린 것이다. 좀 과격한 방법이지만 효과는 확실하다. 지금의 한세건이라면 경비원은 간단히 기절시킬 수 있었다. 여기에 약간의 인식 장애술을 더하면 경비는 자신이 낮잠 잔 걸로 알 거다. 세건은 그를 경비실에 앉혀두고 CCTV 기록 영상을 살펴보려 했다.

"암호군."

하드디스크 방식에 암호가 걸려 있다. 하지만 세건은 경비원의 허리춤에 달린 키를 살펴보았다. 키에 스티커로 암호가 적혀 있고 셀로판테이프로 붙어 있다.

"…뻔하지."

세건은 그 암호를 넣고 CCTV 기록 영상을 살펴보았다. 주차장 CCTV에는 강의찬이 납치당하는 장면이 적나라하게 찍혔다. 경찰에게 추적당하지 않는 뱀파이어들 특유의 나쁜 버릇이다. 테트라 아낙스가 다 오냐오냐해 주니 아주 간이 배 밖으로 튀어나온 듯하다. 물론 테트라 아낙스도 그래서 아웃로, 자신의 규정을 벗어난 뱀파이어들이 이런 짓을 저지르면 일단 무마는 해주지만 그다음 반드시 대가를 치르게 했었다.

세건은 영상을 카피하고 자리를 떴다. 뱀파이어들이 강의찬을 죽이지 않고 데려가는 걸 보니 굳이 지하 주차장에 들어갈 필요는 없다고 생각해서였다.

그런데…….

세건은 막 경비실을 떠나다 우뚝 멈춰 섰다. CCTV에 아무리 봐도 수상해 보이는 소년이 두리번거리며 지하 주차장을 돌아다니고 킁킁거리며 냄새를 맡고 있다. 서현이 강의찬을 경호하게 붙여둔 라이칸스로프, 빼또쥬가 뒤늦게 찾아온 모양이다.

'어딘가 놀다 왔나 보군.'

세건은 그 모습을 보고 기막혀했다. 강의찬이 목숨을 위협받을 거라는 건 세건도 서현도 알고 있었는데 서현의 명을 받은 라이칸스로프가 이렇게나 물렁하게 임무를 방기하다니.

그때 끼이이이익 하고 브레이크 소리가 요란하게 들려왔다. 경비실 앞 지상 주차장에 한 대의 자전거가 멈춰 서고 있었다. 아스팔트 바닥에 타이어가 녹아 붙어 스키드 마크를 찍은 걸 보니 이미 자전거가 아니다.

이렇게 해괴한 자전거를 타고 다니는 놈은 세건이 아는 한, 단 한 놈뿐이다. 서현이 자전거에서 내렸다.

"너 진짜 그거 계속 탈래?"

세건은 그렇게 물어보았다. 거리 한복판을, 시내를 저 자전거로 시속 80킬로미터 이상 밟으며 돌아다니면 보행자에게 폐를 끼치고 사람들도 이상하게 여길 것이다. 인간의 신체 능력을 초월한 속도, 그것을 만인 앞에 노출시킨다는 건 위험한 짓 아닌가?

하지만 서현은 대답 대신 자전거의 뒤를 보여주었다.

"그래서 이걸 달았잖아."

서현의 자전가 뒷바퀴 축에는 배기관이 붙어 있었다. 뒤에는 아예 번호판도 달려 있고 방향 지시등도 붙어 있다. 물론 그럼에도 불구하고 이건 자전거다.

"…사람들이 속다?"

"달릴 때는 속아. 인식 장애술도 걸어뒀고. 그보다 대체 무슨 일이지?"

"납치당했어."

"납치당했다는 건 죽이진 않았다는 뜻이지? 뱀파이어 놈들이 뭔 생각이지?"

서현은 세건이 건네주는 휴대폰에서 재생되는 CCTV 영상을 보고 혀를 찼다. 현재 강의찬은 앙리 유이 파벌에서 보면 배신자다. 세간에 알려진 앙리 유이의 성격을 볼 때 그는 강의찬 정도는 파리 목숨으로 여길 것이다. 아예 관심이 없다. 그러나 윈슬렛이라는 앙리 유이의 추종자인 유령 여자나… 다른 이들, 그리고 강의찬 스스로 말해준 그의 부모가 가지는 앙리 유이에 대한 충성심은 매우 강하다.

거의 교주에게 바치는 광신도들의 사랑 수준이라고 해도 과언이 아니다. 당연히 강의찬이 습격당할 가능성이 높아지지만… 죽이지 않고 납치한 것은 왜일까?

"설마 우리를 끌어내려는 건 아니겠지."

한세건이 반신반의했다. 아니, 상식적으로 사람을 납치했으면 정보를 얻기 위해, 혹은 배신자의 본보기를 보여주기 위해 고문하거나 그게 아니면 인질로 써먹기 위함이겠지. 그렇지만 인질 쪽으로는 도저히 생각할 수가 없다.

"하, 설마. 난 인질극 따위에 농락당한 적 없어. 나야 자타 공인 전범에 인간쓰레기니까."

한세건은 늘 서현을 전범이라든가 쓰레기라고 불렀지만 본인이 이렇게 자인할 줄은 몰랐다. 어이없는 마음에 한세건이 중얼거렸다.

"여기서 왠지 내가 더 쓰레기 폭탄 테러범이라고 주장하고 싶은 마음과, 그런 짓을 했다간 사이좋게 병신 인증을 할 뿐이라는 마음이 상충되고 있는데……."

어찌 되었거나 인질로 쓰기 위해 잡아간 거겠지? 하지만 서현과 세건, 둘 다 인질극에 놀아난 적이 없다. 게다가 잡혀 있는 인질이라는 게 앙리 유이의 손이 닿아 있는 이상한 의사라면 뭐 말할 것도 없지. 아무 죄 없는, 순진무구하고 사랑스러운 절세 미녀가 잡혀가도 인질극에 응할까 말까 하는데 정신 상태가 약간 이상한 앙리 유이 추종자 세력 출신의 의사 양반을 구하려 하는 건… 너무하다.

마치 아무짝에도 쓸모없는 경품을 준다는 행사에 낚이는 기분이다. 저런 거에 낚이면 자신이 무가치해지는 기분이 든다.

"애매한데."

"애매해."

서현과 세건 모두 이 상황의 찝찝함에 공감하고 있었다.

"우선 이 녀석을 혼 좀 내줘야겠군."

서현은 자신이 하달한 임무를 제대로 완수하지 못한 빼또쥬를 혼내주기 위해 그를 찾아갔다.

5

강의찬을 간단히 납치하는 것으로 첫 단추를 잘 꿰긴 했지만 배니싱 블러드의 상태는 심각했다.

자인과 그 휘하 뱀파이어들의 씀씀이는 일본의 버블 경제 시절에 부풀 대로 부풀어 오른 상태 그대로였다. 버블 붕괴 후 헤이세이 불황, 20년 넘게 제로 금리 시대를 유지해야 할 정도로 불황이 계속되었지만 그럼에도 불구하고 배니싱 블러드의 뱀파이어들은 테트라 아낙스가 내주는 정보로 얼마든지 그 씀씀이를 충당할 수 있었다.

내일의 주가, 외환환율, 오일 시세 동향, 곡물 시세 동향, 부동산 시가 추세 등을 미리 알 수 있으니 돈에 대한 감각이 없어질 수밖에 없었다. 그러나 테트라 아낙스의 정보가 끊겨 버린 지금은 도저히 적응할 수 없었다.

게다가 지금에 와서는 폭력 조직이라는 게 유행이 좀 지난 느낌이다. 과거 버블 경제 시절에 일본 야쿠자는 한국 쪽에서 전주(錢主) 대접 받으면서 승승장구했다. 유명한 한국 폭력 조직들이 야쿠자들의 돈이면 꼬리를 살랑살랑 흔들며 어떻게든 관계를 맺으려 했었다.

그러나 그것도 엄청난 옛날이야기고 지금에 와서는 조직폭력배라는 것 자체가 사양 산업이었다. 애초에 클 놈들은 다 커서 대기업화되어 버렸고 작은 조직들은 도태된다. 과거 한국에서 그들과 잔을 나누고 갔던 폭력 조직은 이제 작은 심부름센터로 변해 있었고 일본에서 스스로를 야쿠자라고 소개한 배니싱 블러드가 정보를 요구하자 난색을 표했다.

"…저기 이분들 혹시 오래 수감되었다 오셨나? 생긴 걸로 보면 그리 오래되지 않았는데."

심부름센터 직원이 난처해할 정도로 배니싱 블러드의 감각은 낡아 있었다. 당황한 남자가 물어보았다.

"그럼 저기 거처라도 어디… 사람을 좀 감금해야 할 것 같은데 그걸 좀 제공해 줄 수 있소?"

그러자 심부름센터 직원들의 표정이 사색이 되었다.

"어휴, 요즘 세상이 어떤 세상인데 납치를 해요. 저희는 연관 안 될랍니다."

"경찰에 신고하지 않는 것만으로도 의리를 지킨 줄 아쇼."

심부름센터 직원들은 배니싱 블러드의 흡혈귀들을 문전박대했다. 쫓겨나는 흡혈귀들 뒤에서 직원들의 투덜거리는 소리가 들려왔다.

"아오, 장 사장님. 옛날 사장님이 야쿠자랑 잔을 나눴어요? 촌스럽게?"

"씨발, 그때는 그게 유행이었어. 뭔가 국제적으로 커넥션이 되면 돈 될 줄 알았지. 근데 쟤들은 뭐냐. 진짜 어디 한 20년 푹 살다 나온 애들인가. 세상 물정을 왜 저렇게 몰라?"

"어린애들도 있어 보이던데 신기한데요. 외국인도 있고."

듣고 있던 뱀파이어들은 허탈해져서 웃을 수밖에 없었다.

"저 자식들이!"

"참아, 츠구미. 괜히 건드려서 소란 피울 필요 없잖아."

"우린 어차피 소란 피우러 왔잖아? 왜 설설 기어야 하는 거야, 에두아르도? 테트라 아낙스 놈이 뒷수습을 할 테니까 이참에 여기서 시작하자고!"

츠구미라는 이름의 소녀 뱀파이어는 그렇게 주장했지만 에두아르도라 불린 남자 뱀파이어의 표정은 달랐다.

"폭약을 다 소진했어. 가지고 있는 장비래 봐야 토카레프가 전부다. 부산에서 올라올 조장님을 기다리는 게 나을 거야. 새로 무기와 전투원, 차량을 조달해 온다고 하셨거든."

"아! 그 다른 아웃로 뱀파이어들 말이지? 천박하고 한심한?"

물론 지금에 와서는 그들 역시 아웃로가 되었지만 테트라 아낙스에게 버림받은 지 얼마 되지 않은 배니싱 블러드의 뱀파이어들은 여전히 자신이 다른 아웃로 뱀파이어보다는 정통한 존재라고 믿고 있었다.

"진짜 짜증 나! 이게 다 테트라 아낙스가 우릴 배신해서 그래! 혼자 잘 먹고 잘살겠다는 거야, 뭐야? 이제 와서 평상시엔 거들떠도 안 보던 농민들이랑 같이 놀아야 하다니… 테트라 아낙스가 우릴 버린 이후 난 호스트바도 못 갔다고!"

아니, 어쩌라고… 호스트바 못 간 걸 왜 남자에게 징징대는데? 아니, 보통 여자들도 호스트바는 잘 안 갈 텐데? 에두아르도는 그리 생각했지만 참았다. 겉보기는 여자애라도 이미 100살 넘은 할망구라서 머리가 굵을 대로 굵어져 있다.

그때 그들의 차 트렁크에서 부드러운 노크 소리가 들렸다. 안에 갇혀 있음에도 불구하고 살고 싶어서 몸부림치는 게 아니라 매우 침착한 노크다. 그들이 차량의 뒤쪽에 다가가 문을 열자 손발이 묶여 있는 강의찬이 침착한 표정으로 자신의 입에 물려 있는 테이프를 가리켰다.

“뭐지?”

에두아르도가 테이프를 떼어주자 강의찬이 숨을 내뉘었다.

“헉… 헉……. 죽겠네. 대량 출혈 했던 사람을 묶어두다니 죽일 셈이냐? 의식을 잃지 않기 위해서 스스로 라마즈 분만법을 시행해야 했잖아.”

대량의 피를 흘린 사람을 묶어두면 묶인 것만으로 죽을 수 있다. 실제로 지금 강의찬의 손발은 백지장처럼 하얗게 변해 있었다.

“…츠구미, 적당히 먹지 그랬어.”

에두아르도는 그렇게 힐난하고 강의찬을 바라보았다.

“느슨히 풀어는 주지. 하지만 도망칠 생각은…….”

하지만 그때 인질로 잡혀 있던 의사가 말했다.

“너희 지금 아지트 못 찾고 있지?”

“…음. 어?”

인질에게 지적당한 에두아르도는 당황했다. 그러자 의사는 태연히 말했다.

“내 그럴 줄 알았다.”

평범하지만 그들의 무능을 비웃는 것 같은, 그야말로 살을 에는 말이다. 츠구미가 격분했지만 에두아르도는 그런 그녀를 말렸다.

"그래서?"

"내 주머니 뒤에 내 아파트 열쇠가 있으니까 그걸 써. 나는 독신이고… 내 집은 크고 넓으니까."

"……."

"뭐지? 스톡홀름 증후군인가? 아니면 함정?"

츠구미가 당혹스러워했다. 흡혈귀에게 인질로 잡힌 자가 왜 은신처를 제공한단 말인가?

"아니. 너희가 어설픈 짓을 해서 내가 말려들어 죽을까 봐 그래. 그런 건 절대 사양이거든. 어설픈 놈들의 실수로 죽는 건 정말 기분 나쁜 일이야."

"우리가 미쳤다고 네 집에 갈 것 같으냐? 뭐가 있을지 알고?"

"커다란 TV, 개인용 월풀, 뭐 그런 게 있지. 천천히 생각해 보든가. 별로 선택지도 없을 것 같은데."

강의찬은 하든가 말든가 맘대로 하라는 식으로 다시 트렁크에 드러누웠다. 에두아르도가 발목을 묶고 있던 끈을 풀러주어서 훨씬 혈행이 좋아졌다.

"기왕이면 차도 좀 큰 걸 쓰지, 트렁크가 너무 좁잖아. 뱀파이어에 야쿠자면서 사람 납치 처음 해보냐?"

납치당한 주제에 이건 아주 숫제 상전이다.

"……."

에두아르도와 츠구미는 서로를 바라보았다. 이럴 때는 대체 어떻게 해야 하지?

"어째서 우리가… 굉장히 불쌍한 바보처럼 느껴지는 거지?"

'너희 불쌍한 바보 맞아.'

강의찬은 그렇게 생각했지만 거기까지 말하진 않기로 했다. 멍청이들이지만 이 녀석들은 맹수다. 자극하지 않는 게 좋겠지.

6

빼또쥬는 서현의 사업에 아무런 도움이 되지 않았다.

루스킨이 놀라운 친화력을 이용해 여기저기 사람들과 안면을 트고, 법적으로도 성인, 대학 문턱이나마 밟아본 학력으로 이래저래 도움이 되었지만 빼또쥬는 학교도 제대로 간 적이 없었다.

그래서 서현은 빼또쥬를 한국에 불러들였을 때 넌지시 물어보았다.

'학교에 가고 싶지 않니?'

하지만 빼또쥬는 고개를 좌우로 격렬하게 저었다.

'먹고살기 위한 기술이나 학력을 얻기 위해서 학교 가는 건 싫어.'

빼또쥬는 분명히 대답했다. 그는 이미 보아왔다. 학교의 교사, 대학의 교수, 그보다 더한 학식을 가진 위대한 자들도 포격 한 방에 산화되어 사라지는 것을…….

전쟁의 포화 밑에서 자라난 아이는 그래서 좀 더 염세적이고 즉발적인 쾌락주의자가 될 수밖에 없었다.

'사람을 사귀는 건?'

'내가 사람들을 사귀어서 뭐 해?'

'아니, 그럼 뭐가 하고 싶은데?'

서현이 그렇게 물어보자 빼또쥬는 자신의 손에 들려 있던 휴대용 게임기를 들어 보였다.

'게임 제작자?'

역시… 예전부터 그는 성실했다. 동생에게 인간의 삶을 빼앗기고 테트라 아낙스에 대항하는 야수로 자라났다는 것에 강박관념을 가지고 있는지, 일반적인 인간의 삶을 살려고 한다. 인간의 머리를 쥐어뜯는 괴물이, 철창 너머 동물원에 박제되어 있는 게 아니라 적극적으로 인간들 사이에서 살고 싶어 한다.

그러니 이런 상식적인 반응이 나오지.

'난 그냥 게임하고 애니메이션 보고 만화 보면서 삶을 맘껏 즐기고 싶어. 백수로 살면 안 될까?'

'……'

서현의 표정이 구겨졌다. 루스킨도 게임을 열심히 하지만 루스킨은 어쨌거나 자기 일은 충실히 한다. 그만큼의 실력이 있고 개념도 있다. 하지만 빼또쥬는 다르다.

그에겐 개념이 없었다. 그것도 심각하게.

아니 뭐, 이건 어찌 보면 어부의 우화의 빼또쥬 버전이라고 할 수도 있었다.

'공부를 하고, 좋은 대학을 가고, 생업을 찾아서 돈을 벌어야 합니다. 그래야 행복한 삶을 살 수 있거든요'.

'난 이미 행복합니다. 백수로 살아도 참 행복해요.'

슬프게도 이건 아무리 뛰어난 현자, 현인이라 해도 어떻게 설득할 도리가 없었다. 말문이 막힌 서현은 빼또쥬를 철저하게 부려먹었다. 강의찬을 경호하라는 것도 그래서 내려진 임무였다.

문제는 빼또쥬가 보기엔 막상 아무 일도 없었다는 게 문제다. 첫날이야 조심스럽게 원거리에서 경호를 했지만 하루가 지나자 감시를 하면서 은근슬쩍 게임을 하기 시작했고 이제는 그냥 근처에서 게임 삼매경이었다.

그러다 마침… 교복 입은 학생 몇이 다른 학생들을 협박해 돈을 뜯어내는 장면을 보았을 때, 빼또쥬는 나는 듯이 그들에게 달려가 협박당하는 학생들을 도와주고 오히려 그들을 협박해 돈을 뜯었다.

푼돈이지만 용돈 제약이 걸려 있는 빼또쥬에게는 매우 소중한 금액이었다. 김성희가 서현에게 금전 제약을 걸어 생활 감각을 되살려 주었듯 서현도 빼또쥬에게 용돈 제약을 걸었지만 같은 방식의 교육법이 모두에게 통하는 것은 아니다.

빼또쥬는 그렇게 푼돈을 벌고 신나서 돌아왔다. 그런데 그 잠깐 사이, 잠깐 눈을 뗀 사이 강의찬은 납치당했다.

"너 이제 학교 다녀. 중학교부터 차근차근 다녀서 명문대에 들어갈 때까지!"

백수이고 싶은 아이에게 그것은 가장 큰 처벌이었다. 무엇보다 빼또쥬 머리로 명문대에 들어가라는 건 계란으로 바위를 깨라는 거나 다름없었다.

"차라리 내버리지그래."

한세건은 그렇게 말했다. 보아하니 빼또쥬는 서현이나 루스킨이 벌어다 주는 돈으로 먹으면서 노는 게 인이 박인 것 같은데 부양해 주면서 공부시켜 봐야 하는 시늉만 하지, 본인이 하고 싶은 게 없는데 잘도 그러겠다 싶다.

그러나 서현은 정색했다.

"와. 뱀파이어가 아니라 라이칸스로프라고 아무 신경도 안 쓰는 것 봐라. 나도 심하지만 넌 진짜 인간이 황폐하구나. 애가 힘은 세고 일하기 싫어하고 재주도 예쁘장하게 생긴 거 외엔 없는데 그냥 풀어두면 강도가 되거나 폭력배가 되거나 바텀 알바나 할 건데 그걸 그냥 방치하라고?"

"바텀 알바?"

한세건은 눈살을 찌푸렸다. 확실히 빼또쥬는 어린 시절에 좀 많이 굶어서 그런지 나이에 비해 어려 보이고 생각은 나이보다 더 어리다. 이런 녀석이 라이칸스로프의 힘을 가지고 고삐 풀린 채 돌아다닌다면 사람들에게 피해를 주겠지.

"확실히 주위에 피해를 주긴 주겠군."

한세건은 자신의 생각이 짧았음을 인정해야 했다. 그런데 그때, 세건의 휴대폰에 연락이 들어왔다. 번호를 보니 케네스 양이었다.

"바빠. 쓸데없는 용건이면……."

—너희 혹시 일본 야쿠자 쪽 뱀파이어랑 싸우고 있냐?

케네스 양이 대뜸 몸 쪽 꽉 찬 돌직구를 던져왔다.

“아직은 아니지만 네가 말하는 게 배니싱 블러드라면 관심이 가는데. 왜?”

세건은 표정 관리를 했다. 괜히 솔깃하는 티 내면 물고 뜯는 게 뒷골목 상인들의 행태다. 아니, 앞 골목 상인들 역시 그렇지 뭐.

—아, 글쎄 이것들이… 내 아는 흥신소에 연락해 왔대. 그 선대가 자기네랑 잔을 나눴다고 자기네를 도와달라면서 사람을 납치했다 하는데.

“그쪽에서 뱀파이어래?”

—아니, 관서 야마시로계 카나가와 구미면 배니싱 블러드 일족이잖아.

보아하니 케네스 양은 배니싱 블러드가 야쿠자 조직 계보상 어떤 위치에 있는지까지 꿰고 있는 모양이다. 과연 뒷세계의 만물상답다.

“그 흥신소가 야쿠자랑 잔을 나눴다면 의형제라는 건데 왜 연락했어?”

—버블 경제 때나 야쿠자랑 의형제 맺고 뭐 얻어먹을 거 없나 기웃거렸지, 이제 와서 뭘.

요컨대 옛날에는 그 흥신소가 폭력 조직이었고 야쿠자는 아무래도 버블 경제 시절 씀씀이가 좋았으니까 의형제를 맺었다가 이제 몰락한 배니싱 블러드가 도와달라고 하니 외려 그 정보를 케네스 양에게 넘긴 것 같다.

적이지만 왠지 불쌍하다는 생각이 들었다. 뭐 이렇게 어설픈 놈들이 다 있담? 하지만 세건은 생각을 고쳐먹었다. 만약 세건이 초짜 뱀파이어 헌터였던 시절 파이프 폭탄을 텔레포트시키는 공격을 감행해 왔다면 살아남지 못했을 것이다. 세건이나 서현의 능력이 올라가서 감당한 것이지, 아니었다면 당해낼 수 없었을 것이다.

"괜찮은 정보로군. 좋아, 놈들은?"

—그게 말이지…….

7

카나가와 교지는 그간 자신과 관련된 부산에 있는 여러 폭력 조직을 찾아다니며 협력을 요청했으나 모조리 거절당했다. 대한민국은 이미 전국구 폭력배들이 활개를 치던 시절이 끝나가고 있었다. 폭력을 동원해 전국적으로 항쟁을 벌이고 지역구를 얻기 위해 싸우던 시절은 이제 호랑이 담배 피우던 시절의 무용담이 되었다. 폭력 조직의 세계, 범죄자의 세계도 레드오션이 되어 들끓고 있다 보니 야마시로계 야쿠자 고위 간부의 명함도 배지도 무색하기만 하다.

"여름 신록 무성하더니 뒹구는 낙엽. 허 참, 무상하구나."

카나가와 교지는 자신의 처지가 기구해서 쓴웃음을 지었다. 테트라 아낙스 밑에서 승승장구하며 살던 시절, 버블 경제가 하늘을 찌르던 시절에는 알아서 설설 기던 놈들이 이렇게 손바닥을 뒤집다니. 자신들이 그동안 테트라 아낙스에게 해주는 거 없이 받아먹기만 했다지만 그래도 서럽다. 부하들이나 앙리 유이에게도 호언장담해 놨는데 무기를 얻지 못하면…….

역시 텔레포트의 힘을 빌려서 경찰서 무기고나 군부대 무기고 같은 걸 털어야 하나? 하지만 거리가 그리 길지 않은 텔레포트로 무기고를 털 수 있으려면 무기가 어디 보관되고 있는지 정도는 알려줄 가이드가 있어야 하는데 그게 문제다. 그런 가이드조차 맡길 수 있는 놈이 없다.

"어쩔 수 없군. 앙리 유이의 추종자라는 것들을 만나보자."

카나가와 교지는 그리 말하고 어쩔 수 없이 연락처를 향해 가봤다.

선박의 부품, 엔진과 샤프트 등을 고치는 커다란 공장 안에 작업복 차림의 백발 남자가 있었다. 그는 카나가와 교지와 그 부하들이 찾아오자 입에 물고 있던 담배를 손바닥에 비벼 끄고 투덜거렸다.

"많이 늦었소. 젠장. 엉덩이에 금 박았나. 무거운 엉덩이 끌고 예까지 오느라 고생 많았수."

욕인지 반가워하는 것인지 모르겠다. 카나가와 교지는 그를 보고 물어보았다.

"우릴 아시오?"

"뱀파이어 냄새가 풀풀 나는구만 뭘 이제 와서……. 그렇잖아도 올 때가 되었는데 왜 늦고 있나 하고 걱정했지.”

“…….”

그다음부터는 일사천리였다. 남자는 창고 한편에 차양으로 가려져 있는 차량을 보여주었다.

평범한 사륜구동차인데 안쪽에 철판이 덧대어져 있고 지붕에 마운트가 붙어 있다.

게다가 그 마운트 옆에는 브라우닝 머신 건이 세워져 있다.

“머신 건과 그걸 달 수 있는 장갑차량이지. 한국에 가장 많은 사륜구동차인 쌍용 코란도를 개조해서 만들었소. 머신 건은 내가 한국전쟁 때 물건을 짱박아둔 거긴 한데… 기름칠하고 손 좀 보니까 잘 돌아가더군. 근데 인식 장애 처리 같은 거 없소. 쏘면 아주 도심 한복판에 짭새가 일제히 날아오를 테니까 각오하쇼. 아, 애초에 그 짓 하러 온 거였던가?”

노인은 그리 말하고 자신을 정 노인이라고 소개했다.

그는 한국전쟁 때 학도병으로 끌려가 군 병원에서 부상을 입고 난 뒤, 병을 달고 시름시름 앓다가 나이 마흔이 다 되어서 자연스럽게 뱀파이어가 되었다고 했다. 마흔 살에 뱀파이어가 된 거면 그리 나이가 많아 보이지 않아야 하는데 얼마나 병마에 시달렸는지 겉으로는 60대쯤으로 보여서 정 노인이라는 별명도 어울린다.

“테트라 아낙스 측에서도 존재를 인지하고 한번 확인하긴 했지만 별 흥미가 없는 혈통이라 아웃로로 규정하고 내버려 뒀었지. 헌터들에게 죽으라고 날 방치한 거야. 하지만 당시 선교사로 와 있던 앙리 유이 님은 나를 거둬주셨으니 이때 은혜를 안 갚으면 어떻게 하겠나?"

"앙리 유이가 당신을 거둬?"

"아, 정확히는 그분이 선택한 아이들의 사업체를 전전하며 살았지. 난 당신들처럼 테트라 아낙스의 똥구녕을 빨며 다니진 않아서 그분들이 없었으면 여태 살아 있지도 못했을 거야."

카나가와 교지의 눈썹이 파르르 떨렸다. 야쿠자이자 뱀파이어, 그것도 진마급의 뱀파이어인 그에게 이렇게 직접적으로 모욕을 가한 이는 없었다. 모욕당하는 것에 익숙하지 않은 그로서는 참으로 난감하다. 그러나 사제 장갑차를 내주는 데야…….

"그 외에도 좀 된 거지만 총은 많이 있소. 뱀파이어 헌터 애들이 가지고 다니는 것처럼 삐까번쩍한 거는 아니고 낡은 '구리스건' 하고 칼빈 소총이지만 뭐, 맞으면 사람이 죽는 건 마찬가지니까."

그때 갑자기 카나가와 교지는 뒤의 인기척을 느꼈다. 누군가가 공장으로 들어온 것이다. 총화기가 쌓여 있는데 사람이 들어와? 깜짝 놀란 교지가 몸을 돌렸지만 정 노인이 말렸다.

"놀라지 마쇼. 우리 사람이니까."

하지만 놀랄 수밖에 없었다.

말레이시아인, 베트남인, 각국의 사람들, 아니, 뱀파이어들이 몰려와 있었다.

"거 부산의 조직폭력배들 훑고 다녔다면서. 쯧쯧. 돈의 노예인 놈들 쫓아가 봐야 일이 안 되지. 하지만 안심하쇼. 우리 아웃로 뱀파이어는 테트라 아낙스 똥꾸녕을 쑤시는 일이라면 얼마든지 환영이니까. 최근 콧대가 높아진 한세건이란 뱀파이어 헌터 놈에게 많이 죽기도 했고."

정 노인은 그리 말하며 새 담배를 꺼내 입에 물고 씨익 웃었다.

"그럼 전쟁을 시작해 볼까?"

테트라 아낙스의 딜레마는 테트라 아낙스에게 저항하는 뱀파이어들이 저지른 일조차 그가 수습해야 한다는 점이다. 즉, 이론상으로는 아웃로 뱀파이어들이 자신의 정체를 드러내고 도심 한복판에서 사람들을 마구 죽이며 사고를 칠 경우 테트라 아낙스의 부담을 늘릴 수 있다.

그런 짓을 아무도 하지 않는 것은, 그런 짓을 하면 테트라 아낙스의 자객이나 처형 부대가 찾아오거니와, 대부분의 아웃로가 근근이 먹고 사는 데만도 힘에 부치기 때문이다.

테트라 아낙스를 미워하긴 하지만 그건 어디까지나 민초들이 나라님 욕하는 거나 별반 다를 바 없다. 자신의 목숨을 내놓으면서까지 테트라 아낙스에게 저항하려고 하는 이들은 없었다.

테트라 아낙스에게 버림받은 배니싱 블러드조차 앙리 유이가 접근하기 전까지는 언감생심 저항하려는 꿈도 꾸지 못하고 있었다. 원한은 품고 있지만 그 원한을 실제로 풀어내기 위해서는 막대한 희생을 감수해야 한다.

그러나 이 정 노인이라는 자와 아웃로들은 달랐다. 선원들이

나 불법 입국자로 보이는 이들은 더 이상 몰릴 데가 없을 만큼 몰려 있었고 정 노인은 앙리 유이에 대한 충성심으로 불타고 있었다.

"그래서 우린 어디로 찾아가면 되는가?"

정 노인은 차량들을 준비하고 그렇게 물어보았다. 카나가와 교지는 전화를 걸어서 자신의 부하인 에두아르도에게 물어보곤 고개를 설레설레 저었다.

"일단 서울로, 자세한 주소는 내가 알려주도록 하겠네."

8

배니싱 블러드의 츠구미와 에두아르도는 결국 뾰족한 수를 내지 못하고 강의찬의 집에 도착했다. 인질의 집에 인질을 잡아 둔다니 이게 무슨 짓인가 싶지만 강의찬은 태연했다.

"혹시 한세건이나 서현이 무서워서 그러는 거라면 안심해. 그 놈들은 내 집 몰라."

"…뭐? 지금 도발하는 거야?"

츠구미가 발끈했다. 자존심 높은 클랜 멤버인 그들이 뱀파이어 헌터 따위를 무서워할 리가… 그러나 에두아르도는 고개를 절레절레 저었다.

"너 만약 2초로 신관 장입한 폭탄이 눈앞에 텔레포트했을 때 그걸 전부 해제할 수 있겠냐?"

"…그런 미친 짓을 어떻게 해?"

"하더라고."

"……."

그들은 아파트 주차장에서 엘리베이터로 올라와 강의찬의 집 문을 열었다. 안은 혼자 사는 독신남의 집이라고 믿어지지 않을 정도로 깔끔하게 정리되어 있었다. 거실 바닥은 대리석재, 거실엔 프로젝터와 대형 TV가 있고 드레스 룸에는 명품 양복들과 시계 장식장, 그리고 자동차 키홀더가 걸려 있었다. 재력과 수집욕을 한껏 자랑하는 한편, 사용감이 없었다.

"어허……."

에두아르도는 상상 이상으로 좋은 집에 혀를 찼다.

"아파트라고 해서 뭔 의사가 그런 공동주택에 사나 했는데 맨션이네."

"아… 일본은 아파트가 좀 저렴한 공동주택이고 맨션이 고급주택이지."

강의찬은 인질 주제에 굉장히 여유로운 태도를 보이고 있었다.

"게다가 상당히 깨끗하게 사는군. 독신남 주제에. 뭐 결벽증이라도 있나?"

"그렇다기보다는… 최근에는 돈을 내면 깔끔하게 청소해 주는 서비스가 있어서 말이지. 막연히 지저분하게 살면 여자들에게 인기가 없으니까 여자들에게 인기 좀 얻자고 이사도 했고 집에 돈도 좀 발랐는데, 그렇게 깔끔해 보이나?"

"너무 깔끔해서 사이코패스 살인마 같아 보인다."

"사용감이 별로 없으니까 더욱 그래. 남의 시선을 굉장히 신경 쓴 디스플레이네. 여자에게 돈 많다고 자랑하고 싶었나 봐?"

모두들 한 마디씩 했다.

"다들 너무하는군. 기껏 비싼 돈 들여서 살림을 장만했더니만 이런 악평이라니 마음이 아픈걸? 거기에 잘… 난 저 이상한 여자에게 물려서 죽기 직전까지 피가 빨렸다고. 그러니까 좀 더 섬세하게 다뤄줘. 죽일 생각이 아니라면. 아이고, 나 죽네."

강의찬을 소파에 놓아두자 살살 잔소리를 해대는데 아주 시어머니가 따로 없다.

"……."

에두아르도는 그런 강의찬을 보고 실소를 흘렸다. 마침 카나가와 교지에게 전화가 와서 에두아르도는 통화를 하다가 휴대폰을 강의찬에게 넘겼다.

"여기… 오는 길 좀 안내 좀 해드려."

"허 참, 띨띨한 인질범들 다 보겠네."

"뭐, 인마?"

츠구미가 샤워실을 보다 화를 냈다.

"너희 띨띨한 거야 지금 이 행동만으로 충분히 증명되었고… 뭐, 어쩔 수 없지. 주소 부를 테니까 내비게이션 찍고 오라고 해."

"하, 순순하게 따르는군. 겁먹었나?"

츠구미는 왠지 강의찬이 얄미워서 도발했다. 남자라면 겁을 먹었냐는 말에 순순히 시인하기가 쉽지 않을 테지만 강의찬은 무표정하게 고개를 끄덕였다.

"사람 잡아먹는 흡혈귀들에게 인질로 잡혔는데 겁을 안 집어먹으면 그것도 이상하지. 난 이 세상에 빛이요, 소금 같은 존재인 의사라 이런 데서 죽으면 안 돼."

"겁을 먹었다고 말하는데도 너 진짜 짜증 난다."

"다들 나에게 짜증을 내더라고? 왜들 그러지? 나 정도면 잘생겼고 능력도 좋고 부유하고 학식도 풍부한데."

"에, 에두아르도. 나 지금 저 녀석 죽여도 돼?"

"허락해 주고 싶은 심정은 굴뚝같다만… 참자. 조장님 올 때까지 버텨."

"음……."

"허……."

서현과 한세건은 강의찬의 아파트를 보고 혀를 내둘렀다. 첫째로는 값비싼 도심의 주상복합 아파트라 놀랐고 둘째로는 뱀파이어에게 납치당한 이가 여기로 왔다는 것에 놀랐다.

"자기 집으로 납치당하는 놈은 또 처음 보네."

서현은 순수하게 감상을 말하면서 주위를 둘러보았다. 경비실에 경비도 많고 노인도 아니다.

"의사가 돈을 잘 번다 들었지만 원래 이렇게 잘 버나?"

"원래는 아니지. 의사들 중에도 일만 죽어라 하고 돈은 잘 안 벌리는 사람이 수두룩해. 그 의사 같은 경운 자기 병원도 있고 아버지가 제약 회사 사장이고 그렇잖아.”

한세건은 그리 말하면서 권총의 위치를 확인했다. 사람들 사는 주거 공간이니 아무리 그래도 중화기를 가지고 올 수는 없다. 아파트 CCTV에도 고스란히 찍힐 테고…….

반면 서현이 준비한 무기는…….

손톱깎이였다.

“야…….”

“왜. 여기 칼도 달려 있다?”

“…….”

손톱깎이에 달려 있는 칼, 무뎌서 버터 하나 자르기 힘든 그 칼 말이지? 그걸로 뱀파이어를 상대하겠다니 오만방자하다. 물론 서현은 오만할 권리가 있는 놈이긴 하다.

한세건과 서현은 엘리베이터를 올라가 거의 최상층에 가까운 강의찬의 집 앞에 섰다. 한 플로어에 현관문이 네 개가 있는데 엘리베이터가 네 개씩 설치된 해괴한 건물이다. 고층 건물이긴 하지만 이렇게 엘리베이터가 많을 필요가 있나.

“…안에 있군.”

서현은 문을 넘어 느껴지는 뱀파이어의 냄새를 맡고 세건에게 수신호를 보냈다. 뱀파이어의 위치, 그리고 인질의 위치와 수를 알려준 것이다. 그러자 세건은 수제작한 섬광수류탄을 꺼내 보였다.

“…….”

서현이 고개를 돌리는 사이 세건은 현관문을 침착하게 이전에 강의찬에게 받아둔 전자키로 열었다. 전자 도어록이 특유의 맥 빠지는 소리를 내자 안에 있던 남자 뱀파이어, 에두아르도가 깜짝 놀랐다.

그들의 앞으로 섬광수류탄이 날아와 폭발했다.

"큭!"

"제길!"

에두아르도와 츠구미는 갑작스레 폭발한 섬광에 시력을 잃어버리고 허우적거렸다. 그때 에두아르도의 앞으로 서현이 뛰어들어 정말 손톱깎이를 손에 쥐더니 에두아르도의 어깨에 주먹을 꽂아 넣었다.

우득!

단 일격에 에두아르도의 어깨가 탈구되고 상완골이 부러지면서 튕겨 나간다. 아니, 그 정도가 아니라 늑골도 부러지고 척추도 옆으로 꺾였다. 벽에다 세워두고 차로 받으면 저렇게 될까? 저렇게 할 거면 손톱깎이고 뭐고 필요 없는 거 아닌가 싶었지만 세건은 그것을 묻기보다 다른 뱀파이어에게 뛰어들었다.

여자 뱀파이어가 샤워 중이었는지 알몸인 채로 눈을 가리고 허우적거리고 있었다. 텔레포트는 섬광수류탄으로 감각을 잃어버린 상태에서 쓰기 힘드니 닥치는 대로 손을 휘둘러 대고 있었다.

'알몸의 여자를 때려야 하나?'

그런 생각이 세건의 머리를 스치고 지나갔지만 상대는 뱀파이어다. 알몸의 여자라고 인식한 순간 이미 세건의 하이킥이 여자 뱀파이어의 겨드랑이를 찍고 팔을 타넘으며 머리를 채찍처럼 후려갈겼다. 견갑골이 부러지고 여자 뱀파이어의 몸이 모로 쓰러지면서 벽걸이 TV에 충돌했다. 뱀파이어를 죽이는 게 버릇이 들어버린 세건이라 여자고 뭐고 없다.

그래도 알몸의 여자가 과도한 폭력에 휩쓸리는 모습은 정말 보기 역겨웠다. 문제는 이 보기 역겨운 장면을 연출하고 있는 게 한세건 자신이라는 게 문제다.

'뭐 새삼스럽게 이제 와서.'

한세건의 정신은 그가 벌이고 있는 폭력을 역겨워했지만 몸은 이미 익숙해진 대로 다음 동작에 들어가 있었다.

퍽!

벽에 몰린 여성 뱀파이어에게 한세건의 앞차기가 꽂혔다. 마치 핀으로 박아 고정시킨 곤충 표본처럼 세건의 발차기를 맞고 벽에 고정된 여자 뱀파이어의 머리에 반사적으로 세건의 글록—18이 겨누어졌다. 그리고 깔끔한 3점사… 세건 자신도 앗 하는 순간 벌어진 일이었다.

상대가 뱀파이어니 망정이지, 겉모습만 보면 이건 살인이 버릇 든 살인광 같다. 서현이 그 모습을 보고 이죽거렸다.

"남녀평등이네. 그런데 나도 재생 능력자를 많이 상대해서 과잉 폭력을 가하는 버릇이 들었는데 넌 너무하는 거 아냐? 심문도 해야 하는데."

"이 녀석들은 텔레포트를 한다. 심문은 포기하지. 지금 죽여야 해."

세건이 냉정하게 말하자 서현이 작은 주사기를 꺼내 보였다.

"다 방법이 있거든."

서현은 그리 말하면서 작은 주사기를 꺼내서 자신의 손등 혈관에 살짝 꽂았다. 피는 거의 한 방울 정도, 그 소량의 혈액을 뽑아서 자신이 쓰러뜨린 남자 뱀파이어와 세건이 쓰러뜨린 여자 뱀파이어에게 반반씩 주사했다. 라이칸스로프의 피가 들어가자 뱀파이어들의 몸이 경련을 일으켰다.

"라이칸스로프와 뱀파이어의 피는 서로 다른 저주 인자로 이뤄져 있지. 뱀파이어의 VT인자를 교란시킬 테니 이걸로 텔레포트는 잠시 힘들 거야. 이때 심문이나 좀 할까?"

"……."

사실 텔레포트하는 녀석들이라 필요하다면 즉사시킬 생각을 하고 있었는데 이런 방법이 있었다니. 세건은 문득 서린을 떠올렸다. 서린 녀석도 라이칸스로프였으니까 이런 거 할 수 있지 않았을까? 형제라지만 쌍둥이이니 같은 연배일 텐데 한 놈은 호구 순둥이고 다른 한 놈은 다재다능이라니… 확실히 릴리쓰가 서현을 편애한 것 같긴 하다.

그 결과가 스스로도 인정하는 인간쓰레기, 전쟁범죄자라는 건 좀 문제가 있겠지. 몬스터 페어런츠인가. 자식에게 애정을 쏟아부어서 이런 괴물을 만들다니.

"그런데 배니싱 블러드라는 애들의 텔레포트 능력은 각성하기 힘든 걸로 알고 있는데 어째서 이놈들이 텔레포트를 해댔지? 대낮에도 멀쩡히 돌아다니고."

세건은 그 점을 지적해 보았다. 그러자 서현은 뱀파이어의 손목에 케이블 타이를 둘러 등 뒤로 구속하면서 말했다.

"앙리 유이의 약이 아닐까?"

"잠깐. 케이블 타이로 뱀파이어가 구속되겠냐?"

"몸부림치면 곧 끊어지긴 하겠지만 몸부림치는 동안 살이 벗겨지고 피가 흐르니까. 피 냄새가 나면 이놈들의 의식이 깨어났다는 뜻으로 봐도 되겠지. 그나저나 얘는 왜 홀딱 벗고 있어? 민망하게."

서현은 그리 말하며 자신의 코를 가리켰다. 확실히 라이칸스로프의 후각을 생각하면 의미가 있다.

"그래. 앙리 유이의 약이 혈인 능력의 각성까지 도왔을 것이다… 그 말이지?"

"그렇지."

"혈인 능력이라는 건 공중제비 같은 걸로 알고 있었는데? 스테로이드나 테스토스테론을 주입해서 근육량과 힘을 늘릴 수는 있어도 공중제비는 일단 부단한 연습과 감각이 필요하지 않나? 그게 보통 어려운 게 아니라서 테트라 아낙스가 배니싱 블러드를 자기 말 잠깐 안 들었다는 이유로 정리 해고 한 거 아니었어?"

세건이 그런 의문을 표하자 서현은 어깨를 으쓱해 보였다.

"내가 만든 약도 아니니까 나에게 묻지 마. 난 그렇지 않겠냐는 거지. 전후좌우 따져보면 그 외에 달리 생각나는 게 있어야지. 얘들이 그렇게 똑똑하고 재능 넘치는 뱀파이어로 보이는 것도 아니고."

서현은 케이블 타이로 뱀파이어를 묶고, 벗고 있는 여자 뱀파이어를 위해 수건을 서너 장 이어서 둘둘 말아놨다. 순간적으로 한세건의 머릿속에 멍석말이… 라는 단어가 떠올랐지만 말하진 않았다.

필요하면 죽여야 하는 뱀파이어다. 가급적 언급하지 않고 의식하지 않는 게 죽일 때 편하다. 세건은 잡념을 쫓아내기 위해 계속 질문을 던졌다.

"그런데 그 윈슬렛이라는 여자는 왜 그 약의 시료인 샘플을 케네스 양에게 건네줬을까?"

"정보 상인에게 피를 건네주는 이유야 뭐… 보상일 수도 있고… 만약 케네스가 아무런 생각 없이 그걸 사이키델릭 문으로 만들었으면 여러 뱀파이어 헌터 망가지지 않았을까?"

"……."

잡념을 쫓기 위해 물어본 건데 상당히 치명적인 이야기가 나온다. 그렇다. 뱀파이어 헌터들은 사이키델릭 문을 쓰고 사이키델릭 문으로 수입을 얻는다. 사이키델릭 문에 만약 독성이 섞이거나 저주가 걸린 게 나돌기 시작한다면? 뱀파이어 헌터들은 가뜩이나 취약한 존재, 바로 와해될 것이다.

테트라 아낙스나 다른 뱀파이어들도 그런 방법으로 뱀파이어 헌터들을, 근절까진 아니더라도 상당히 약화시킬 수 있다는 걸 알고 있었지만 그들은 뱀파이어 헌터를 월야의 주민으로서 방치해 왔었다. 아웃로 뱀파이어들을 정리하는 수단으로서 뱀파이어 헌터는 너무나도 자연스러웠으니까.

사람을 죽이는 건 어느 문화권에서도 받아들여지지 않는 범죄지만 사람을 죽을 상황까지 몰고 가서 스스로 자살하게 하는 것은 외려 자살한 자가 조롱당하는 경우도 있다. 뱀파이어의 수를 줄이고 싶어 하는 테트라 아낙스가 자신의 손으로 뱀파이어들을 죽이기 시작하면 비난의 대상이 되겠지만 뱀파이어 헌터에게 죽는 뱀파이어들은 오히려 다른 뱀파이어들의 조롱거리가 된다.

그러나 아웃로를 지지 기반으로 삼고 있는 앙리 유이는 다르다. 그는 뱀파이어 헌터들을 엿 먹여야 할 의무가 있다.

"그럼 그건… 나에게 경고하라고 일부러 보내준 거로군."

한세건의 존재가 신을 만들려는 앙리 유이의 목표에 필요한 것이라면 한세건이 괜히 저주받은 사이키델릭 문을 써서 오염되는 걸 원하지 않을 것이다. 케네스 양에게 대금도 치르고 뱀파이어 헌터들에게 경고도 한다. 일석이조가 아닌가?

세건은 그 점을 헤아리고 혀를 찼다. 한세건이 뱀파이어 헌터로서 산전수전 다 겪었다는 평을 받고 있지만 그가 뱀파이어 헌터가 된 건 아직 10년도 안 되었다. 반면 앙리 유이의 야심은 못해도 백 년 이상 철저히 준비한 것이다. 그 깊은 심계를 생각하니 소름이 돋는다.

"이제 사이키델릭 문의 신뢰도가 떨어지겠지. 저 저주는 기존의 저주와 비슷하면서도 달라서 저런 게 유통되면 뱀파이어 헌터 사회도 타격을 입을 거야. 위조지폐나 부실채권이 돌아다니는 시장이라고 하면 되겠지?"

서현은 그리 말하고 헤죽헤죽 웃었다.

"전쟁인가. 참 싸울 복 터진 시대에 태어났군, 나는……."

"……."

그때 소파에 묶여 있던 강의찬이 발을 들어 올렸다.

"사이좋게 헛소리하지 말고 나부터 풀어줘."

"…허… 안 죽고 살아 있었네."

"질긴 게 사람 목숨이라더니."

서현과 세건은 강의찬을 그제야 발견했다. 여태 안 죽었냐는 투의 말에 강의찬이 투덜거렸다.

"아무리 나라도 상처받는다?"

"그러시든가."

강의찬은 구속구에 의해 상처 입은 피부를 소독하면서 수혈 팩과 수액을 자신에게 놓았다.

"집 안이 엉망이군. 큰돈 들여서 산 초대형 TV인데 총탄을 쏴댔으니 AS도 못 받고 폐기해야겠군."

강의찬은 그리 말하면서 태블릿 컴퓨터에 펜으로 쓱쓱 적고 있었다. 인질로 잡혀 있으면서 저 뱀파이어들이 서로서로 대화하던 걸 옮겨 적고 있는 것이다.

"살려줬는데 보따리 내놓으라고 하는 건 아니겠지?"

세건은 그리 말하며 강의찬이 적고 있는 걸 보았다. 곧 그의 눈이 휘둥그레졌다.

“이 녀석들이…….”

“뭔데?”

서현이 가서 보니 강의찬이 적어둔 것은 다음과 같았다.

—아르쥬나 공격.

—케네스 양 처단.

—지원 경찰 몰살시킬 것.

—한세건 생포, 죽을 경우는 심장을 의식 처리 해서 보관.

굉장히 과격한 공격 작전이다. 이 정도면 거의 내란에 가깝다. 하지만 따져보면 왜 지금까지 이렇게 하지 않았나 의아할 정도로 당연한 공격 방법이기도 했다.

뱀파이어 헌터들의 기반을 공격한다.

지금까지 뱀파이어들은 테트라 아낙스의 율법을 지키기 위해, 혹은 케네스 양처럼 회색분자는 뱀파이어들에게도 도움이 되는 면이 있었기에 뱀파이어 헌터의 기반을 내버려 두었지만 아웃로로 돌아선 이들은 역시 다르다.

이리되면 일이 굉장히 커질 것이다. 물론 그렇게 일이 커져봐야 수습하는 건 테트라 아낙스가 되겠지. 테트라 아낙스가 늘어난 정보처리에 고심하고 있다는 게 밝혀진 지금이야말로 테트라 아낙스에게 부담을 주어 이 세상을 뒤집을 절호의 찬스이리라.

“그동안은 아웃로들이어도 테트라 아낙스가 언젠가 자신들을 간택해 주리라고 믿고 설설 기었는데 이제 노예가 되길 거부하고 봉기하는 건가. 나름… 칭찬해 줄 면은 있군."

서현은 심드렁하게 말했다.

"칭찬은 무슨, 이건 지존파나 그런 사회 불만형 범죄자랑 똑같아. 무전유죄 유전무죄를 외치던 죄인이지만 그가 피해를 주는 사람은 또 다른 가난한 민중이었지. 재벌이나 고위 관료를 공격하지도 못하면서 자신을 가난하게 만든 세상을 저주한다고 말하는 건 제대로 된 저항이 아니야."

"10년간 저항만 해온 저항의 달인이 하는 말이냐? 뭐, 너라면 그런 말 할 자격 있지. 테트라 아낙스 사옥을 날려 버린 장본인이니."

"10년 안 됐어."

세건은 그리 말하고 쓰러진 뱀파이어들에게 다가갔다. 뱀파이어들은 이미 벌써 의식을 차리고 있었지만 가만히 있었다.

"너희 한국어 할 줄 알지?"

한국과 일본 쪽은 지리상 가깝고 해서 서로의 언어를 배우는 이가 많다. 시간이 썩어 돌게 넘치는 뱀파이어들은 어학 능력이 뛰어난 경우가 많았다. 타국 언어를 배우는 게, 일광하에 마음껏 돌아다니지 못하는 뱀파이어들에게는 놀이거리이자 생계 수단이 되는 경우도 많았으니까.

"…아니면 그냥 일어로 말해도 되고. 일어는 어찌 된 일인지 바보에 공부하기 싫어하는 빼또쥬도 알고 있더라."

서현은 내심 모르는 척했지만 왜 빼또쥬가 일어를 할 수 있게 되었는지 뻔히 알고 있었다. 일본 게임과 애니메이션, 만화 때문이지. 이건 현재 러시아에서도 꽤 인기가 있어서 동인지 보따리 장사가 흥한다고 한다.

"크, 우리가 당했군. 하지만 아무리 고문하든 우리를 통해 알아낼 건 아무것도 없다."

남자 흡혈귀, 에두아르도는 그렇게 말하고 입을 한일자로 굳게 다물었다. 서현이 은근슬쩍 한 수를 던졌다.

"앙리 유이의 약이 끊거나 상태가 안 좋아지면 커럽티드가 된다는 건 알고 먹은 거냐?"

"…해줄 말이 없다."

"흠. 심박수 안 변하고 태연한 걸 보니까 별 걱정 없다는 투인데. 그렇군. 앙리 유이가 너희에게는 일반적인 약과 전혀 다른 약이라고 하고 줬나 보네?"

서현은 에두아르도와 츠구미, 두 뱀파이어의 심박 상태를 조사해 보고 그렇게 결론지었다. 에두아르도는 입을 굳게 다문 채로 있었지만 츠구미라는 여자 뱀파이어는 그대로 걸려들었다.

"뭐? 지금 우리가 속았다고 말하는 거냐? 우린 아웃로 신세라고 해도 다른 뱀파이어랑은 격이 달라, 진짜 귀족 혈통의 정규 클랜이라고!"

"츠구미, 입 다물어. 이 녀석은 마음을 읽는다."

에두아르도가 경고했지만 이미 츠구미라는 여자 뱀파이어가 구멍임은 만천하에 널리 밝혀졌다. 서현은 신나서 심문을 계속했다.

"그렇게 말하는 건 결국 앙리 유이가 정권을 잡더라도 다른 아웃로는 처분하겠다는 소리로군? 하긴 뱀파이어 입장에서는 자기만 뱀파이어인 게 가장 좋지. 온 세상 사람이 뱀파이어가 되어봐야 사이좋게 공멸할 뿐 아닌가. 왕이 되려면 관리해야 할 영역이 늘어나는 것도 싫겠지. 너희는 정말 귀족적인 마인드를 가지고 있구나. 하지만 테트라 아낙스도 버린 너희를 앙리 유이가 왜 우대해야 하지?"

"……."

"웃기지 마. 텔레포트는 정말 귀한 능력이라고. 우리가 텔레포트를 쓸 수 있게 된 이상 앙리 유이가 우리를 푸대접할 리 없어!"

"츠구미!"

"야, 이 치사한 의사 놈! 너 죽었어! 우릴 속여?"

에두아르도가 제지하든 말든 츠구미는 방방 날뛴다. 금방이라도 케이블 타이를 찢고 덤벼들 기세라서 세건이 녹티스로 그녀를 찔러 잠시 진정시켰다.

"윽……."

츠구미가 표정을 찡그리고 세건 역시 눈살을 찌푸렸다.

한세건은 뱀파이어를 죽이기 위해 헌터가 되었고 결국 모든 뱀파이어를 가차 없이 죽일 것이다. 하지만 뱀파이어를 죽여야 한다는 사명감, 그 사명을 달성해 나갈 때의 기쁨과 그럼에도 불구하고 그 사명감과 상충되는 미학이 있었다. 한세건이 만약 뱀파이어를 멸절시키는 사명만을 최우선으로 택했다면 사혁과

갈라설 이유도 없었을 것이다.

한세건이 힘이 없던 시절, 절대적인 강자를 향해 온갖 노력과 도구를 퍼부어 싸울 때에는 이런 고민이 없었는데, 이제 우위를 점한 상황에서 무저항의 상대를 학대해야 한다는 게 매우 스트레스다.

버둥거리던 츠구미가 잠잠해지자 세건은 녹티스를 뽑고 서현에게 투덜거렸다.

"너무 그렇게 이것들하고 말 섞지 마. 죽일 때 곤란해진다."

"너도 참 힘들게 사는군."

서현은 단번에 세건의 딜레마를 눈치챘다. 하긴 예전에 한세건과 적대할 때 이미 알아챈 문제점이다. 그래도 서현은 아무렇지도 않게 뱀파이어들에게 말을 걸었다.

"뭐, 나도 인재가 없어서 빼또쥬를 데리고 다니는 처지라 남 말 할 처지가 아니긴 한데 얘들도 진짜 인재난이 심하구나."

"음……."

에두아르도는 무심코 수긍해 버렸다.

"자, 문제는… 이제 적들이 어떻게 나올까? 판단 근거가 너무 적은데."

원래대로라면 뱀파이어들을 고문해서 정보를 최대한 뜯어내야 했다. 하지만 저들에게서 앙리 유이와 그 주변에 대한 정보는 뜯어낼 수 있어도 어떻게 공격해 올 것인지를 알아내는 건 여간 어려운 일이 아닐 것이다.

"케네스 양과 아르쥬나 중 아르쥬나 쪽을 우선할 것 같은데.

아르쥬나는 도심이고 몇 블록 가면 한국에서 가장 번잡한 유흥가 시내잖아. 그런 데서 뱀파이어들의 살육전이 시작되면 테트라 아낙스가 뒷수습만으로 말라 죽겠지."

"하지만 그건 놈들이 완전히 준비가 되어서 밀고 들어올 때의 이야기지. 반대로 말하면 교외의 케네스 양 먼저 잡아 죽이고 나서 도심으로 진입하려 하지 않을까?"

한세건이 그 점을 지적하자 서현이 결정지었다.

"…일단 케네스 양 쪽을 방어하러 가지. 김성희라면 왠지 모르게 안 당할 것 같은 느낌이 들어서."

"만만치 않은 여자긴 하지."

세건도 그 점에 동의했다. 그렇다면 케네스 양에게 가봐야 하는데… 뱀파이어 둘을 남겨두고 갈 수는 없다. 그렇다고 차량에 태워서 이동하는 것도 위험하다. 서현의 피가 작용하는 것은 극히 짧은 시간……. 차량으로 이동하면 그동안 이 녀석들은 충분히 상처를 회복할 것이다. 구속은 텔레포트 앞에 별 의미가 없고 그렇게 빠져나가면 바로 놓치게 된다.

"죽여야 하나. 진마급으로 재생력이 뛰어난 놈들을 깔끔하게 어떻게 죽이지?"

"루스킨이 그런 걸 잘하는데. 뭐, 내가 하지."

"네가 한다고?"

"네가 하기엔 너무 피곤해하는 것 같아서."

"…아니, 내가 한다. 네놈에게 떠넘길 만큼 내 손도 깨끗한 건 아니거든."

한세건은 고집을 부렸다. 아무리 무저항의 뱀파이어를 살해하는 게 고통스러운 일이라 해도 한세건은 그 고통조차 당연한 것, 자신이 치러야 할 대가라고 생각했다. 금욕 수행 하는 수행자처럼 한세건은 스스로를 벌하면서 자신의 원죄를 책하고자 했다.

물론 살해당할 당사자들에게는 개소리도 이런 개소리가 없다. '널 죽이긴 마음이 아프지만 성심성의껏 노력해서 극복해 볼게, 마음의 아픔쯤이야 감수해야 하지 않겠니' 이렇게 말하는데 '아이고, 수고하시는군요. 그 고생 하면서 절 죽여주시다니 감사합니다' 이렇게 대꾸라도 해야 하나?

그때 잠자코 누워 있던 에두아르도가 눈을 부릅떴다.

"츠구미! 가자!"

순간 에두아르도와 츠구미가 텔레포트로 서현과 한세건의 눈앞에서 사라졌다. 깜짝 놀란 한세건이 주위를 둘러보았지만 공격해 올 기미는 없다. 이놈들은 정말 도망친 것이다. 일단 텔레포터가 작정하고 도망치려고 하면 따라잡을 방법이 요원하다.

"이런 제길."

"흠. 예상보다 훨씬 빨리 회복했네. 역시 앙리 유이가 만들었다는 그 영약은 일반적인 뱀파이어들의 VT와는 좀 다른가 봐?"

서현은 남의 일 말하듯 시큰둥한 태도로 말했다. 어느 정도는 예상했다고 하는 것 같아서 한세건이 짜증을 냈다.

"저 녀석들 상처 회복을 위해서 길 가는 사람들 뜯어먹으면 어쩌려고 그래? 사람들이 죽잖아! 네놈이 책임질 거냐?"

"뭐 그렇게까지… 덕분에 다음번에 그 뱀파이어들이 덤빌 때 상쾌한 기분으로 죽일 수 있잖아."

"난 상쾌한 기분으로 뱀파이어를 죽이고 싶지 않아. 더러운 기분을 그래도 욱하고 억지로 물어 삼키면서 죽이고 싶다."

"취향 참… M인지 S인지……. 그보다 얼른 아르쥬나로 가지."

"…젠장."

세건은 서현이 무슨 말을 하는지 이해했다. 케네스 양을 지키겠다고 한 걸 에두아르도와 츠구미, 두 뱀파이어가 들었으니 적들은 방향을 선회할 것이다. 양쪽 중 어느 쪽을 공격해 올지 모를 때는 아예 이쪽의 역정보를 흘려서 상대를 조종한다. 병법이라고 하면 매우 단순한, 초보적인 기술이지만 그걸 뱀파이어 상대로 쓰다니.

"케네스 양 쪽은 빼또쥬랑 루스킨을 보내지. 혹시 모르니."

"그 녀석 보냈다가 납치당한 게 이 의사 양반이잖아."

"뭐, 루스킨이 감독으로 붙으면 걔는 확실히 하니까."

서현도 빼또쥬에 대한 불신은 공감하면서 강의찬을 부축했다.

"당신도 가지. 죽기 딱 좋으니까."

"나는 이 세상의 빛과 소금 같은 의사라 범법 현장에 가까이 가고 싶지는 않은데."

강의찬은 구해줘도 툴툴거렸다. 뱀파이어 놈들이 재습격할까 봐 지켜주겠다는데도 이런 잔소리를 하다니.

"…확 눈에 소금을 뿌려 버릴까 보다."

서현과 한세건은 즉시 차량을 이용해 이동했다. 한세건의 픽업트럭 위에 슈퍼모터드 바이크와 서현의 자전거를 싣고 이동하며 케네스 양과 김성희에게 경고를 하기로 했다.

케네스 양은 그 와중에도 정보를 모아서 알려주었다.

—부산 쪽에 카나가와 교지라고 옛날에 거물급 야쿠자였던 놈이 나타났다더라고. 대뜸 다른 조직들에게 전쟁하게 총기를 달라고 했다던데?

"설마 댁이 거기서 그 친구에게 무기를 팔았다는 소리는 안 하겠지? 이번엔 말로 끝나지 않을 거야."

서현이 그리 말하자 케네스 양이 코웃음 쳤다.

—그때는 내 목숨이 위험할 것 같으니까 어쩔 수 없었어. 부산에 있는 뱀파이어에게 찾아가서 영업할 만큼 내가 그렇게 몸값이 싼 인물이 아냐. 난 매년 순수익만 30억대라고. 일등신랑감이지.

그 말을 듣고 한세건이 피식 실소했다. 그는 힐끔 곁눈질로 강의찬을 바라보았다.

"당신과 좋은 승부가 되겠군. 일등신랑감 마약상과 사이코 초능력자 비뇨기과의라니."

"아무리 생각해도 내가 더 낫지."

강의찬은 그렇게 자신했다. 다행히 강의찬의 목소리는 케네스 양에게 들리지 않은 것 같다.

"그래서. 무기는 구했나?"

—뭐, 내게 정보를 알려준 애들이 바로 그 폭력 조직이야. 배

니싱 블러드는 진마 자인을 잃어버린 이후에는 슬슬 왕따가 되고 있어. 뱀파이어들에게는 물론이고 야쿠자들 사이에서도 그동안 돈을 물 쓰듯 써서 인심을 모았었는데 다 날아갔단 말이야.

"왕따?"

—아마 그래서 앙리 유이에게 넘어갔지 싶은데. 어쨌든 그들은 그래 봬도 야쿠자라서 부산 쪽에 아지트도 있었는데…….

"있었는데?"

—집세를 못 내서 잘렸지?

"……."

뭔가 애매하다. 집세를 못 내서 잘릴 정도면 아지트라고 무기를 쌓아두고 거점을 건설한 것 같지는 않다.

"그러면 무기도 병력도 별 볼 일 없겠군."

서현이 그렇게 단정 짓자 뒷좌석에 앉아 있던 강의찬이 고개를 절레절레 저었다.

"과연 그럴까?"

"왜?"

"우리 아버지를 포함해서 앙리 유이의 추종자들은 종말대비주의자 못지않았거든. 나 어릴 적에는 집이 부자여도 유통기한 임박한 통조림만 먹어야 했어."

"……."

내심 그래서 애가 이 모양으로 자랐구나 싶었지만 생각해 보면 강의찬이 훨씬 연상이다. 서현은 그래서 입을 다물었다.

"그래서 댁이 이 모양으로 자랐군. 환경호르몬이라는 게 역시 무서워."

세건은 대놓고 질러 버렸다.

9

강의찬은 자신의 아버지에 대해서 편집증적인 위기대비론자라고 평했지만 그것은 명백한 과소평가였다. 그런 식으로 간단히 말하게 되면 통조림 모으는 정도로밖에 생각하지 않을 게 아닌가?

실제로 그의 아버지가 하는 일은, 앙리 유이의 아이들은 치안이 좋은 대한민국에서는 감히 상상하기도 힘들 정도로 과격한 무기들을 모으고, 언젠가 그들의 주인 앙리 유이가 돌아올 날을 준비하는 것이었다.

그 준비의 수혜자가 된 카나가와 교지는 왠지 자신이 처량하다고 느꼈다. 그가 그동안 쌓아 올린 것, 야쿠자로서의 관록이나 뱀파이어로 수백 년 이상 활동해 왔던 부분에서는 아무런 지원도 받지 못했다. 그의 과거는 오히려 짐이 될 뿐이었다.

앙리 유이의 추종자들이 이미 깔아둔 레일 위에 올라타는 게 그들이 할 수 있는 일의 전부였다. 카나가와 교지와 그의 휘하 뱀파이어들은 절대로 이번 사건의 주축이 아니다. 이래서야 당연히 앙리 유이나 다른 뱀파이어들에게 비웃음을 산다. 하지만 지금은 정 노인의 뜻을 따를 수밖에 없다.

"케네스 양이란 마약업자와 아르쥬나, 이 두 놈이 뱀파이어 헌터들에게 무기를 공급하는 중책이오. 그 외에 자잘한 딜러들이 있긴 하지만 이 둘이 핵심이지. 무엇보다 아르쥬나는 각종 마법 물품을 넘겨주어서 뱀파이어 헌터들의 능력을 키워주는데, 상당히 심각하오. 이것들을 공격하면 그동안 저놈들에게 살해당한 아웃로의 원한을 풀 수 있지. 크크크. 뱀파이어 간에 동료애 따위 없긴 하지만."

아웃로라는 정체성은 테트라 아낙스에게 선택받지 못한 자라는 뜻이다. 즉, 그들 자신끼리의 동질감과 유대감은 전혀 없다. 지금은 아웃로지만 테트라 아낙스가 따뜻한 잠자리, 괜찮은 인생을 선물해 준다면 바로 갈아탈 놈들투성이였으니까.

하지만 지금 이 순간 여기 모인 이들은 이야기가 다르다. 앙리 유이라는 리더가 출현함으로써 이들은 하나로 집결되었다. 정작 당사자인 앙리 유이는 스스로도 리더가 될 재목이 아니라고 인정하고 있었지만 그럼에도 불구하고 그가 반테트라 아낙스의 세력을 규합할 수 있을 만큼, 아웃로 뱀파이어들의 사정이 나빴다.

"그럼 어떻게 할 거요. 내 부하들의 말로는 뱀파이어 헌터들이 케네스 양 쪽을 방어하려 한다고 하는데……."

"그렇게 말하고 바꾸었을지도 모르지요. 한세건이란 놈은 굉장히 똑똑합니다. 어쩌면 일부러 놓아주고 일망타진을 노리는 것일지도 모르니 무조건 믿어선 안 되지요."

정 노인은 카나가와 교지에게 그렇게 말했다.

"그럼 역정보라고 생각하고 역을 노린단 말이오? 하지만 역의 역은? 역의 역의 역은? 역정보를 의심하면 끝이 없소."

카나가와 교지는 그런 점을 지적했다.

아무래도 이 무리의 주도권을 정 노인이 쥐고 있으니 괜히 트집 잡고 싶다는 욕구가 강했다. 당연한 소리지만 잔소리라도 한 번 더 하지 않으면 자신이 꿔다 놓은 보릿자루 같아서 견딜 수가 없었다.

그런 카나가와 교지의 마음을 이해해 주었을까? 정 노인은 불쾌해할 만한 상황임에도 씨익 웃어 보였다.

"이때는 통 크게 가는 겁니다. 양쪽 모두를 공격할 거요. 우리의 목표는 뱀파이어를 팔아치우는 저 끔찍한 놈들에게 복수하는 것도 있지만 궁극적으로는 큰 소란을 일으켜 테트라 아낙스의 손발을 바쁘게 해주는 것이오."

"……."

지금 이 상황에서 병력을 나누어 양쪽 모두 공격한단 말인가? 카나가와 교지는 반발하고 싶었지만 슬프게도 정 노인의 말은 일리가 있었다. 현재 그들의 병력은 충분하다. 무장 병력 30명, 화력도 좀 구형 장비들 위주로 되어 있지만 나쁘지 않다. 병력을 나누더라도 충분히 위력적이고, 애초에 그들의 목적대로 경찰이나 민간인들을 마구 공격하고 테트라 아낙스의 짐을 늘릴 거라면 한 번에 여러 곳에서 일을 벌이는 게 좋다.

그러나 그걸로 괜찮을까? 카나가와 교지는 자신의 부하, 에두아르도의 실력을 떠올렸다. 에두아르도는 텔레포트 능력을 각성한 순간 그 능력을 최대한 활용하기 위해 사제 폭발물을 만들고, 던지는 걸 이미지하고, 물체를 텔레포트시키는 걸 꾸준히 연습했었다. 솔직히 말해서 그런 공격을 당했을 때 카나가와 교지도 멀쩡하리라고 자신할 수 없었다. 그런데 그 에두아르도가 잡혔었다.

30명의 무장한 뱀파이어로 과연 한세건을 잡을 수 있을까?

"껄껄, 너무 머리가 굳어선 안 된다오. 이제 우리는 테트라 아낙스의 룰을 벗어던졌으니 발상을 자유롭게 할 필요가 있지."

"무슨 생각이오?"

"우리 스폰서가 시키는 짓을 해서 병력도 더 늘려볼까 하고. 아, 혹시 구울을 만들 줄 아시오?"

"……."

만약 정 노인이 이 상황에서 물어본 게 아니라면 카나가와 교지는 자신을 모욕하냐고 반문했을 것이다. 구울. 뱀파이어에 의해서 살해당한 자가 좀비 비슷한 시체 상태로 돌아다니는 것으로, 약간의 VT 인자를 시신에 남겨두고 잘 발효(?)시키면 가능한 일이다. 텔레포트처럼 고등 기술이면 모를까, 그 정도는 어지간한 뱀파이어라면 다 할 수 있는 게 아닌가?

하지만 지금 타이밍에서 구울을 언급한다는 건…….

"우리 스폰서의 경쟁사 공장을 습격해 공장 직원들을 전부 구울로 만들어 버릴 거요. 그들을 이용해 공격을 감행해야지. 예전에 적요당 잔당들이 쓰던 수법을 우리라고 쓰지 말란 법 없잖소?"

"…스폰서의 경쟁사 공장?"

"아, 우리 스폰서는 제약 회사 사장이라오. 그렇지 않으면 하루 벌어 하루 근근이 살아가는 공장 노동자가, 중고차래도 이런 차량을 한 대 더 가지고 개조하는 짓 따윈 못 했겠지. 자신이 쓸 것도 아닌 차를 한 대 여유로 가지고 있을 만큼 넉넉하지 않거든."

저작권이 풀린, 혹은 싸게 풀린 카피 약이나 자양강장제, 혹은 피로 회복 드링크제 시장은 언제나 격렬하다. 최근에는 거의 제로섬 게임이 되어가고 있는 중이다. 이런 상황에서 구울을 만들어야 한다면 경쟁사 공장의 노동자들을 사용하고 경쟁사 공장을 파괴해 달라는 게 스폰서의 요구였다. 야쿠자 짓을 하면서 그 자신도 해봤던 일이지만 카나가와 교지는 그 이야기를 듣자 눈살을 찌푸렸다.

앙리 유이의 손바닥 위에서 놀아나는 것도 은근히 마음에 안 들었는데 스폰서라는 작자의 손바닥 위에서도 놀아나야 한단 말인가. 그러나 지금 정 노인이 제시하는 작전을 거부할 명분도, 이유도 없다.

카나가와 교지가 탑승한 차량은 서울로 올라가는 길 국도에 위치한 한 제약 회사 공장으로 향하고 있었다.

인간은 무장한 병력 앞에서 무력하다. 아무리 뛰어난 격투가나 검객이라도 총화기 앞에서는 어린아이나 다름없다. 하물며 그 총화기를 든 이들이 뱀파이어라면 더 말할 것도 없다.

깊은 밤, 모 제약 회사의 공장은 텅 비어 있었다. 공장 옆의 기숙사에서 사원들이 휴식 중이었는데, 뱀파이어들은 그 기숙사에 쳐들어가 사람들을 학살했다.

약 절반 정도가 구울로 활성화되어 그들의 차에 올라탔다.

“갑시다. 오늘 안에 처리해야 할 곳이 많으니까.”

정 노인은 공장에 있던 다른 차량들도 빼앗아 올라탔다. 뱀파이어들은 구울을 짐칸에 태우고 닥치는 대로 차량을 약탈해서 뒤따른다. 국도변에 세워진 주유소를 만나자 그들은 주유소를 습격해 사람들을 죽여 버리고 차량에 기름을 마음껏 넣었다.

“후후후, 이거 재미있군.”

정 노인의 부하들, 말레이시아나 베트남 출신 젊은 선원들이 주유기의 레버를 눌러 휘발유를 곳곳에 뿌려두고 불을 놓았다. 주유소가 등 뒤에서 폭발했지만 누구도 뒤돌아보지 않았다. 카나가와 교지만이 뒤를 보고 이들의 무모함에 감탄했다.

뱀파이어들은 텅 빈 밤의 국도를 달리며 보이는 차량은 닥치고 돌격해 빼앗았다. 구울들을 그 차량에 태우고 차를 몬다. 가다 발견되는 주유소마다 털어서 차량에 기름을 비축시키고 경찰서도 모두 털었다.

처음의 제약 회사에 대한 공격은 경비 회사에 연락이 갔을 뿐이었다. 몇몇 경비원이 피바다가 된 사원 기숙사를 보고 기겁해 신고를 했고 경찰들이 야밤에 출동해야 했다. 그때만 해도 단순한 한 곳의 사건, 괴사라 할 수 있었다. 그런데 그 사건이 일어난 곳의 북쪽, 국도변 주유소 하나가 폭발하는 사건이 일어났다. 당연히 두 사건을 연결해 생각할 수밖에 없었다.

그런데 그게 끝이 아니다. 국도를 이동하는 트럭 운전사들을 위한 심야식당과 주유소가 또 습격받았다. 순찰 중인 경찰도 이내 연락이 끊겼다.

뱀파이어의 군대들은 계속 그 수를 구울로 늘려 나가며 북상하고 있었다. 인근 부대에서 5분 대기조가 출동했지만 카나가와 교지가 텔레포트로 군 간부를 척살했다. 당황하는 병사들은 구울들과 뱀파이어들이 달려들어 끝장냈다. 그들의 소총이 오히려 뱀파이어들의 손에 들어갔다.

이제 돌이킬 수 없다.

아직은 깊은 심야, 덕분에 군경의 반응이 느리지만 곧 그들도 이게 보통 심각한 일이 아니라는 걸 알게 될 것이다. 뱀파이어들은 군대와 경찰이 보다 과감한 진압 작전을 시작하기 전에 서울로 들어가야 했다. 그렇지 않으면 전차나 공격헬기 같은 것을 만날지도 모른다.

물론 전차나 공격헬기를 대테러전에 투입하기란 쉬운 일이 아니다. 아마도 보병 부대를 계속 축차 투입하다가 뱀파이어들에게 농락당하고 나서야 작전을 바꾸겠지. 그 정도 시간이면 뱀파이어들은 충분히 그 전에 서울에 입성할 것이고 그럼 한 국가의 수도 한복판에서 시가전이 벌어지게 된다.

"흐흐흐. 이거 참 재미있구만."

정 노인은 정작 좋아하고 있었다. 언제나 아웃로로서 세상의 눈을 피해 숨어 살던 그가 이제 자신이 살던 세계를 파괴하고 있었다. 모두에게 주목받지 못하고 음지에서 숨어 살던 그는 이제 모두에게 증오받는 존재가 될 수 있을 것이다. 사랑이 아니더라도 뭐 어떠한가? 무관심보다는 모두의 증오가 더 나은 법이다.

"이것만으로도 테트라 아낙스에게 큰 타격이 되겠지. 하하하. 테트라 아낙스는 어쩔 수 없을 것이오."

정 노인은 호언장담했다. 만약 이 사실을 테트라 아낙스가 숨긴다면 사람들은 영문도 모르고 뱀파이어 군대에게 살해당하게 되리라. 하지만 만약 이것을 만천하에 알린다면? 당연히 뱀파이어의 정체가 만천하에 까발려지게 되고, 그렇게 확실히 알려진 다음 테트라 아낙스가 인류의 기억을 조작하는 건 전자에 비해 말도 안 되는 수고가 든다.

인간들 일부의 인지를 막아 진실을 감추는 것과 이미 밝혀진 진실을 인류 전체의 기억에서 뽑아내는 것. 둘 중 후자가 힘든 건 당연한 이치다. 하지만 어떻게 할 것인가? 테트라 아낙스는… 사람들이 죽게 내버려 두더라도 이들의 행동을 가려줄 것인가?

하지만 곧 정 노인과 뱀파이어 부대는 신기한 경험을 하게 되었다. 그들이 가는 길마다 가게가 문을 닫았다. 국도를 따라 늘어서 있는 기사식당과 휴게소, 주유소가 전부 텅텅 비었다.

물론 늦은 밤이라 다들 일은 그만두고 집에 갔을지 모른다. 하지만 다른 나라라면 모를까, 대한민국 내에서 그런 일은 있을 수 없다.

"놀랍군. 이게 테트라 아낙스의 힘인가."

정 노인은 상황을 바로 파악했다. 테트라 아낙스다. 테트라 아낙스가 손쓰지 않으면 이런 일이 일어날 수는 없다. 아마도 그들의 봉기를 알아채고 희생당할 사람들의 의식을 조종해 안전한 곳으로 피하게 한 것이겠지. 세상 사람들을 마음대로 주무르는 테트라 아낙스의 힘이라면 서울로 향하는 국도조차 텅텅 비게 된다. 1번 국도는 아무리 늦은 시간이라도 물류를 옮기는 트럭들로 가득 찬 길인데 그게 텅 비어버리다니.

그야말로 신에 가까운 힘이 아닌가?

"하지만 피해를 줄이는 것만으로는 막을 수 없을 텐데. 서울에 입성하게 되면 그땐 어떻게 할 거지? 아무리 피해를 줄이려 한다 해도, 수도 서울 한복판을 텅 비울 건가? 이제 이 국도를 따라 쭉 올라가면 대전 청주도 나올 텐데……?"

정 노인은 호언장담하면서 차량을 몰았다. 텅 빈 1번 국도를 따라 올라가니 시내가 나온다.

그런데 이상하다.

대전, 아산, 천안, 오산, 수원… 대도시의 외곽과 심장부를 가로지르는데 아무도 없다.

수원역 앞을 지날 때도 아무도 없다는 것에 그들은 전율했다. 이상하다. 사람들을 치운다 해도 이렇게까지 할 수 있는 걸까?

"인식이 뒤틀려 있는 건 우리인 것 같군."

카나가와 교지는 쓴웃음을 지었다. 테트라 아낙스에게 버림받았던 클랜, 배니싱 블러드의 일원인 그는 테트라 아낙스의 힘을 뼈저리게 알고 있었다. 그래, 아무리 새로운 테트라 아낙스가 애송이라고 얕잡아 보인다 해도, 테트라 아낙스라는 이름을 계승한 이상 이 정도는 해주어야 했다. 이 정도가 아니면 그에게 버림받았을 때 몰락해 버린 배니싱 블러드가 우습게 보일 테니까.

어떤 면에서는 고소하기도 했다. 정 노인과 그 패거리는 테트라 아낙스에게 빌붙었다가 버림받은 배니싱 블러드를 은연중에 깔보는 경향이 있었는데, 이제는 그들도 테트라 아낙스의 무서움을 알게 되었다. 자, 이래도 깔볼 텐가? 너희 역시 테트라 아낙스의 표적이 되었는데?

"아니, 그럴 리가? 우리의 눈에서, 인식에서 인간들을 지워 버리고 있단 말인가? 전부 다? 어떻게 그게 가능하지?"

"유령이 된 기분이야. 아니, 하지만 지금 우린 신호를 어기면서 달리고 있는데?"

"번화가라면 이렇게 달릴 수 없잖아. 달리다 차랑 들이받아야 정상인데?"

"혹시 지금 차를 운전한다고 생각하는 이것도 환상 아니야?"

뱀파이어들이 동요했다. 아무도 없는 세계, 그들만이 있는 세상 같다. 텅텅 비어 있는 역 앞 광장과 차도를 보니 소름이 돋는다. 이런 걸 저지를 수 있다니. 멀리서 손만 까딱인 것만으로 테트라 아낙스는 그들을 현실에서 분리해 버린 것이다.

"이런 걸 영원히 계속할 수는 없을 거다. 겁먹지 마! 애초에 우리는 테트라 아낙스에게 타격을 주려고 했었고 지금 그러고 있는 거다! 목적을 달성하고 있는데 겁먹을 이유가 없다! 테트라 아낙스가 우리를 두려워해야지!"

방금 전까지 기고만장하던 뱀파이어들이 주눅 들자 정 노인이 그들을 독려했다.

"어떻게 되어도 우리를 직접 죽이지 않으면 미봉책일 뿐이야! 우리는 진군한다! 서울로! 그리고 전부 약을 먹어!"

정 노인의 명에 의해서 모두들 알약을 꺼내 입에 던져 넣었다. 갑자기 그들의 귓가에 웅성웅성 소란스러운 소리가 들리기 시작했다. 차들의 모습이 마치 환영처럼 그들의 눈앞에서 흔들거리며 나타났다가 사라졌다. 테트라 아낙스의 환영, 환상을 뚫고 잠시 현실이 보였던 것이다. 하지만 이내 테트라 아낙스 역시 힘의 수위를 높여 그들을 막았다.

"크크크크. 봤지? 우리가 갑자기 힘을 높이자 테트라 아낙스가 순간적이지만 버거워한 것을? 이건 환상이지만 뭐 환상이래도 좋다! 테트라 아낙스에게 지금 우리는 확실히 막중한 부담을 주고 있다!"

정 노인은 지금 이 순간 공장 지대에 숨어 살던 삶에 찌든 노인이 아니라 고대의 맹장이 되어 있었다. 부하들을 독려하고 사기를 북돋는 그 모습을 보며 카나가와 교지는 쓴웃음을 지었다.

"조장님, 저 친구가 너무 설치는데요. 이 무리의 주도권을 저치에게 넘겨줘도 되겠습니까?"

카나가와 구미의 조직원이자 배니싱 블러드의 잔당들은 정 노인이 하는 짓에 불만을 느꼈다. 흔들리고 동요하는 뱀파이어들을 다독이는 작업은 분명히 필요한 일이지만 자기 혼자 두목인 양 구는 게 서열에 민감한 야쿠자의 짜증을 불러일으켰다.

"뭐, 어떻게 되는지 보지. 계속 가자."

교지는 그런 부하들을 다독였다.

10

아르쥬나 인근에서 방어 준비를 하던 중, 서현의 전화기가 몸을 파들파들 떨며 전화 수신을 알리고 있었다. 발신자 불명, 모르는 번호다.

"……."

왠지 불길한 예감에 서현은 조심스럽게 전화를 받았다.

"네?"

—안녕하세요. 전에 방문했던… 싱가포르 지사 매니저 제니퍼 리예요.

서현은 상대의 목소리에서 그녀가 이전 자신을 찾아왔던 테트라 아낙스의 사자라는 걸 깨달았다. 문득 탄창에 탄을 채워 넣고 있던 한세건이 주목하는 게 느껴졌다.

'거참, 타이밍 나쁘게.'

서현은 한세건의 시선을 피하면서 물어보았다.

"무슨 일이지? 용건만 간단히."

그러나 그때 한세건이 탄약 박스를 옮기다 대뜸 물어보았다.

"무슨 전화지?"

"내가 네게 전화 내역까지 보고해야 하나?"

"테트라 아낙스겠지?"

"…작두 타냐?"

서현의 머릿속에 무뚝뚝한 평소의 얼굴로 작두들을 집에 설치하고 그 위에 조심조심 올라서 보는 한세건의 모습이 떠오른다. 한세건이 사실 굉장한 노력가라는 건 알고 있으니까 아마 작두를 타기 위해서는 그렇게 공들여서 연습을 하겠지.

"이제 막 한국에 온 네놈이 친구가 있겠냐, 뭐가 있겠냐. 전화 오는 곳이야 딜러들 아니면 뻔하지."

한세건이 그리 투덜거리며 서현의 손에서 전화기를 빼앗으려 했다. 그러나 서현은 쓱 손을 빼서 세건을 피했다.

"다른 사람이면 몰라도 너에게 친구가 없다고 비난받는 건 참을 수 없다. 너는 뭐 친구나 애인이 있냐?"

"…뱀파이어 헌터는 관에 한 발짝 들여놓고 사는 인생인데 그런 걸 만들겠냐?"

"오호, 만들 수는 있지만 안 만들었다 그 소리군. 흔히들 하는 변명이지."

서현은 그리 대꾸하고 전화기에 말했다.

"메일로 보내!"

그리고 통화를 끊는다.

"멍청한 놈. 테트라 아낙스 편에 서서 뱀파이어들 밑이나 닦아줄 셈이냐? 전에도 말했지만 말 많이 섞으면 죽일 때 피곤해."

"아니면 정보를 어디서 얻게? 그리고 난 아무리 말 섞어도 뱀파이어 죽이는 데 아무 문제 없는데?"

"또 네 인간성이 얼마나 쓰레기인지 자랑하는 거냐? 그런 거면 나도 만만치 않거든?"

"어휴, 너보단 내가 더 쓰레기네요. 너 말이야, ICBM 사일로 탈취해서 워싱턴 DC에 박아 넣으려고 해봤냐? 응?"

"……."

서현과 한세건이 또 누가 더 인간쓰레기인가 경쟁하려던 그때 메일이 도착했다. 열어보니 지도와 그 지도를 따라 그려진 뱀파이어들의 침공 루트, 그리고 그들이 공격한 민간 시설, 확보한 차량 대수 등이 자세히 나와 있었다. CCTV에 찍힌 영상도 첨부되어 있었는데…….

"나 요금제 낮은 거라 열어보기 두려운데."

"…너 바보냐? 그거 아껴서 재벌 되려고 그래? 내게 전달해."

"좋겠다. 통신사의 호구라서. 돈 벌어서 다 통신사 주냐?"

서현이 투덜거리며 메일을 전달하자 한세건이 자신의 폰에서 재생해 보았다. CCTV 영상에는 무슨 존 로메로 감독의 좀비물처럼 우글거리는 구울들의 모습이 찍혀 있었다.

"어떻게 이런 놈들이 이 병력으로 대전을 지나 수원까지 올라왔지?"

"테트라 아낙스의 솜씨겠지. 그나저나 어쩔래?"

"……."

서현의 질문에 한세건이 입을 한일자로 굳게 다물었다. 서현이 무슨 의미로 물어보는지 단번에 이해할 수 있었다. 테트라 아낙스는 지금 자신의 통제 능력을 벗어난 일에 대해서 서현에게 도움을 청하고 있었다. 그리고 세건에게 테트라 아낙스는 적이다. 하지만 적의 적인 앙리 유이 역시 한세건을 노리고 있고, 저놈들은 아예 도시를 파괴함으로써 테트라 아낙스를 간접적으로 공격하려 하고 있었다.

인간을 지키기 위해 뱀파이어 헌터가 된 것은 아니다.

그러나 무고한 사람들이 살해당하는 걸 방치하는 것은 한세건의 미학에 어긋난다.

미학이라고 하면 이상한가? 신념은 어떠한가? 한세건에게 있어서 신념과 미학은 목숨을 걸 가치가 있는 것이었다. 그렇지 않았다면 뱀파이어 헌터가 되지도 않았겠지. 숙부에게 재산 상당수를 빼앗겼다고 하지만 한세건에게 상속된 유산은 적지 않았고 평생 살아가는 데 지장은 없었을 것이다. 그 미학과 신념 때문에 뱀파이어 헌터가 되었지.

문제는 결과적으로 이게 테트라 아낙스를 돕는 일이 된다는 것이다.

딜레마, 끔찍한 딜레마다.

"뭐, 생각할 것도 없지."

세건은 불나지 않을까 걱정될 정도의 빠른 속도로 엄지손가락을 놀려 메일을 작성했다.

뱀파이어 헌터로서의 미학과 인간으로서의 미학이 상충된다고 해도 뱀파이어 놈들이 민간인을 마구 죽이게 방치할 수는 없다. 그렇다면 테트라 아낙스에게 다른 방향으로 그만큼의 출혈을 요구해야 했다.

"뭐라고 보냈어?"

서현이 궁금해했다.

"이놈들을 막을 테니까 유니세프에 내 이름으로 1억 달러 기부하라고."

"…테러범 한세건의 이름으로 말이지?"

서현은 실소했다. 엽기적인데. 환경보호단체에 마약상 이름으로 기부하는 것과 비슷하지 않을까?

"너무 적은가? 테트라 아낙스 정도면 숨겨둔 자산도 엄청나겠지?"

"플렉스 메디칼이나 지출이 확실히 잡히는 기업, 재단 돈은 못 쓰겠지. 순전히 음지의 사재로 1억이면 테트라 아낙스에게도 적지 않은 지출 아닐까?"

곰곰이 생각해 보던 세건이 혀를 찼다. 적지 않은 지출 좋아하네. 뱀파이어 놈들은 사회적으로 나와 있는 재산보다 음지에 숨어 있는 재산이 더 많을 거다. 그게 아니더라도 예지 능력을 가진 테트라 아낙스에게 현금을 아무리 뽑아봤자 타격이 될 리 없다. 그걸 알고 있을 텐데도 적지 않은 지출이지 않을까 하고 연막을 펴다니.

"그럴 리가 있나. 동생이라고 편드냐?"

"아니거든? 네가 형제가 없어서 뭔가 착각하는데, 형제라는 게 그렇게 사이좋은 관계일 수가 없어."

"나도 형제가 있었어. 내가 동생이었지."

세건은 그렇게 대답하다 괜한 것을 말한다 싶어서 입을 다물었다.

"난 형인데. 동생이란 것들은 다 짜증 나지 않냐?"

"닥쳐, 응? 그럼 우리도 전쟁 준비를 할까."

제니퍼 리가 보내준 메일에는 테트라 아낙스가 향후 적들을 어느 루트로 유도할지에 대해서도 표시되어 있었다. 가급적 인적이 드문 곳에서 요격한다. 그러나 상대가 수원을 지난 지금은 인적이 드문 곳 따위 없다.

"안양 지나서 금천구 입구가 그나마 인적이 드물군. 여기서 요격한다. 가자!"

11

뱀파이어와 구울의 군대는 안양을 지나 1번 국도를 따라 서울로 올라오고 있었다. 그들 자신들은 무인지경으로 마음껏 질주한다고 여기고 있었지만 사실 그들은 정속으로 신호 딱딱 지켜가면서 얌전히 올라오고 있었다. 하지만 서울이 가까워져 오자 정 노인은 특단의 조치를 취하기로 했다.

"기관총 올려."

그의 명에 따라서 마운트가 설치된 차량에 브라우닝 머신 건이나 각종 총화기가 올라왔다. M3 구리스 건을 두 개 덧붙이고 스프링 송탄 장치를 개조해 400발들이 탄창을 4개씩 단 엽기적인 물건들이 장착되었다. 뱀파이어들 모두 낡은 카빈 소총을 들고 탄을 장전시켰다. 전쟁에 임하는 병사들 같다.

그들뿐만이 아니다. 구울들 역시 자신의 몸에 남아 있는 혈액을 소모해 가며 광폭화하기 시작했다. 서울에 들어서게 되면 아무리 테트라 아낙스의 능력이 대단하다 하더라도 더 이상 좌시하지 못할 거라고 여겼기 때문이다.

"음?!"

그때 카나가와 교지와 배니싱 블러드의 일원들은 갑자기 등골을 찌르는 듯한 예리한 살기를 느끼고 깜짝 놀랐다. 살기의 방향은 국도 옆, 산길이라고 하기엔 좀 민망한 언덕길이었다.

"무슨 일이오?"

"아니, 살기가……."

카나가와 교지가 정 노인에게 언덕 쪽을 지시한 그 순간…….

폭발음과 함께 하늘로부터 폭풍이 휘몰아쳤다. 살기가 느껴진 곳의 정확히 반대 방향이었다.

"아오, 진짜 씨발 앙리 유이 님이 데리고 가보라고 해서 그러는데……."

몇몇 뱀파이어가 폭풍에 휩쓸리면서 카나가와 교지와 배니싱 블러드 클랜에 대한 불만을 토로했다. 카나가와 교지로서는 속 터져서 눈이 튀어나올 일이지만 어쩔 수 있나? 욕설을 들을 수밖에.

서현은 무선 조종기를 들고 혀를 내둘렀다. 강력한 전기모터를 단 쿼드콥터에 클레이모어를 장착하고 상공에서 무선으로 폭파시킨다. 그것만으로도 뱀파이어 무리에 상당히 많은 타격을 줄 수 있었다. 장난감 가게에서 파는 쿼드콥터는 절대로 클레이모어 정도의 무게를 들고 날 수 없지만 한세건은 그것들을 개조해서 유의미한 양의 폭약을 들고 날 수 있도록 했다. 그리고 서현에게 넘기며 작전을 지시했다.

"꽤 괜찮군. 빼또쥬, 해라!"

그러자 이번엔 고가로 밑, 보수용 사다리에 매달려 있던 빼또쥬가 배낭에서 수류탄 묶음을 꺼냈다. 빼또쥬는 투척용 카본 막대에 수류탄 뭉치를 얹고 라이칸스로프 특유의 괴력을 살려 투척했다. 포탄처럼 날아간 수류탄 묶음이 선두 차량에 명중하고 폭발하자 차량들이 아주 난리가 났다. 철판을 덧대어 보강한 차량이지만 타이어는 일반 타이어였다. 바퀴가 터지면서 차들이 뒤집어진다.

수류탄 자체의 폭발력은 얼마 안 되지만 상대 차량이 워낙 생각 없이 만들어진 것이다. 저럴 거면 차라리 아예 장갑판을 덜어내는 게 차량 무게도 줄이고 연비도 높이고, 속도와 기동성을 확보할 수 있지 않을까?

"으랏차차!"

빼또쥬는 연거푸 수류탄을 집어 던졌다. 현재 빼또쥬가 차지하고 있는 고가도로는 1번 국도를 굽어보는 순환고속도로로, 적들이 반격하기 시작하면 가장 위험한 곳이다. 강의찬 보호 임무를 실패한 죄로 빼또쥬가 현재 가장 위험한 곳에 배치되었다. 하지만 일단 적이 보이고 해야 할 일이 확실해지자 빼또쥬 역시 어린 시절부터 분쟁 지역에 살던 녀석답게 가져온 수류탄을 능숙하게 투척했다.

따다다다닥!

총기치고는 좀 경박한 발포음과 함께 구리스 건을 묶어서 만든 거치형 기관총이 불을 뿜었다. 기관단총을 다발로 묶은 거라 화력은 약하지만 어마어마한 탄막을 뿌려댄다. 피하기 힘들어지자 빼또쥬는 잽싸게 사다리를 잡고 손의 힘만으로 훅 뛰어올라 고속도로의 콘크리트 뒤에 숨었다. 먼 거리를 날아온 기관총탄은 힘이 전혀 없어서 콘크리트 펜스를 뚫지 못하고 튕겨나간다.

"으어어어!"

총기를 연사하던 뱀파이어가 되레 비명을 질렀다. M3 구리스 건은 2차 세계대전 때 기관단총 수요를 충족시키기 위해서 만든 싸구려 총기다. 당연히 단순하게 만들어져 있고, 송탄장치를 개량해서 거치형 기관총처럼 만들면 순식간에 총열이 달아올라 못 쓰게 된다. 정 노인이나 한국에 살던 뱀파이어들이 고철 가까운 무기로 머리를 굴려서 만든 것이지만 어디 연사해 본 적이 있어야지. 실전에 투입하니 바로 오작동을 일으키며 난리가 난다.

"저기다!"

뱀파이어들은 빼또쥬를 발견하고 그쪽으로 사격을 하는 한편, 언덕 쪽을 향해 구울들을 보냈다. 배니싱 블러드의 뱀파이어들은 카나가와 교지의 눈치를 살폈다.

“어떻게 할까요?”

그들의 능력이라면 어렵지 않게 저 고가도로 위로 이동해서 적을 요격할 수 있다. 그러나 카나가와 교지는 고개를 저었다.

“이들 능력을 좀 보지.”

함부로 텔레포트를 해서 적과 조우하는 것은 위험하다. 그리고 방금 전까지 고대의 장수 흉내 내던 정 노인의 솜씨도 좀 보고 싶다. 카나가와 교지는 그런 이유에서 경거망동을 금지시켰다.

“모두 진정해! 적의 공격은 별거 아니다! 우린 진마 못지않은 재생력이 있어!”

정 노인은 우왕좌왕하는 뱀파이어들을 진정시키며 폭약으로 타이어가 터진 차량들을 엄폐물로 삼을 걸 명했다. 뱀파이어 몇이 차량을 잡고 당겼다. 우드드드 하고 범퍼가 뜯어지는 차도 있고 제대로 견인되어 움직이는 차도 있었다. 그들은 그걸 방벽으로 삼고 총격전을 벌일 준비를 했다.

일반적인 적 상대로는 매우 효과적인 방어법이지만 글쎄? 뱀파이어나 라이칸스로프 등 인간을 초월한 괴물들이 득시글거리는데 저런 방법이 통용될까?

“저놈들은 바보인가?”

서현은 쇠파이프로 만든 투창에 폭약들을 잔뜩 달고 언덕 위에서 투척할 준비를 했다. 차량을 방벽으로 세우고 그 뒤에 숨어서 총격전을 벌이고 있는 이들은 아주 좋은 표적이다. 뿔뿔이 흩어지는 게 오히려 힘들었는데 말이지. 물론 구울들이 서현을 향해 달려오고 있었지만 구울들 따위는 전혀 위협이 못 된다.

서현은 쇠파이프 투창을 던졌다.

도움닫기도 없이, 폭약만 5킬로그램 넘게 달려 있는 투창이 쭉쭉 날아갔다. 다만 발사체로서 형태가 그리 좋지 않아 공중에서 흔들거리다 차량 옆에 떨어진다.

"역시 잘 안 된단 말이야."

서현은 흔들거리는 쇠파이프를 염동력으로 보정했다. 거의 모든 초상 능력이 선천적으로 주어져 있지만 카타볼릭 상태에서 그걸 쓰는 건 위험하다. 수명을 깎아먹는 일이 된다. 뭐, 수명 줄어든다고 그렇게 협박해도 사람들이 담배를 피우듯 이렇게 약간 아쉬운 일이 생기면 어쩔 수 없이 쓰게 되지만.

서현의 염동력으로 보정된 쇠파이프가 차량을 타넘어 엄폐물 뒤에 있는 뱀파이어들 사이에 떨어지자 뱀파이어들이 깜짝 놀랐다.

"뽑아서 던져!"

누가 그렇게 말했지만 너무 머릿수가 많은지라 누가 뽑아야 할지 모르고 있었다. 다들 우왕좌왕하는 사이 폭탄이 터졌다. 파편 수류탄과 달리 알루미늄, 마그네슘, 가솔린과 파라핀이 혼합된 용매에 질산암모늄과 TNT가 섞인 이 폭약은 폭풍에 상당한 열기가 섞여 있었다. 뜨끈뜨끈한 폭풍과 화염성 파편이 날아다니며 수류탄에 의해 까여 휘발유를 흘리고 있던 차량들을 인화시켰다.

폭음과 함께 불기둥이 치솟아 오른다.

뱀파이어들은 차량으로 담벼락을 세웠으니 오히려 그들 자신이 폭염의 한복판에 갇힌 꼴이 되었다. 활활 타오르는 불길 속에서 뱀파이어들이 고통의 비명을 지른다. 다 큰 어른, 더러는 어지간한 인간들의 증조, 고조할아버지 나이를 먹은 이들이 밥 굶은 어린아이처럼 엉엉 울어대며 고통을 호소하는 모습은 동정심을 유발했지만 적어도 서현은 눈 하나 깜빡하지 않았다.

저들을 동정하기에는 구울이 너무 많다.

저들이 이미 살해한 사람들이 저만큼이나 있는데 어떻게 저들을 동정할 수 있을까?

게다가 서현이 아는 한 앙리 유이의 약을 먹은 뱀파이어들이 이 정도로 몰살당할 리 없다. 아니, 이제부터 시작이라고 해야겠지.

"크, 놀랍군."

뱀파이어들은 불길에서 천천히 일어났다. 앙리 유이의 가호를 받지 않았던 예전 같았으면 불길은커녕 처음의 수류탄 샤워에 죽었겠지만 지금의 그들은 불길 속에서도 재생되고 있었다. 휘발유와 디젤이 불타오르는 폭염 속에서 타들어가는 속도보다 재생되는 속도가 더 빠르다. 진마들이 불을 질러도 타는 속도보다 재생 속도가 더 빠르다는 이야기는 들었지만 자신들의 몸으로 그걸 체험할 줄은 몰랐다.

게다가 그들 중 몇몇은 탄성을 내질렀다.

"아프지 않아!"

"그러게. 마음을 가라앉히니 전혀 아프지 않아!"

자신의 몸이 불타고 있음에도 마치 멀찌감치서 영화를 보는 것 같은 느낌이 들었다. 남의 살이 타는 것 같다. 당연히 아픔도 느껴지지 않는다. 이것이 바로 통각 차단인가?

고위 뱀파이어들이 여러 차례 경험을 통해 익히는 게 통각 차단이다. 그런데 이제 막 아웃레이지라는 비약을 접한 뱀파이어들이 몇 번 되지 않는 실전 속에서 통각 차단을 터득했다.

일방적으로 당하고 있는 와중이지만 짜증 나는 한편으로 자신들의 능력에 확신을 얻었다.

"이게 고위 뱀파이어들이 누리던 힘이군."

"감탄만 하지 말고 응사해라!"

정 노인의 외침과 함께 몇몇은 칼빈 소총으로 응사를 시작했고 몇몇은 불이 붙은 채로 달려들었다. 다른 이들은 어떻게든 능력을 쓰기 위해 낑낑거리며 궁리하고 있었다.

상대의 기습이 깔끔하게 들어왔지만 그럼에도 불구하고 이쪽의 절대적인 수가 많다. 게다가 텔레포트를 쓸 수 있는 배니싱 블러드의 멤버들은 이미 텔레포트를 써서 집중 공격을 피해 인근 길가에 숨어 있었다.

"…저걸 버티다니."

카나가와 교지 역시 정 노인과 아웃로 뱀파이어들이 무시무시한 집중 공격에도 별 타격을 입지 않는 걸 보고 감탄했다. 그들도 앙리 유이에게서 아웃레이지를 받아먹었지만 이런 효능이 있는 줄은 몰랐다.

'이게 약효가 떨어지면 무효화된단 말인가? 그렇다면 향후 아웃레이지 유통망을 준다는 건 너무 좋은 조건인데.'

카나가와 교지는 재빠르게 주판부터 튕기기 시작했다. 물론 그 주판이 현실화되려면 테트라 아낙스를 꺾어야 한다는 전제가 있긴 하지만… 사람이라는 게 원래 떡 줄 사람은 생각하지 않아도 김칫국부터 마시는 짐승이라 그쪽으로 상상력이 발휘되는 건 어쩔 도리가 없었다.

"저 언덕 위에 있는 건 리림 같습니다."

카나가와 교지의 뱀파이어 부하가 납작 엎드려 쌍안경으로 언덕을 살펴보며 말했다. 뱀파이어의 날카로운 감각은 어두컴컴한 밤중에 쌍안경으로 들어오는 약간의 빛만으로도 원경을 파악 가능했다.

"리림인가. 어디 여기서도 정 노인이 어떻게 하나 볼까?"

카나가와 교지는 사실상 선봉을 정 노인에게 떠넘겼다. 상대가 리림과 한세건이라면 만만치 않은 적이다. 아무리 아웃레이지 덕분에 힘이 늘어났다 하더라도 가급적 남에게 선봉을 떠넘기고 싶었는데 타이밍 좋게도 일이 풀려간다.

"그 옛날, 많은 뱀파이어가 라이칸스로프를 피해 도망 다녀야 했지. 지켜보자고."

카나가와 교지는 전장에서 이탈해 상황을 지켜보는 것을 전혀 부끄럽지 않게 여기고 있었다. 과거 많은 뱀파이어가 동시대의 강력한 라이칸스로프를 피해 다녀야 했을 정도로 라이칸스로프의 전투력은 특출 나다.

라이칸스로프의 수명은 뱀파이어보다 짧으니 그 라이칸스로프가 늙어 죽을 때까지 다른 곳으로 피신해서 살아야 했던 적도 있다. 정 노인이나 다른 아웃로 뱀파이어들이 한세건에게 복수하겠다고 설치고 있긴 하지만 그들은 어디까지나 뱀파이어 사회의 주변만 맴돌던 주변인이었다. 과연 자신들이 상대하는 라이칸스로프, 리림이 얼마나 위험한 놈인지 알고 있는 걸까?

구울들이 몰려온다. 마치 좀비 영화의 한 장면 같다. 문제는 이게 서울의 입구인 1번 국도 앞에서 펼쳐지는 현실이라는 것이다. 이것들, 그리고 무장한 뱀파이어 군대를 보며 서현은 혀를 찼다. 그전까지 뱀파이어들끼리의 싸움은 어디까지나 테트라 아낙스의 보호를 받으며 그 최소한의 룰을 지키며 싸웠다.

자신들의 정체를 숨긴다. 이 약속은 테트라 아낙스의 보호를 받는 이든, 그렇지 않은 이든 다들 지키는 게 유리했다. 그걸 깨고 저만큼 많은 사람을 죽이며 오다니 역시 앙리 유이와는 같이 할 수 없겠다. 결과적으로 테트라 아낙스를 돕는 꼴이 되겠지만 양쪽 다 병신이라면 덜한 병신 쪽 편을 드는 게 인지상정이다.

"루스킨, 해라."

서현의 명령과 동시에 길가 배수로에 드러누워 있던 남자가 모습을 드러내었다. 짧은 머리칼에 짙은 눈썹을 가진 이 몽골리

안 청년, 루스킨은 쇠파이프에 도끼와 낫을 용접해 만든 거대한 할버드를 들고 달려드는 구울들에게 손을 까딱였다.

“요리 컴, 시체들아. 내가 텡그리(몽골의 하늘신)에게 보내주마.”

루스킨은 신나서 쇠파이프로 만들어진 할버드를 휘두르며 달려드는 구울들을 호쾌하게 토막 냈다. 2미터가 훌쩍 넘는 쇠파이프가 루스킨의 손에서 탄성 한계를 시험하듯 버드나무 가지처럼 낭창거리며 휘둘러지는데, 낭창거릴 때는 유약해 보여도 그 끝에서는 사람을 두 동강 낼 만큼의 속도와 힘을 자랑했다.

“귀엽게 별 모양으로 잘라봐야지!”

루스킨이 헛소리를 내뱉으며 이 할버드로 펜타그램을 그렸다. 물론 결과물은 전혀 귀엽지 않았다. 손발과 내장이 숭덩숭덩 날아가는 걸 귀엽다고 생각한다면 미친 거겠지.

서현은 루스킨에게 구울의 처리를 맡기고 자신은 드라구노프를 들고 뱀파이어들을 노렸다. 불타는 자동차를 피해 엄폐물 밖으로 나온 뱀파이어들이 카빈 소총과 M3 기관단총 등 2차 세계대전 무렵 화기로 쏘는데 총기 상태가 별로인 데다 총탄도 약하기 짝이 없다. 저 정도 화력이면 수수밭에 숨어도 못 맞히겠다. 서현이 방아쇠를 당길 때마다 뱀파이어들의 머리가 피를 뿜으며 하나하나 차례차례 나뒹군다.

그러나… 압도하고 있음에도 어째 서현은 불길한 예감이 뒷골을 당기는 게 느껴졌다. 폭약과 총격, 전부 다 성공적으로 들어가서 기분은 상쾌한데 실제적으로 뱀파이어를 줄였냐 하면 그건 아니다. 때려도 때려도 상대가 줄어들지 않는다.

구울들은 확실히 루스킨의 할버드에 의해서 토막 나고 있었지만 뱀파이어들은 전혀 줄어드는 기미가 보이지 않는다. 드라구노프로 머리를 쏴서 피투성이로 만들어도 잠시 후 그대로 일어난다.

역시 저만큼의 수가 다 아웃레이지를 먹고 진마에 가까운 능력을 가진 변종 흡혈귀로 거듭난 것인가? 지금 당장이야 부실한 장비, 전투 경험의 부족으로 별로 힘을 못 쓰고 있지만 저것들이 변종 흡혈귀로서의 힘을 제대로 쓰기 시작한다면 곤란해질 것이다. 아니, 당장 저 정도만 해도 대부분의 뱀파이어 헌터는 속수무책일 것이다.

그래서 이렇게 불길한 걸까? 아니면……?

"컥!"

그때였다. 신나게 구울들을 도륙하고 있던 루스킨이 갑자기 손에서 할버드를 떨어뜨렸다. 새하얀 칼날이 어느새 루스킨의 복부를 뚫고 등 뒤로 튀어나온 것이다.

"으윽… 웨엑……."

루스킨은 입을 벌리고 새하얀 점성질의 물체를 토해내고 있었다. 엑토플라즘이다. 영체와 물질의 중간적인 점액질 물질이 쉴 새 없이 루스킨의 입에서 튀어나온다. 루스킨이 허우적거리고 있지만 이미 폐에 가득차서 숨도 쉬지 못할 지경인 것 같다.

우우우우우우!

산길을 터서 고가도로와 국도가 교차하는 길목, 그 길목을 따라 안개가 깔리고 사방에서 악령들이 몰려온다. 그리고 단단한 보도블록 밑바닥에서부터 스멀스멀 안개로 이뤄진 형상이 올라왔다.

루스킨을 꿰뚫은 하얀 칼날을 들어 올리며 지면에서 나타난 것은 앙리 유이의 아이들을 키운 여성, 윈슬렛의 유령이었다.

"…역시 안 죽었나."

앙리 유이의 아이들을 키워낸 고아원을 찾아가 저 여자의 몸을 처리했었는데도 역시 죽지 않았다. 생각해 보면 당연한 일이기도 했다. 앙리 유이가 만들어내려고 했던 것은 유사 릴리쓰, 그녀의 육체는 과거 '프레스터 존의 성구' 처럼 미라 괴물화되어 있었지만 그것과 저 영체와는 또 별개의 존재가 되어야 마땅하다. 릴리쓰가 프레스터 존의 성구와 별개로 존재하는 것처럼.

'그만큼 진행되었다면 앙리 유이가 만든 저 여자 유령, 거의 릴리쓰에 근접해 있단 뜻인데?'

릴리쓰가 잉태한 괴물, 서현의 입장에서는 참 입맛이 쓰다.

"우욱… 웨엑!"

그러는 와중에도 루스킨은 버둥거리며 손발을 허우적거렸다. 엑토플라즘이 폐에 차서 질식하게 생겼다.

"뭐, 뭐야? 저건?"

뱀파이어들조차 자신들의 눈앞에서 벌어지는 일을 이해하지 못하고 있었다.

"귀신인가?!"

몇몇 놈은 자신도 흡혈귀이면서 두려워했다. 자신도 초상현상의 일부이면서 다른 초상현상을 두려워하다니. 인간적이라서 좋은 건가. 어쨌거나 정 노인은 지금이 절호의 기회라는 걸 깨달았다.

서현과 빼또쥬, 루스킨 삼인방의 공격력은 대단했지만 엄밀히 따지고 보면 저들의 합이 잘 짜여 있어서 상승효과가 나는 것이지, 머릿수 자체는 절대적으로 적다. 한 명이라도 빠지면 바로 틈이 보이게 되는데, 루스킨이 유령에게 걸려서 고통스러워하는 이때야말로 절호의 기회다.

정 노인과 앙리 유이를 따르는 아웃로 뱀파이어들은 갑자기 나타난 강력한 조력자에 용기백배해 달려든다.

"이런 젠장."

서현은 뱀파이어들이 달려드는 모습을 보고 잽싸게 지원 사격에 나서 그들의 머리통에 총탄을 박아 넣어주었다. 엄폐물도 없이 달려드는 뱀파이어들은 아주 쉬운 표적이지만 어째 결과물은 영 시원치 않다.

앙리 유이가 만든 유사 VT의 재생력은 확실히 강력해서 헤드샷을 날려도 다들 멀쩡하다. 평소 VT가 높아서 여러 가지 능력을 개화시키지 않은 뱀파이어라면 헤드샷 한 방에 의식이 날아가 혼절하기라도 해야 하는데… 이놈들은 빠르게 능력을 개화해 의식을 잃지 않는다.

능력 개화조차 빠른 건가? 그렇다면 심각한 문제다.

그러나 지금은 루스킨의 상태가 더 심각하다. 계속 입으로 엑토플라즘을 질질 토해내고 괴로워하는 모습을 보니 지상에서

익사하게 생겼다. 게다가 그사이에 뱀파이어들이 접근해 왔다.

"이게 다냐? 여기에 고작 두 놈 있었어?"

뱀파이어들 사이에서 으름장이 날아왔다. 그러자 서현은 어깨를 으쓱해 보였다.

"그러는 너희야말로 배니싱 블러드 애들은 어디 가고 너희 오합지졸들만 덤비냐?"

"뭐?!"

"이 자식이!"

뱀파이어들은 기세등등해져 있었다. 그도 그럴 것이, 싸우면 싸울수록 자신들의 능력을 새롭게 발견하니 의욕이 샘솟을 만하다. 테트라 아낙스와 그가 선택한 정통파 클랜의 뱀파이어들이 독점하고 있던 힘, 높은 VT가 부여하는 여러 가지 능력에 눈을 뜬 뱀파이어들은 자신의 능력에 도취되었다.

"약 먹고 고양된 기분은 이해하겠는데 잠깐 다들 냉정해지라고. 왜 배니싱 블러드 애들은 뒤에서 구경하고 너희가 전면에서 있나?"

서현이 너스레를 떨자 몇몇 뱀파이어가 자신들의 주위를 둘러보았다. 과연 배니싱 블러드의 뱀파이어들이 보이지 않는다. 이놈들은 습격당하는 바로 그 순간 텔레포트를 이용해 빠져나가 멀찍이 떨어져서 안전히 구경하고 있었던 것이다.

배니싱 블러드의 뱀파이어들은 정 노인과 아웃로 뱀파이어들이 멈칫하고 자신들을 바라보는 걸 확인했다.

"조장님, 저들이 알아챈 것 같습니다만."

"어떻게 할까요? 지금이라도 좀 성의를 보여야 할 것 같은데."

"저들이 저 정도로 잘해낼 줄은 몰랐습니다."

뱀파이어들이 카나가와 교지의 의향을 물었다. 지금이라도 합류해서 저 라이칸스로프를 쳐야 하는지, 아니면 계속 나 몰라라 할지 물어본 것이다. 아무래도 분위기상 이제 그들도 무거운 엉덩이를 움직여야 할 판이다. 그런데 그때였다.

부아앙!

국도 밑, 안양천 쪽의 둑에서 바이크 한 대가 튀어 올라왔다. 깜짝 놀란 배니싱 블러드의 뱀파이어들이 소리가 난 곳을 바라보자 무서운 속도로 경사를 튀어 오른 바이크가 뱀파이어들을 덮쳤다.

그와 동시에 새카만 와이어가 풀려 나와 배니싱 블러드의 뱀파이어들을 덮쳤다.

"윽!"

텔레포트가 주특기인 뱀파이어들이지만 사실 배니싱 블러드의 멤버들이 텔레포트를 각성한 것은 극히 최근이다. 자칭 극도, 타칭 쓰레기인 야쿠자들의 서열 의식상 조장인 카나가와 교지가 뭐라고 해줘야 그를 버리고 뿔뿔이 텔레포트로 흩어지든가 할 텐데 이 경우 경직된 조직 문화가 장애물이 되었다. 카나가와 교지가 멍때리는 사이 배니싱 블러드의 뱀파이어들에게 날아든 와이어가 그들 사이에 엉켰다.

그리고 폭발이 뒤따랐다. 철조망 제거용 도폭선 사출기처럼 도폭선을 뽑아낸 한세건이 점화 플러그를 당기자 뱀파이어들에게 감겨 있던 도폭선이 터지며 그들을 토막 낸 것이다.

하지만 카나가와 교지와 배니싱 블러드의 뱀파이어들도 전부 다 아웃레이지를 먹어두었기 때문에 순식간에 재생한다. 폭발로 파괴된 상처 부위를 순식간에 재생하는 그들은 외려 한세건을 보고 키득키득 웃고 있었다.

"한세건. 확실히 어중간한 뱀파이어들 상대라면 날고 기었겠지만 이게 전부지. 네놈이 테트라 아낙스의 뒤처리를 하다니 어지간히……."

"응, 닥쳐."

한세건은 말 섞기도 귀찮다는 듯 어깨에 매단 스마트폰의 터치 패널에 손가락을 대고 쓱쓱 그었다. 그 순간… 고가도로 밑에서 박격포가 날아왔다.

"억?!"

"미친!"

배니싱 블러드의 뱀파이어들은 기겁했다. 야쿠자든 뭐든 간에 텔레포트를 써서 다들 피하려 했는데… 피해지질 않는다. 한세건의 도폭선에 맞았던 자리에 검은 영기가 피어오르며 그들을 묶어두어 혈인 능력을 사용할 수 없게 방해하고 있었던 것이다.

한세건의 혼팅과 녹티스의 결합체, '흑영박'이 배니싱 블러드의 혈인 능력을 갉아먹고 있었다. 박격포가 그들 사이에 떨어지며 뱀파이어들의 팔다리가 하늘로 날아올랐다.

"당했다."

카나가와 교지는 애초에 한세건이 모습을 드러낸 게 자신들을 요격하기 위해서였음을 깨닫고 혀를 찼다.

사실 배니싱 블러드가 뱀파이어의 정체를 드러낼 것을 각오하고서 테트라 아낙스를 대적하려 했다면 훨씬 간단한 방법이 있었다. 텔레포트를 이용해서 각국의 유명인들을 암살하는 것이었다. 하나 배니싱 블러드는 오랜 세월 테트라 아낙스의 비호를 받으며 살던 시절의 버릇이 남아 있었고 그것이 그들의 활동과 창의력을 제약했다.

배니싱 블러드의 일반적인 멤버들이 텔레포트라는 능력에 각성한 것도 극히 최근이었다. 당연히 자신들의 능력을 활용하는 법을 모른다. 전술적으로는 자인이라는 선대 뱀파이어가 사용하는 걸 보았으니 어찌 흉내 낼 수 있었지만 그것을 전략적으로 사용하는 법은 아무래도 미숙할 수밖에.

하지만… 뱀파이어들은 박격포격에도 쓰러지지 않았다.

한세건이 자신의 오토바이에 매단 사이드 백에서 폭발물을 던져 뿌려도… 뱀파이어들은 이내 일어났다. 이제 그들은 더 이상 허약한 존재가 아니다. 비록 앙리 유이가 던져 준 비약의 힘이긴 하나 다들 불사신이란 이름에 부끄럽지 않은 괴물이 되었던 것이다.

"크… 크크크. 이거 내 능력도 내 예상외로군."

한세건과 서현의 매복에 꼼짝없이 걸려 정 노인과 카나가와 교지의 뱀파이어 군대는 준비된 탄약 대부분을 몸으로 들이마

셨다. 보통 뱀파이어가 몸으로 탄약과 폭약을 들이마시면 피와 살의 분쇄육으로 화해야 정상이겠지만 이제 다르다. 이것이 바로 앙리 유이가 열어갈 새로운 뱀파이어의 시대다.

"……."

한세건의 표정에서 여유가 사라졌다. 이전에도 저 비약을 먹은 뱀파이어를 상대했기에 그때를 기준으로 잡은 게 실수였다. 그사이에 이 비약의 약효가 급진적으로 오른 것이다. 하지만 지금 한세건의 표정을 굳게 만든 건 이들이 아니다.

스스스스스스…….

안개를 쓸어내는 낮은 바람이 불고 있었다. 윈슬렛이 나타나면서 깔린 안개를 흩어내고 보도블록 위로 흙먼지를 깔고 지나가는 낮은 바람, 그 바람은 바로 서현에게서부터 뿜어져 나오고 있었다.

"쿠, 쿨럭… 으, 안 돼. 서현!"

루스킨은 윈슬렛에게 꿰여 토악질을 하면서도 서현을 막으려 했다. 하나 서현은 오른눈에서 흉흉한 붉은 안광을 빛내며 용광로처럼 달아오르고 있었다. 그에게서 뿜어져 나오는 열기가 약 100여 미터 떨어진 한세건에게도 느껴질 정도였다.

"…모두 주목."

서현의 손이 하늘로 들어 올려졌다. 뱀파이어들은 순간 놀랐다. 뭐지? 설마 투항인가?

하지만 이제 와서?

아니, 아니다. 생각해 보면 한세건도 서현도 굳이 테트라 아낙스에게 충성할 이유는 없는 자들. 여기서 테트라 아낙스에 대항하는 앙리 유이에 맞서서 죽을 이유는 없지 않은가?

뱀파이어들은 서로의 눈치를 살펴보았다. 보통 뱀파이어들은 인간이나 라이칸스로프와 타협 없이 죽여왔지만 이들의 경우는 다르다. 만약 투항한다면 어떻게 해야 하지? 그런 의견을 나누고 있을 때 서현의 입이 열렸다.

"지금부터 선착순 딱 한 명만… 곱게 죽여준다. 손들어 봐."

"……."

그 순간 모든 뱀파이어들은 자신의 귀를 의심했다.

지금 저놈이 뭐라고 지껄인 거지?

"이런 당돌한 놈들."

정 노인은 그 모습을 보고 분개했다. 서현의 발아래에는 빈 탄창들이 구르고 있고 한세건 역시 단번에 대량의 폭약을 투입해 배니싱 블러드의 뱀파이어를 공격했지만 배니싱 블러드의 뱀파이어들은 놀랍게도 폭약을 몸으로 마시다시피 하며 한세건의 탄약을 고갈시켰다.

루스킨은 윈슬렛에게 꼬치 신세가 되어 있고 고가도로 위에 있는 놈들의 한편도 가져온 탄약은 다 썼다.

절체절명의 상황이다.

목숨을 구걸해도 들어줄까 말까 한 판이다. 그런데 뭐?

선착순 한 명만 곱게 죽여주겠다고?

릴리쓰의 자식인지 뭔지 모르겠다만 지금의 그들은 진마에 필적하는 괴물이다. 아니, 특정 계통의 뱀파이어들과 비교해 보면 진마 이상의 재생력을 가졌다고 해도 과언이 아니다.

적어도 해가 뜨기 전에는… 몸으로 탄약을 마셔서 고갈시킬 수 있다.

아무리 대단한 적이라 해도 이젠 끝이다.

그런데 이놈은 여전히 새로운 시대에 적응을 못 하는 건가? 릴리쓰의 자식이라는 게 그렇게 대단해서?

"흐흐, 우릴 어떻게 죽일 건데?"

젊은 뱀파이어 한 명이 그렇게 물어보았다. 정 노인은 그의 경솔함을 꾸중하려 했으나 서현을 생각하니 화가 나서 말릴 생각도 사라졌다.

말로 남 열받게 하는 재주가 뛰어난 놈이니 계속 주둥이를 놀리게 해봤자 도발만 나오겠지만 정 노인과 뱀파이어들은 자신들의 우위를 절대적으로 확신하고 있었다.

그런데 그때 서현의 손이 느릿느릿 움직였다. 슬슬 손끝이 떨리는 걸 보니 역시 허세였나? 하지만 서현의 손끝이 입을 연 뱀파이어의 머리를 가리켰다.

"네 머리통을……."

서현의 손이 옆에 있는 다른 뱀파이어를 가리켰다.

"저 녀석 항문에 박아 넣지."

순간 모두 서현이 무슨 소리를 하는지 이해하지 못했다.

물어본 뱀파이어가 문득 반문했다.

"뭐?"

"항문은 너무 어려운 단어였나? 똥구멍, 아누스라고 하면 알아듣겠냐?"

"이 미친……."

그러나 그다음 순간…….

콰직!

서현을 중심으로 반경 10미터 안의 모든 뱀파이어가 순식간에 산산조각 났다. 어느새 서현은 늑대의 머리, 회색과 은색의 털로 뒤덮인 야수의 형태로 변신해 있었다. 그가 손을 휘두른 것만으로도 뱀파이어들이 마치 젖은 창호지처럼 좍좍 찢어져 토막 난 채로 흩뿌려졌다.

말도 안 되는 위력과 살상력. 하지만 재생 능력을 가지고 있는 뱀파이어들은 아무도 그걸 심각하게 여기지 않았다.

그러나 재생력을 끌어 올린 순간 그들은 뭔가가 잘못되었다는 걸 깨달았다.

"억……."

"끄아아아아!"

산 채로 불꽃에 타들어가도 자신의 고통을 남의 일인 양 관조하던 이들이 비명을 질렀다. 어린아이처럼 엉엉 울며 고통스러워한다.

처음 서현이 손가락질했던 뱀파이어는 사지를 수복하며 재생하는 순간 전신이 으깨지는 듯한 고통을 받았고 다른 뱀파이어는 반대로 찢어지는 고통을 겪었다.

복원이 되지 않는다.

아니, 정확히는 한 명의 복원력이 다른 놈의 육체를 손괴하고 다른 놈의 복원력 역시 그를 손괴시킨다. 두 뱀파이어가 서로 겹쳐진 채 서로의 재생력, 서로의 구속력으로 각자 자신들을 손상시키고 있는 것이다.

어떤 의미에서는 서현의 선언대로다. 한 뱀파이어는 자신의 엉덩이와 배, 내장을 수복시키려 하고 있는데 그 뱀파이어의 항문과 골반, 배에 겹쳐져 있는 다른 뱀파이어는 으깨진 머리통과 어깨를 수복하려고 애쓴다.

서로의 구속력이 피와 살을 자기 주인에게 가져가기 위해 끌어다 쓰면서 뱀파이어들은 커럽티드가 아님에도 불구하고 순식간에 커럽티드와 비슷한 형태가 되어갔다. 저 끔찍한 모습을 과연 '엉덩이에 머리를 처넣는다'라는 코믹한 표현으로 묘사할 수 있을까?

그로테스크한 장면을 말로 표현하면 저렇게까지 희화화된단 말인가? 뱀파이어들은 그런 의문을 느끼며 덜덜 떨었다.

늑대 인간으로 변신한 서현은 면도날처럼 예리한 손톱을 들어 가로등에 비춰 보면서 그르렁거렸다.

"네놈들 아웃로나 인간들이나 한 가지 큰 실수를 하고 있지."

늑대 인간 서현이 걸어오며 발로 뱀파이어들을 걷어찬다. 날카로운 발톱에 걸린 뱀파이어들이 순식간에 세로로 찢어지고 갈라진 내장에서 순식간에 암세포가 자라나… 마치 거대한 입처럼 변해 근처의 뱀파이어를 덮친다.

"너희는 살 자격이 없다."

서현은 그렇게 선언했다.

오만방자한 선언이지만 이 순간 이 자리에 있는 이들은 누구도 감히 서현에게 그 말의 책임을 지울 수 없었다.

서현이 선사하는 폭력이 그의 말에 저항할 수 없는 권위를 심어준다. 이미 세상 물정 다 겪어봤다고 자부하는 뱀파이어들이 목숨이 아까워 입을 다물게 만들 정도의 힘…….

지금 서현에게는 그런 무시무시한 힘과 위압감이 넘쳐나고 있었다.

"생명이 소중해서 살 권리가 있다? 다 개소리야. 사실 너희나 나나 구제 불능의 쓰레기지."

서현의 몸이 떠오르더니만 지면에서 루스킨을 꿰뚫고 있는 윈슬렛을 향해 떨어졌다. 윈슬렛의 영체가 땅속으로 숨어들고 보도블록 밑에서 무수한 엑토플라즘의 칼날이 튀어나와 루스킨을 토막 냈다. 발밑에 도산검림(刀山劍林)이 만들어졌지만 서현은 그 엑토플라즘 칼날을 다 때려 부수고 지면을 강타했다.

보도블록이 튀어 오르고 흙먼지가 수십 미터 높이로 튀어 오르며 근처의 뱀파이어들을 날려 버렸다.

그 폭풍의 속에서 서현은 마음껏 자신의 증오심을 폭발시켰다.

"그런데 마치 이 세상에게 맡겨둔 것처럼 자신에게 살 권리가 있다고 선언하는 놈들은 짜증 나! 이제 와서 너희가 세상에 뭔가 요구할 자격이 있어?! 그 반대야! 너도 나도, 다른 누구도 권리가 없기 때문에… 살 권리가 있어서가 아니라 남을 처단할 권리가 없기 때문에 죽지 못해 살아가는 거야!"

서현은 마치 아이들에게 자기 이야기를 하듯 담담한 어조로 말하며 지면을 다시 후려갈겼다. 윈슬렛의 안개가 흐트러지며 열풍이 사방팔방으로 뻗어나가고 보도블록이 총탄처럼 사방으로 튀었다.

"컥……."

보도블록에 정강이를 맞은 정 노인이 앞으로 쓰러졌다. 그가 허우적거리는 사이 서현이 고개를 빙글 돌렸다. 윈슬렛을 무력화시킨 늑대 인간의 불타는 붉은 눈동자가 정 노인을 노려보았다.

"네놈들은 기본적으로 쓰레기로서 살아가는 자세가 안 되어 있어."

짐승이 거친 숨을 몰아쉬며 다가온다. 정 노인은 놀라서 물러나려 했지만 물러날 수가 없다. 그의 정강이에 박힌 보도블록을 팔다리가 마치 원래 신체의 일부였던 양 흡수하려 해서 기형적으로 재생되고 있었다.

말도 안 돼, 이건 뭐… 재생 능력에 혼선을 일으키다니? 이런 방법이 있었나?

경악하는 정 노인을 보고 늑대 인간, 서현은 이를 드러내었다. 마치 그의 안에 깃든 야수성이 상대의 나약함을 경멸하게 만드는 듯했다.

경멸하고 모욕하지 않고는 견딜 수 없는 모양이었다.

"역시 너희는 도금된 놈들이야. 진마라면 재생력과 구속력을 재편성해서 불필요한 증식부를 절단하고 자신의 영적인 설계도에 따라 몸을 완전히 재정립했을 거다. 그래, 잠깐 동안 앙리 유이가 만든 비약에 취해서 기분 좋았나, 쓰레기?"

서현은 정 노인의 멱살을 잡았다. 어찌나 힘이 센지 그것만으로도 정 노인의 척추가 꺾여 피부를 찢고 튀어나왔다.

"컥… 크윽……."

"자, 말해봐. 무엇이 너에게 다른 이들을 처형할 권리를 주었지? 응? 백스토리를 읊어봐. 무엇이 너에게 이런 일을 저지르지 않으면 못 견디게 만들었나?"

서현이 둥글게 후려쳐 정 노인의 피부를 벗겨 버렸다. 깔끔하게 깎여 나간 두피가 날아가 인근 나무에 철썩 달라붙었는데 그 나무 역시 자신의 신체로 인식하고 육신이 재생하기 시작한다. 초현실주의 화가의 악몽이 현실에 펼쳐지는 것처럼 주위의 모든 것이 살덩이와 부패로 가득 찼다.

"큭… 테… 테트라 아낙스의 지배는 끝나야 한다. 기만과 선별로 우리를 아웃로라 낙인찍었는데 왜 우리가 테트라 아낙스의 월야를 파괴하지 않고 거기에 순응해야 하지?! 그가 만들어 낸 프레임에 순응하면서 부족한 힘으로 어떻게……."

서현의 입꼬리가 말려 올라갔다. 늑대의 모습을 한 이 끔찍한 야수가 웃고 있었다. 놀라운 일이다.

"아, 매우 바람직한 이야기로군. 그런데 저기 저 허접한 인간은 테트라 아낙스의 사회적 얼굴인 플렉스 메디칼 건물에 폭탄 테러를 하던데 왜 너희는 너희 아웃로나 다름없이 다른 인간들에게 착취당하는 약자만 골라서 해쳤는데? 쓰레기에겐 쓰레기로서의 미학이 있어야 하는 법인데 네놈들에겐 그런 게 영 안 보인단 말이야."

서현은 말도 안 되는 억지를 부리며 홱 손을 뿌려 정 노인을 두 동강 냈다.

인간 형체를 한 손으로 후려쳐서 무슨 수수깡 꺾듯이 꺾어버리는 모습이 끔찍하다. 기분 나쁠 정도로 인간의 모습을 닮은 것이 가차 없이 파괴되어 널브러지는 모습 그 자체로 보는 사람들을 섬뜩하게 하는 데다가, 지금 서현의 공격은 어지간한 재생력을 다 교란시키는 무시무시한 저주가 깃들어 있어서 폭주하는 재생력이 오히려 해가 되었다.

스스로의 재생력으로 파괴되어 가는 뱀파이어들을 뒤로하고 서현은 발걸음을 옮겼다.

카나가와 구미의 뱀파이어들은 갑작스러운 재앙에 당혹스러워했다. 방금 전까지 그들은 일방적으로 폭약과 총화기를 맞아도 오히려 우세를 점하고 있었다.

하지만 서현이, 저 리림이 늑대 인간으로 변신한 순간 이야기가 달라졌다.

"…말도 안 돼."

카나가와 교지는 서현의 모습을 보고 당혹스러워했다. 그 역시 지금까지 다른 늑대 인간을 안 본 게 아니다. 애초에 배니싱 블러드 클랜은 대항해시대에 자신들의 영역에 흘러들어 온 라이칸스로프 갱단을 피해 일본으로 이주한 세력이었다.

그때도 라이칸스로프 갱단에게 형식상으로는 쫓겨 가는 모습이었지만 그보다는 쓸데없는 항쟁을 피하고 금과 은이 가득하다는 동방으로 떠난 것이었다. 저렇게 뱀파이어를 죽이기에 특화된 괴물은 카나가와 교지의 인생을 통틀어 단 한 번도 본 적이 없었다.

"쓰레기의 미학이라. 말은 잘하는군."

한세건은 서현의 말을 듣고 피식 웃었다. 그는 검을 빼 들고 오른손으로 오토바이의 스로틀을 잡은 채 뱀파이어들을 노려보았다.

"그럼 우린 우리끼리 놀아볼까?"

"……."

카나가와 교지는 힐끔 자신의 부하들을 바라보았다. 누구 한 명 한세건의 저 흑영박에 구속되지 않은 자가 없었다. 작은 물체 한두 개쯤은 텔레포트시킬 수 있겠지만 몸 전체를 옮기는 텔레포트는 불가능하다.

"이 자식이! 탄약 다 떨어진 게 빤히 보인……!"

뱀파이어가 막 된, 그래서 이 조직에서 좀 열심히 해 윗선에 잘 보이려고 노력하는 애송이들이 한세건에게 뛰어들었다. 다들 품에서 회칼이나 단도를 빼 들었다. 우스워 보이지만 뱀파이어 손에 들린 날붙이는 소도 단칼에 목을 떨어뜨릴 정도의 위력이 있었다.

문제는 한세건 역시 그걸 잘 알고 있고, 그런 뱀파이어들을 상대하는 데는 이미 이골이 나 있다는 점이다.

세건의 손이 스로틀을 당기자 야생마로 돌변한 바이크가 튀어나오며 앞바퀴로 선두 뱀파이어를 들이받았다. 바이크의 무게와 한세건의 무게, 그게 합쳐지니 뱀파이어가 얼마나 힘이 세든 간에 속절없이 튕겨 나가 나뒹굴 수밖에 없었다.

그리고… 세건의 손에 들린 검이 휘둘러졌다. 망령들의 울부짖음과 함께 새카만 저주와 부패, 암흑이 검과 함께 춤춘다. 회칼로 그걸 받아낸 뱀파이어의 팔이 통째로 깔끔하게 떨어진 순간…….

살점에서 피고름이 왈칵 쏟아져 나왔다. 전신에 인면창이 번지고 그 사람 얼굴의 종기가 피눈물을 흘리기 시작한다. 순식간에 고름과 종기의 덩어리로 변한 뱀파이어가 바닥을 나뒹굴었다.

"크, 혼팅……."

카나가와 교지도 혼팅이 무엇인지는 알고 있다.

릴리쓰나 그녀와 비슷한 영적인 존재들, '태초의 영'은 뱀파이어를 인간의 영성을 흡수해 자신의 수명을 무한정 보충 가능한 자로 만들어내었다.

그들에 의해 희생된 자들은 원령이 되어 뱀파이어의 혈통 안에 깃든다. 뱀파이어의 생전에는 그리 큰 영향을 미치지 못하나 사이키델릭 문으로 가공되면 그것이 성질을 주도하게 된다.

뱀파이어에게 희생당한 원령들, 뱀파이어의 VT인자의 양식이 된 희생자들의 원령이 사이키델릭 문을 들이킨 뱀파이어 헌터의 영혼백육, 그들의 생명력, 영혼을 담는 그릇을 마치 치약

튜브 짜듯 쥐어짠다.

뱀파이어와 맞서 싸울 만큼 강한 힘을 주는 대신 그들 역시 저주로 차례차례 파멸되게 하는 죽음의 마약. 그것이 사이키델릭 문이고 혼팅은 그 저주의 원령들이 구현화되는 사이키델릭 문의 부작용 중 하나다. 그런데 한세건은 특이하다. 한세건은 혼팅을 자유자재로 구사해서 오히려 뱀파이어들에게 덧씌워 버린다.

저 정도로 강력하고 무기화된 혼팅을 카나가와 교지는 본 적이 없다.

살아 있는 자를 저주하는 악령들, 뱀파이어의 혈통 속에 유구한 세월을 내려온 무시무시한 고대의 악령들이 한세건의 증오에 의해 정련되어 꿈틀거린다.

"너희가 시건방져서 다행이지. 텔레포터들이 작정하고 도망쳐 다니며 일격이탈 해대면 꿈자리가 뒤숭숭한 일이거든."

한세건은 배니싱 블러드를 과소평가하지 않았다. 오히려 배니싱 블러드의 뱀파이어들보다 훨씬 더 그들의 능력을 높이 사고 있었다.

그렇기에 귀찮은 능력을 가진 뱀파이어들을 이 기회에 제거한다.

그렇게 다짐한 세건은 능숙하게 바이크를 몰아 뱀파이어들에게 칼을 휘둘렀다. 그야말로 기병대를 현대에 되살려 놓은 듯한 모습이다. 클러치와 스로틀 때문에 양손과 발을 써야 하는 매뉴얼 바이크를 한 손과 다리만으로 다루면서 검을 휘두르자 뱀파이어들이 제대로 대처하지 못하고 토막 난다.

"젠장! 위로 뛰어들어!"

바이크를 타고 있는 세건을 노리고 위로 뛰어들지만… 한세건은 바이크를 옆으로 누이면서 매우 작은 각도로 선회하는 것과 동시에 검을 휘둘러 상대를 후려쳐 두 동강 냈다. 뱀파이어의 신체 능력은 대단하지만 애석하게도 인간을 베이스로 한 생물이다 보니 인간의 반응 대사를 따를 수밖에 없다. 시신경에 빛이 닿고 로돕신이 분비되면서 흥분된 시상세포의 정보가 뇌에 전달되면 뇌가 영상을 분석해 행동을 전개하는 이 과정은 아무리 신체 능력이 강화된다 해도 빨라질 수 없었다.

그런 점에서 한세건의 반응 속도는 배니싱 블러드의 뱀파이어들보다 훨씬 빠르다.

사이키델릭 문의 효과…….

생명과 영혼을 쥐어짜는 순간에 익숙한 한세건은 시각 정보 처리 속도가 월등히 빠르다.

아무리 신체 능력이 뛰어나다 해도 시각 처리 속도는 순전히 신경계의 성능에 좌우된다.

뱀파이어의 신체가 뛰어난 완력과 회복력을 가지고 있다 해도 뇌의 성능까지 끌어올려 주지는 않는다.

반면 한세건은 그 사이키델릭 문의 극심한 중독에서 살아났으며 인간으로서 무술과 격투전을 연마하고 연구해 경험과 예측에 있어서도 타의 추종을 불허한다. 게다가 확실히 먹히는 무기를 가지고 있고 신체 능력도 뱀파이어들에 비해 떨어질 게 없다.

“우에엑!”

한세건에게 두 동강 난 뱀파이어가 바닥을 구르며 고통스러워한다. 단면으로부터 끝없이 피고름을 뿜어대고 상처를 따라 스멀스멀 검은 영기가 마치 토양을 헤집고 다니는 지렁이처럼 뱀파이어의 살점을 누빈다.

‘한 손으로 칼을 휘둘러 사람을 두 동강 낼 수 있을 정도의 완력이라면 이미 인간이 아니지.’

‘저거 매뉴얼 바이크인데 한 손이랑 한 다리만으로 여포가 적토마 몰듯 하네…….’

배니싱 블러드의 뱀파이어들은 난처해하고 있었다. 한세건은 바이크를 눕혀 슬라이드시키며 벽을 쌓고 상대를 바이크로 밀어버리거나 검으로 기병대가 사브르 돌격을 하듯 후려쳐 버린다. 그 벽을 파괴하기 위해 오토바이 자체를 치려고 하면 한세건의 칼날에 멱이 따이고, 뛰어넘어서 공격하려고 하면 한세건이 밑을 저돌적으로 파면서 위로 칼을 뿌리는데 위력이 경천동지할 만하다. 매뉴얼 바이크는 왼손으로 클러치를 잡아주어야 할 텐데… 저런 곡예에 가까운 짓을 하다 보면 실수도 할 법하건만 안 한다.

‘크… 아직인가.’

카나가와 교지는 자신이 이들의 상대가 되지 못함을 알고 최대한 멀찍이 떨어져서 능력이 회복되길 기다렸다. 일단 능력만 회복되면 텔레포트를 이용해 얼마든지 공격이 가능하다. 도망치는 것도 가능하겠지. 아니, 도망쳐야 한다. 서현이 늑대 인간으로 변신해 정 노인과 그 뱀파이어들을 정리하는 모습은 멀리서 봐도 처참했다.

인정해야 했다.

그들은 실패했다.

물론 그들이 서울로 진격하면서 해친 사람들이 적지 않고 심지어 군대마저 건드렸지만, 그럼에도 불구하고 결국 그들은 이 세계에 큰 반향을 일으키지 못했다. 한세건은 테트라 아낙스에게 직접 도전하고 살아남은 몇 안 되는 뱀파이어 헌터지만 지금 그들의 앞에 적으로 서 있다.

테트라 아낙스의 편이 되었나?

그러고 보면 새로운 테트라 아낙스, 서린은 원래 한세건과 함께 행동하던 자였지.

그렇다면 한세건과 서현, 이들 둘은 테트라 아낙스의 첨병인가?

게다가 그들이 진군하는 동안 피해를 축소시킨 방법까지 감안한다면 그야말로 놀라운 수완이라 할 수 있으리라. 이 테트라 아낙스는 이전의 진짜 아낙스에 비해 손색이 없지 않은가? 적이지만 감탄할 정도다.

하지만 이대로 패배할 수는 없다. 여기서 살아 나가기만 하면, 그래서 다음 기회를 얻을 수만 있다면 카나가와 교지는 진짜로 테트라 아낙스에게 자신과 배니싱 블러드의 잔당이 당한 수모를 몇 배, 몇십 배 이자까지 얹어서 돌려줄 자신이 있었다.

'이제서야 교훈을 얻다니 인간 노인네의 몇 배나 살았지만 지혜가 없구나.'

카나가와 교지는 그렇게 자책하며 한세건의 흑영박이 사라지길 기다리고 있었다.

하지만 그보다 먼저, 서현이 접근해 오고 있었다.

불길한 늑대 인간이다. 대부분의 라이칸스로프는 종으로서 번성하지 못하지만 개중에 특별히 강력하고 영웅적인 개체가 나타나 뱀파이어들의 세력을 줄이는 데 일조한다. 뱀파이어를 죽여 이 세계의 균형을 유지하고자 하는 의지가 느껴진다.

'하긴. 저놈은 릴리쓰의 아들, 진짜 신이 개입해서 만든 뱀파이어 학살용 괴물이 아닌가?'

흑영박은 해소될 기미가 보이지 않고, 두 뱀파이어 학살자가 다가온다. 배니싱 블러드의 뱀파이어들도 차례차례 쓰러지고 남은 것은 이제 카나가와 교지뿐.

그는 자신의 죽음을 각오했다. 그래도 만약…….

'나의 싸움을 하지 않고 끌려들어 와 이런 꼴이 되다니, 어리석었구나. 오래 살기만 했지 배운 게 없어. 만약 내가 여기서 살아 나가기만 한다면, 그때는 반드시 배니싱 블러드의 방식으로 영원히 테트라 아낙스에게 적대하겠다. 나의 방식으로…….'

카나가와 교지가 그렇게 맹세하였을 때였다.

서현과 한세건 사이에 갑자기 일남일녀가 나타났다. 그 순간 한세건은 잽싸게 칼을 내려놓고 아킴보로 두 자루 권총을 뽑아 들었다. 보고 확인하고 반응한 게 아니다. 나타나는 순간 묻지도 따지지도, 당황하지도 않고 뽑아 쏜다. 나타난 일남일녀는 바로 배니싱 블러드의 에두아르도와 츠구미였다.

"이거나 먹어라!"

에두아르도는 자신에게 쏟아지는 총탄을 무시하고 파이프를 서현과 한세건에게 뿌렸다. 츠구미는 중지손가락을 세운 뒤 카나가와 교지를 붙잡고 텔레포트했다.

"흡!"

한세건은 즉시 언덕 아래로 피신하고 서현 역시 파이프로부터 멀어졌다. 그러나 파이프들은 아스콘 위에 떨어지면서 텅 빈 소리를 낼 뿐, 폭발하지 않았다. 파이프 폭탄처럼 보이는 쇠파이프 뭉치였을 뿐이다.

"…젠장."

한세건은 몸을 일으켜 그 파이프들을 확인하고 혀를 찼다. 배니싱 블러드의 뱀파이어들을 도륙해야 했는데, 정작 두목을 놓쳐 버렸다.

"당했군."

서현이 텅 빈 파이프들을 들어 보고는 쓴웃음을 지었다. 어느새 변신을 푼 그는 찢어진 옷 대신 판초우비를 덮고 킥킥 웃고 있었다. 그 모습이 짜증 나서 한세건이 투덜거렸다.

"애초에 네가 피를 주사했을 때 잘해서 저놈들이 도망치지 못하게 했었어야 하는데……."

"그런 너야말로 차라리 그 배니싱 블러드 애들 도망 못 치게 한 기술을 쓰지 그랬냐? 그런 거 할 수 있는 데 왜 나에게 시켜

가지고…….”

“…텔레포트를 방해하게 조성을 바꿔본 것뿐이야. 네놈이 저두 연놈을 놓쳤을 때 해본 거고 솔직히 될 줄은 몰랐다.”

한세건이 그렇게 말하며 서현을 바라보았다. 그는 마치 마라톤 뛰고 골인 지점에 들어온 사람처럼 헐떡이면서 언덕길에 쓰러져 있었다.

“카타볼릭 상태에서 변신을 하다니… 대체.”

루스킨은 걱정스러운 표정으로 서현을 부축했다. 빼또쥬도 달려와 거들었다.

“해 뜨기 전에 피하자, 이사카. 지금 차들이 엄청나게 몰려오고 있어!”

경찰차들과 무장한 군병력을 실은 차량이 밤의 길을 뺑뺑 돌고 있었다. 테트라 아낙스가 이들 간의 싸움에 희생자를 늘리지 않도록 조치를 취한 것이겠지. 하지만 그걸 본 한세건이 짜증을 냈다. 일은 안 풀리고 결국 테트라 아낙스 손에 놀아난 것 같은 엿 같은 기분이 들었기 때문이었다.

“젠장. 결국 남 좋은 일 시켜줬군.”

“뱀파이어는 많이 죽였잖아.”

서현이 루스킨의 부축을 받으며 그리 말하자 한세건은 코웃음 쳤다.

“앙리 유이의 추종자라는 거지새끼들 말이지? 저 높은 곳에서 우아하고 고상하게 돈을 물 쓰듯 써가며 살아가는 뱀파이어들 말고?”

"그렇긴 하지만 솔직히 이 녀석들 장난 아니었어. 내가 변신한 것은 진짜 간만의 일이다. 난 옛날 테트라 아낙스와 총력전을 벌일 때도 변신하지 않았어."

서현이 말한 대로였다. 그가 변신해야 할 만큼 저 뱀파이어들이, 앙리 유이의 추종자와 윈슬렛이란 유령이 만만치 않았다. 그것들이 서울에 진입했다면 서울은 간만에 인구 천만 이하의 쾌적한 도시가 되었을 것이다.

"테트라 아낙스와 싸울 때도 변신하지 않았는데, 고작 앙리 유이가 버리다시피 한 패들, 부하라고 부르기에도 민망한 잔챙이들에게 변신까지 해야 했어."

그렇다면 앞으로 이 길에 얼마나 더한 시련이 기다리고 있을까? 오늘이야 승리로 끝났지만 앙리 유이와 테트라 아낙스의 싸움은 앞으로 더 거세지면 거세졌지, 덜해지진 않을 것이다.

"그럼 사람을 먹으러 갈 거냐, 이제?"

한세건이 그렇게 물어보았다. 카타볼릭 상태에서 변신을 한 반동으로 지쳐 버린 서현에게는… 확실히 사람을 먹는 게 중요하다. 그러나 서현은 고개를 가로저었다.

"먹어야 한다, 서현."

루스킨이 정색을 했다. 카타볼릭 상태만 해도 곤혹스럽지만 테트라 아낙스와의 싸움에서 이미 말라비틀어진 게 더 심각한 원인이다. 하지만 서현은 또다시 고개를 가로저었다.

"쓰레기가 올바르게 이 세상을 살아가려면 말이지……."

"뭐?"

"스스로를 벌하며 고통 속에 집어 던지는 거야. 그러니까 카타볼릭으로 고통받는 것도 좋아. 이래봐야 나나 이 세상에 가득한 엿 같은 놈들에게 먹일 엿이 부족할 지경이니까."

"……."

한세건은 그런 서현의 말에 기막혀했지만… 어느 정도는 수긍되었다. 한세건 자신이… 가족들의 죽음에서 혼자 살아남았을 때 느낀 감정과 비슷하니까.

그는 벌을 받아야 한다. 하지만 스스로를 벌하는 것은 끔찍한 자의식, 신이나 악마, 인간을 초월한 어떤 관념의 존재가 있어서 그를 용서하든 벌하든 그랬으면 좋겠지만 적어도 지상에 움직이는 모든 것은 신과 악마를 참칭할 수 있는 존재가 아니다.

지옥의 가장 뜨거운 곳을 향해 질주해 나가며 살아간다. 그것이 한세건이 자살 대신 선택한 삶의 방식이다. 서현도 그런 삶을 쓰레기의 방식이라고 생각하는 건가?

"그래서 널 어느 정도 인정하고 있지. '이 녀석 예전부터 쓰레기라고는 생각했지만 알고 보니 꽤 우량 쓰레기인데?' 라고. 대단해."

"…네놈이 더 대단한 쓰레기겠지, 전범."

우량 쓰레기라니 왠지 곱게 들어주기에 짜증 나는 용어라 한세건은 서현에게 최고의 쓰레기 자리를 양도했다. 투명한 의자가 한세건에게서 서현에게 전해졌다. 물론 서현은 그 의자를 사양했다.

"아니, 난 지금 칭찬하고 있는 거야. 테러범 쓰레기. 테트라 아낙스에게 돈도 받아 처먹고 말이야. 너 좋아하는 뱀파이어 헌터들이 그 사실 알면 나의 한세건은 그렇지 않아~ 하고 난리가 날걸?"

"돈을 받긴 개뿔이……. 아니, 아니지. 그래. 그래서 난 서린을 테트라 아낙스로 만들어주기도 했고 이제 내 명의로 유니세프에 기부도 하지. 하지만 넌 인류를 불사르려 했잖아? 네가 더 훌륭한 쓰레기다."

둘이서 자꾸 쓰레기왕의 왕좌를 서로에게 떠밀고 있다. 그 모습은 왠지 사이좋은 친구 같아 보이지만 루스킨은 서현과 한세건 둘 다 끔찍하게 자신을 경멸한다는 걸 깨달았다.

자존감이 낮은 것과는 좀 다르다.

자존감은 높다. 그런데 자신을 경멸한다.

그렇기 때문에 그들은 자신과 비슷한 사람을 만나게 되면…….

"자신에게 퍼부을 경멸마저 남에게 돌려 버리겠지."

루스킨은 그렇게 중얼거렸다. 그 말을 들은 빼또쥬가 어깨를 으쓱해 보였다.

"응? 뭐라고?"

"아니, 아무것도. 내 단순한 헛소리면 좋겠는데."

그러나 그렇게 잘 풀릴 리 없다는 것을 루스킨은 잘 알고 있었다.

12

동경도 치요다 구, 아키하바라 역 앞은 늘 많은 사람이 오가는 곳이었다.

신주쿠 역 지하도가 가장 많은 승하차 승객수로 유명하다지만 미궁처럼 뻗어 있는 지하도로 분산되는 반면 아키하바라 역은 사람들의 동선과 목적지가 일정한 편이었다.

대량 학살을 일으켜 테트라 아낙스에게 타격을 주겠다면 이것 이상 가는 곳이 없다고 해도 과언이 아니다.

"후우… 그렇다고는 해도 말이지."

담배를 공용 재떨이에 비벼 끈 노란 머리칼의 남자가 투덜거리며 주위를 둘러보고 있었다.

그의 곁에는 약간 떨어져서 코를 막고 있는 소년이 있었다.

지금은 아직 어린아이지만 훗날 여자깨나 울릴 것 같은 매끈한 용모의 소년은 담배를 피우는 남자를 혐오스럽다는 듯 바라보고 있었다.

"왜 내가 나서서 테트라 아낙스의 처형 부대를 부를 짓을 해야 하는 거지?"

"이제 당신이 먹을 수 있는 건 테트라 아낙스의 직속 부하처럼 깨끗한 피를 가진 뱀파이어들뿐이니까요. 아니면 아웃레이지를 먹고 우리와 함께하겠습니까?"

소년은 눈살을 찌푸렸다.

담배 연기가 말하는 와중에 자신 쪽으로 흘러들어 와서 그런 모양이다.

“쳇. 시시껄렁한 이유잖아. 그런 것 때문에 내가 누군가의 밑에 들어가진 않는다고.”

“하지만 당신은 저지를 거예요. 그렇죠, 아그니? 당신은 당신 자신이 생각하는 것보다 더 타산적인 인물이고 앙리 유이 님이 제공한 것은, 그리고 앞으로 제공하기로 약속한 것은 그 외의 방법으로는 도저히 얻을 수 없는 것이니까요. 그게 아니더라도 당신은 혼돈과 파괴 속에서만 살아갈 수 있는 자이니…….”

“그만, 거기까지. 나는 지금 네게 내 정신과 상담을 맡긴 게 아냐. 그리고 그렇게 넘겨짚기 잘하는 놈들을 보면 꼭, 그들의 넘겨짚기가 얼마나 인생에 도움이 안 되는지 가르쳐 주고 싶어진단 말이지. 내 교훈을 맛보고 싶나?”

“그러나저러나 이상한군요. 당신은 크메르인일 텐데 왜 인도 신화의 이름을 쓰고 있나요?”

“난 드라비다인이다. 내가 크메르인이라는 건 너희의 잘못된 믿음이지.”

“…하? 드라비다? 그런 게 남아 있습니까? 더더욱 이해가 안 되는군요.”

소년은 그리 말하고 고개를 저었다. 아그니가 원래 어떤 인종인가는 사실 관심이 없었다. 그보다는 그가 사람들을 죽여주고 테트라 아낙스에게 노골적으로 반기를 드는 장면을 만드는 게 중요했다.

동족 살해자 아그니는 뱀파이어들 사이에서 너무 악명이 높았다. 이제 와서 테트라 아낙스의 밑으로 들어갈 리 없지만 그가 대놓고 테트라 아낙스에게 반기를 든다면 그건 그만큼 앙리 유이의 세력에 관록이 쌓인다고 볼 수 있을 것이다.

"…어쨌거나 난 이곳은… 싫어."

아그니는 아키하바라를 바라보고 고개를 저었다. 뭔가 이상한 옷을 입고 티슈를 돌리는 여자애들과 사람들. 그 모두가 결국 아르바이트생 아닌가.

"옛날엔 사람들을 평등하게 죽이지 않았던가요? 여기만큼 좋은 장소는 없습니다만. 아니면 무리를 좀 하시게요?"

소년의 눈살이 찌푸려졌다. 아키하바라만큼 보행자를 싹 쓸어 죽이기 좋은 곳이 없다고 생각하고 자리를 정해주었는데 그걸 거부할 줄은 몰랐다.

"그때는 남에게 드러나지 않기 위해서 무차별 살인마가 된 거고 지금은 어차피 알려지게 되잖아? 알려지기 위한 목적이라면 이런 백성들보다는 사무라이나 다이묘를 죽여야 하지 않겠어? 난 옛날 패미컴 게임 중에 '잇키' 라는 걸 좋아했거든."

소년의 표정이 일그러졌다. '잇키' 라는 게임은 일본 중세 농민 반란을 다룬, 굉장히 옛날 게임이다. 그렇게 잘 만들었다고 할 수 없는 마이너한 게임인데 그걸 언급하는 아그니가 짜증나고 알아듣는 자신도 싫었다. 뱀파이어 놈들은 다 이딴 식이라니까.

"…그럼 어디를?"

"여기서 츄오선을 타고 야마노테선 메지로에 내리지."

"……."

소년의 표정이 일그러졌다가 이내 펴졌다.

"가쿠슈인 말입니까? 당신이 뭘 생각하는지 몰라도 지금은 그다지 매력적인 목표가 아니에요."

일본 황족들을 위해 만들어진 '가쿠슈인[學習院]'은 천황 일족과 화족들의 자제가 다니는 곳으로 유명한 학교다. 아그니는 그곳을 공격해서 몰살시키겠다는 뜻을 선보였다.

"이곳의 아르바이트생이나 쇼핑하러 온 사람들을 치느니 그쪽으로 하겠어."

"당신은 많이 먹으면 다가 아니었나요?"

"원래는 많이 먹으면 다였지. 하지만 말했잖아. 그때는 테트라 아낙스에게 뒤처리를 맡기고 내 이득만 챙길 때의 전략이고, 지금은 테트라 아낙스에게 도전하는 거잖아. 기왕 일을 벌이는 건데 근사한 공격을 해야지. 남들 다 지켜보고 있는데 궁상스러운 짓을 해서 되겠어? 비웃음당하기 싫단 말이야."

아그니는 그리 말하는 와중에도 이미 자동 발권기 앞에서 서서 표를 사고 있었다.

"아키하바라나 가쿠슈인이나 어차피 비무장 민간인 죽여대는 건데 뭐는 쿨한 거고 뭐는 비웃음당하는 거고 그런 자의식이 우스운데요? 게다가 당신은 이미 오래전부터 비웃음의 대상……."

펑!

그 순간 소년의 입안에서 폭발이 일어났다. 불꽃이 소년의 혀를 잘라 버린 것이었다. 보통 사람이라면 죽을 정도의 중상이지만 소년은 약간 얼굴을 찌푸렸을 뿐이다.

'이 남자… 뒤돌아보지도 않고.'

아그니는 소년을 보지도 않고 혀를 끊어버린 것이다.

"내가 소악당 짓을 하고 다녀서 비웃음을 산 건 알아. 인정하지. 하지만 넌 원래 소악당이니까 앙리 유이의 발닦개로 구르라고 하면 곤란해. 난 너희를 이용하고 너희는 날 이용한다. 그 정도 깔끔한 관계로 가자고. 귀에 멘토스를 처넣고 콜라를 부어버리기 전에."

아그니는 그리 말하고 개찰구를 통해 안으로 들어갔다.

"테트라 아낙스의 시대가 끝난다면 나도 소악당 짓은 그만두고 대악당이 되겠어. 무법자라는 건 그래야 맛이지. 안 그래? 부치 캐시디(영화 '내일을 향해 쏴라'에 나오는 2인조 강도 중 한 명. 다른 한 명은 선댄스 키드)?"

아그니는 소년을 기다리지 않고 멋대로 지하철 플랫폼으로 향했다.

13

카타볼릭 상태에서 변신했던 서현은 한동안 무기력한 상태에 빠져 침대에 데굴데굴 구르고 있었다. 그동안 대부분의 작업은 루스킨의 몫이었다.

"그래서, 사람을 안 먹었다고?"

한세건은 서현이 만든 정비 공장 숙직실에 찾아왔다. 서현은 침대에 누워 땅콩버터 한 통과 우유 2리터, 단백질 보충제를 500cc 컵으로 퍼서 대형 믹서기에 넣는 걸 보여주었다.

"사람은 지방이 많아서."

"…보충제가 성분상 더 좋긴 하지만 그런 의미가 아닐 텐데?"

라이칸스로프나 뱀파이어가 사람을 먹는 건 결국 그들의 영성을 먹어치우는 것이다.

테트라 아낙스가 이끄는 플렉스 메디칼은 바로 6개월 전에 인공 적혈구와 인공 혈장을 만드는 데 성공했으며 인체 실험도 끝마쳤다. 하지만 뱀파이어들의 갈증을 해소할 수는 있어도 그들의 진정한 필요를 충족시켜 줄 수는 없었다.

"전에도 말했지만 나는 사람을 죽이는 행위가 나쁘다고는 전혀 생각하지 않아. 이 세상에서 솔직히 베어그릴스 정도의 심기체를 갖추지 못한 인간은 싹 죽어 없어지는 게 이득인걸."

"……."

한세건이 숙직실 침대 옆 벽면에 설치된 TV를 바라보니 마침 '베어그릴스의 인간 대 자연' 이란 프로가 방영되고 있었다.

영국 SAS를 수료한 베어그릴스라는 사람이 각종 오지에서 살아남는 모습, 생존 기술을 강연하는 모습을 볼 때 저 사람 정도의 심기체를 생존 경쟁의 허들로 삼는다면 많은 사람이 허들을 넘지 못하고 낙오할 것이다.

"그래서 다 죽어 마땅하다? 그런데 왜 그 죽여 마땅한 인간을 안 잡아먹지?”

서현 정도의 힘을 선천적으로 지니고 태어났다가 잃는다면 그 힘을 어떻게든 되찾고 싶어지지 않을까? 너무 많이 써서 전성기 수준으로 회복할 수 없다고 해도 사람들을 필요할 때마다 잡아먹으며 꾸준히 관리한다면 불가능한 일은 아닐 것이다.

그러나 서현은 피식 웃었다.

“문제는 그런 면에서는 내가 더 쓰레기인지라… 저들을 죽이거나 처벌할 자격이 없어. 아니, 누구든지 남을 죽일 자격 따위 없지.”

“살아갈 권리가 있는 게 아니라 죽일 자격이 없는 것이다. 그러니 다들 몸 사려라. 그게 네 쓰레기로서의 삶의 방식인가? 그래도 지금까지 사람을 안 죽인 건 아닐 텐데?”

“뭐, 뜬구름 잡다가 죽을 만큼 현실감각이 없는 건 아니니까. 다만… 어차피 죽일 거라면 잡아먹긴 하겠어. 시체 처리에도 좋고 내 건강도 좀 챙기고 일석이조거든. 살해당하는 사람들에게 잡아먹지 않고 총으로 쏴 죽일 테니 안심하라고 말한다 한들 안심할 수 있을까?”

서현은 그리 말하고 한세건을 노려보았다.

한세건은 무심하게 서현의 눈빛을 받아친다.

“그러니까 지금 뱀파이어 헌터인 나에게 너의 살인을 정당화하라는 거냐?”

“너의 인정을 받을 생각 따위 없어. 우리가 한배를 타고 있긴 하지만 너는 내 등골에 칼을 꽂을 준비를 하고 있고 나 역시 네 머리를 목에서 떼어낼 준비를 하고 있는걸."

서현이 그렇게 말하자 무표정하던 한세건의 얼굴이 찌푸려졌다.

겁먹거나 두려워하거나 적개심을 보이는 게 아니었다. 그저 순수하게, 서현이 선택한 어휘들과 의미들에 대해서 민망해하고 있었다.

"뭘 또 그런 걸 새삼스럽게 말해서 부끄럽게 하지? 손발이 오그라들려고 그러는데."

"어쭈. 중2병으로 단련되어 있는 거 아니었어, 그 손발?"

서현이 피식 웃자 한세건이 정색했다.

"만약 여기서 네가 또 그 노래를 부르면 지금 당장 침대째로 널 두 동강 낼 거야."

"…뭐? 나에게 반하지 마라, 그거? 안 해, 이제. 난 레퍼토리 하나로 우려먹는 거 별로 안 좋아하거든."

"하. 뭐, 좋아. 내 입장을 설명해 주지. 나는 먹기 위해 죽이는 건 그렇게 좋아하지 않아."

아니, 좋아하지 않는 정도가 아니다. 끔찍하게 싫어한다고 해야 할 것이다. 왜냐면 한세건 자신의 가족이 먹기 위해 살해당했기 때문이다.

그들이 어떤 삶을 살아왔고 어떤 인격을 가지고 있고, 그들을 그들이게 해주는 점보다 인간 남자, 인간 여자, 키는 몇 킬로그램, 혈액형은 어떻고 고지혈증이 있고 없고 혈당이 높고 낮고… 그런 인간이 평가받고 싶지 않은 부분으로 평가받아 살해당한다는 건 살아온 나날들에 대한 가장 강렬하고 끔찍한 모독이었다.

"정육점의 고기에는 아무도 고기가 되기 전, 그 돼지나 소가 어떤 삶을 살았는지 관심을 보이지 않지."

"나는 먹기 위해 죽이는 게 아니라 죽이다 보니 먹을 거다. 그리고 보시다시피 그런 거 없으면 이렇게 다른 걸로 배를 채우는 것도 마다하지 않는다니까. 난 공산주의 문화권에서 자라서 그런지 원래 유물론자야."

서현이 그렇게 말할 때였다.

—기억하십니까?

TV에서 광고가 흘러나오고 있었다.

—플렉스 메디칼 한국 지사는 국제 테러 조직의 사주를 받은 한 남자, 한세건의 손에 의해서 끔찍한 범죄의 대상이 되었습니다.

내레이터의 비장한 음성과 함께 플렉스 메디칼 한국 지사 건물이 파괴되고 소방관들이 물을 뿌리며 건물 내에 남아 있을지 모르는 생존자를 찾는 수색 작업의 장면 장면이 슬라이드 쇼로 지나갔다.

—우리는 인류의 고통을 덜기 위해 많은 지식을 끌어모았습니

다. 각종 질병과 질환으로 고통받는 사람들의 아픔을 덜어주고자, 작은 지혜의 촛불 하나하나를 모으고 있었습니다. 하지만 이 작은 자부심조차 오만이었는지요.

그리고 화면은 아프리카나 제3세계의 아이들이 웃으면서 촛불을 밝히고 있는 장면으로 바뀌었다.

—플렉스 메디칼 재단은 우리에게 겸손을 가르쳐 준 한세건의 이름으로 유니세프와 함께 제3세계의 아이들을 위해 힘쓸 것입니다. 그 어떠한 폭력과 증오도 우리와 아이들의 미래를 꺾을 수 없을 것입니다.

광고는 유니세프 로고와 플렉스 메디칼의 로고가 함께 나오며 마무리되었다.

"오… 내 동생이지만 진짜 도발이 뭔지 잘 알고 있군."

서현은 진심으로 감탄했다. 플렉스 메디칼과 관련 재단들은 정식적인 재계의 일원. 당연히 테러범과 모종의 관계를 맺어선 안 된다. 한세건이 테트라 아낙스와 그 관련자들에게 자신의 이름으로 1억 달러를 기부하라고 요청한 것은 일견 테트라 아낙스의 돈에 넘어간 것처럼 보이지만 그런 게 아니라 난제를 던졌던 것이다.

그런데 서린은 그 난제를 멋지게 풀어내었을 뿐만 아니라 아주 크나큰 엿을 선사해 주었다.

"이 정도로 근사하게 당하면 별로 할 말이 없겠어. 그렇지?"

서현이 바라보자 한세건은 완전히 공황 상태에 빠져 있었다.

"이… 이게 뭐야?"

"뭐긴 뭐야. 누구 씨가 요청한 걸 그대로 했을 뿐인데. 이야, 레퍼토리 끊길 일 없어서 좋다니까."

서현이 피식거리자 한세건의 얼굴에서 핏기가 싹 빠져나갔다.

그리고 잠시 후, 뉴스 속보로 일본 가쿠슈인 학원에서 한세건의 이름으로 대량 학살이 자행되었다는 소식이 들려왔다.

第10夜

왕조 붕괴

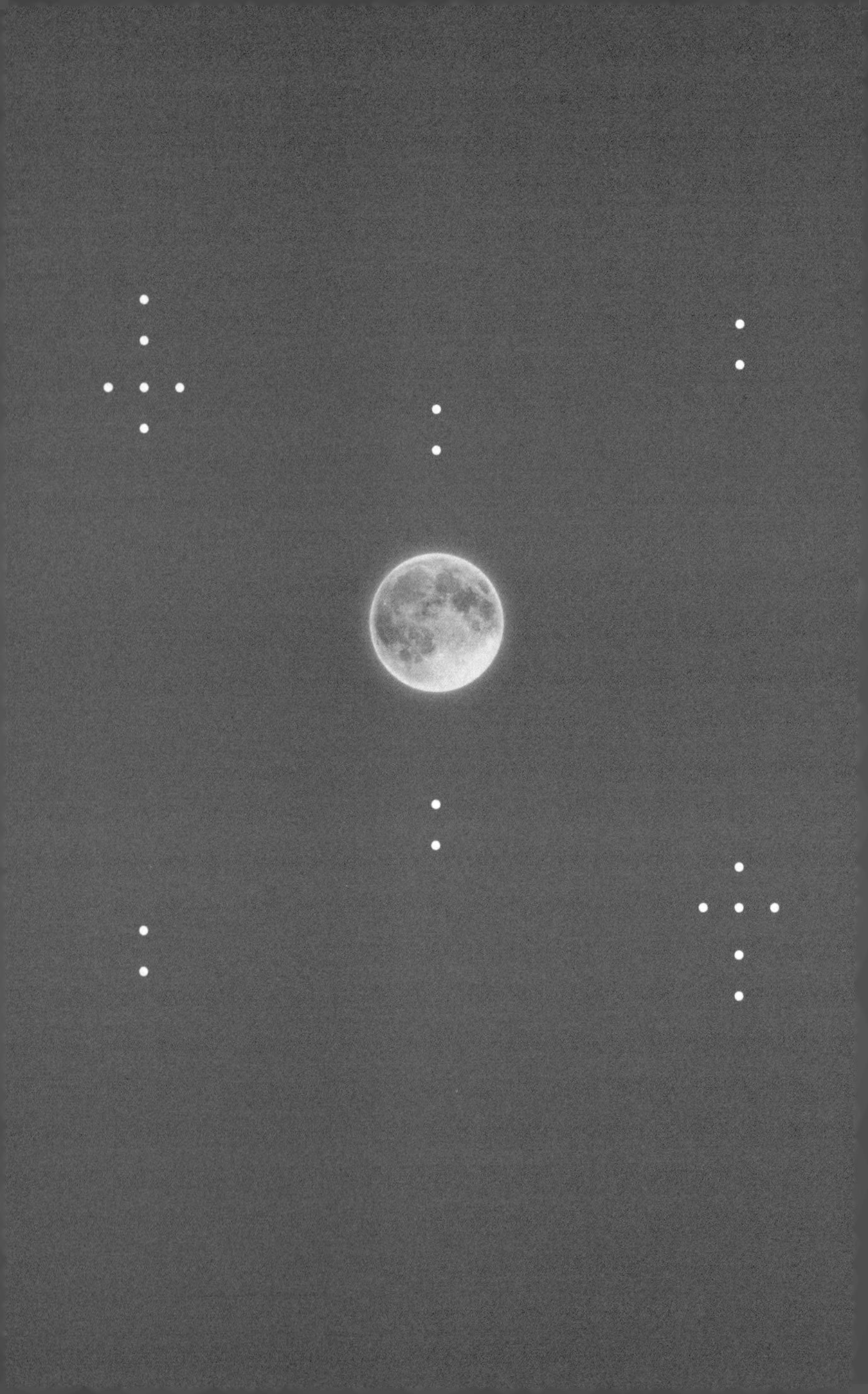

1

그 옛날… 아낙스는 신적인 존재였다.

늙은 고든 R의 모습이 되기 전의 그는 지중해에 인접한 서아시아 지역, 혹은 북아프리카에서 처음 모습을 드러내었다고 전해진다.

인간의 이성과 과학이 지탱하지 않는 세계의 존재, '릴리쓰.'

그 릴리쓰의 아들로 태어나 어둠의 존재들의 구세주가 될 사명을 가지고 광야로 나아가 '속삭이는 영(靈)'들에게서 마법의 비의를 터득한 그는, 세상을 돌아다니며 많은 뱀파이어를 구조했다.

그러던 중 그는 두 명의 젊은 마법사를 만났다.

진마 팬텀과 진마 앙리 유이.

두 젊은 뱀파이어 마법사는 아낙스의 가호를 받아 그의 제자가 되었다.

하지만 곧 두 제자의 길은 갈라졌다.

팬텀은 호승심이 없었기에 아낙스의 밑에서 순종할 수 있었지만…….

호승심이 강한 앙리 유이는 아낙스처럼 되거나 그를 능가하고 싶어서 견딜 수가 없었다.

고결하고 아름다운 위대한 존재. 신의 아들, 뱀파이어의 구세주…….

앙리 유이는 아낙스의 밑을 떠나 독자적으로 연구를 시작했고 아낙스는 그런 앙리 유이의 일탈을 묵인했다.

그리고 아낙스는 영락했다.

뱀파이어 종족을 지키기 위해서 아낙스는 해서는 안 될 금기를 범했고 신의 아들, 고결한 구세주에서부터 점차 폭군으로 변해갔다.

그가 지닌 예지의 힘은 양날의 검이 되어 그의 영혼을 유린했고 상처는 점차 벌어져 그를 썩어가게 만들었다.

앙리 유이는 기뻐했다. 자신이 넘볼 수 없는 위대한 신의 아들이 젊음과 영세를 탐하며 다른 리림의 몸을 노리는 자로 전락했을 때 그는 참을 수 없는 희열을 즐겼다.

보라! 역시 이 지상을 걷는 자! 감히 참람되게 신성에 접근하면 아니 되느니!

드높은 이상은 반드시 무너지게 마련! 현실에 발을 딛고 속물로 살면서 도를 구하지 않으면 사상누각에 불과하다! 아낙스의 파멸은 이미 예견되어 있었다!

하지만 또한 그는 슬퍼했다.

아마도 그가 평생 동안 가장 깊이 사랑했을 자가, 아름답고 고결한 것이 이제 세상에 남지 않았음에 슬퍼하고 절망했다.

이렇게나 아름답고 고결한 것조차 부서지고 무너진다면 대체 무엇이 가치가 있단 말인가?

게다가 아낙스의 파멸 이후 그를 대신한 자는 서린.

아낙스에게서 느낄 수 있던 품위, 고결함과는 거리가 먼 애송이였다.

앙리 유이는 그게 견딜 수 없이 싫었다.

아낙스라면 아무리 영락한 모습으로 그 자리에 있다 하더라도 그가 제왕이라는 걸 인정할 수 있었다.

비록 그의 곁에 있으면 열등감으로 견딜 수가 없었지만 아마 앙리 유이 이상으로 아낙스를 사랑한 이는 없었을 것이다. 그의 위대함을, 찬란함을 사랑했기에 그처럼 되고 싶었다. 언젠가 그에게 인정받기 위해서 무모한 연구들을 해나갔고 절대로 그에게 굴종하지 않았다.

하지만 이제 아낙스는 없다. 있는 것은 아낙스의 모든 것을 빼앗기 위해 릴리쓰가 잉태한 새로운 마왕.

과연 네가 그 왕좌에 적합한 자인가?

과연 네가 그 지위를 물려받을 자격이 있는가?

아직 그는 아무것도 입증하지 못했다.

그래서 그는 테트라 아낙스에게 도전하기로 했다.

테트라 아낙스가 이룩한 월야, 미친 달의 세계를 파괴하는 광기.

아웃레이지.

이걸 진행시키면 인류도 위험하다는 걸 그는 알고 있었다. 뱀파이어뿐만 아니라 이 지상에 남아 있는 모든 문명에 치명상을 입힐 광기가 휘몰아칠 것이다.

아낙스가 왜 뱀파이어의 존재를 저들 인간들로부터 숨겼겠는가?

뱀파이어의 존재는 인간에게 있어서 피할 수 없는 치명적인 유혹이다.

설령 대부분의 사람이 현명해서 뱀파이어가 되고자 하는 유혹을 벗어나더라도, 어리석은 자 한두 명만 있어도 충분하다.

파국은 순식간에 연쇄로 번져 나가 핵폭탄처럼 폭발해 인류의 문명을 쓰러뜨릴 것이다. 그리고 그것은 테트라 아낙스로서는 절대로 원하지 않는 파멸일 터.

자, 새로운 테트라 아낙스여. 막아보아라.

아낙스의 제자에 불과했던 자가 이적을 행하나니 네가 아낙스의 이름을 이을 자라면 당연히 이것을 막을 수 있어야 한다. 설마 아낙스의 제자에 불과한 자의 공격을 막아내지 못하면서 감히 그 이름을, 그 자리를 탐하진 않겠지?

2

"기분 나쁜 놈이로군."

아그니는 자신이 벌인 일이 한세건의 일로 치장된 것을 보고 대뜸 불쾌하게 여겼다. 모처럼 대악당의 길을 걷겠다고 저지른 일이 한세건의 것으로 바뀌었으니 헛힘을 쓴 기분이다.

하지만 대낮부터 도쿄 한복판에서, 그것도 일본인에게는 신성시되고 있는 일왕 일족이 다니는 학교를 몰살시키고, 왕족 중 미성년자들조차 살해당한 일이다. 만인의 눈이 쏠리는 이 일을 한세건의 명의로 바꾸다니. 테트라 아낙스의 소행인가? 아니면 앙리 유이?

"효과적인 일을 했을 뿐이다."

앙리 유이는 키득키득 웃으며 손을 잡았다. 그의 손 안에서 검은 영이 춤춘다. 사법사들이 사용하는 마법, 고대의 신, 검은 존재의 힘이 그의 손아귀 안에서 감돈다.

실제로 그의 말은 옳다. 한세건, 한국인의 손에 의해서 일본 천황가의 방계, '미야케'의 어린아이를 포함한 무고한 학생들이 살해당했다고 하는 건 골이 깊게 파여 있는 양국 간의 감정을 불타오르게 했다.

지금 이 순간에도 거리 곳곳을 우익 집단의 시위대가 돌아다니며 재일 한국인을 죽이자는 무시무시한 소리를 구호로 내놓고 있었고, 반대로 한국 인터넷에서는 맹목적인 민족주의 교육을 받은 이들의 '민간인 살해를 했어도 한세건은 꽤 괜찮은 놈이 아니냐?', '뭔가 사연이 있지 않겠냐?'는 의견이 대세를 이루었다.

그리고 그런 의견이 여과 없이 퍼날라져 2CH 같은 일본 커뮤니티 사이트에 번역되어 알려지고… 양방의 감정은 브레이크 고장 난 폭주 기관차처럼 아무런 제지 없이 달려가고 있었다.

"너의 저항, 반항을 테트라 아낙스가 모를 리 없다. 아낙스의 사후, 네가 이렇게 봉기할 것마저 계산되어 있었겠지."

그 일을 벌인 장본인인 아그니는 침착한 태도로 앙리 유이에게 말했다.

아그니는 진마들 중에 오히려 가장 영악한 자였다. 많은 뱀파이어가 힘을 얻기 위해 무분별하게 동족 살해를 저지르는 그를 하찮게 여기고 있었지만…….

아그니는 절대로 무시할 수 있는 인물이 아니다.

그런 그는 놀랍게도 왜 앙리 유이가 반란을 일으키고 있는지, 그 동기를 꿰뚫어 보고 있었다. 앙리 유이가 아그니의 동기를 꿰뚫어 본 것처럼, 아그니 역시 앙리 유이를 꿰뚫어 본다.

역시 이 남자는 진마다. 뱀파이어들의 군주로서 어둠의 세계 속에서 살아온 자. 배니싱 블러드의 얼간이들과 달리 진짜 수라장을 거쳐오면서 오직 실력으로 자신을 입증한 자답다고 할까.

"라플라스의 악마니까, 그는……."

앙리 유이는 자신이 포섭한 진마 아그니를 바라보았다.

자신의 힘을 늘리기 위해 뱀파이어들을 포식하는 포식자, 탐욕스러운 힘의 추종자인 아그니는 대표적인 아웃로 진마 중 하나였다. 테트라 아낙스에게 저항하는 세력을 만들려 한다면 그 만큼 매력적인 전력도 없다.

물론 끌어들인 뒤 통제가 가능하다고 가정했을 때의 이야기다. 다행스럽게도 현재까지의 그는 과거의 소문들에 비하면 믿을 수 없을 만큼 상식적이고 개념이 있는 인물이었다.

"지금의 네 행동조차 테트라 아낙스의 계산에 올라가 있을 수 있다. 테트라 아낙스는 뱀파이어의 수를 절대적으로 줄여야만, 가능하다면 평화롭게 뱀파이어를 줄여야만 이 세계가 유지된다고 생각하고 있었으니까. 그러니까 내가 뱀파이어들을 마구 먹어치워도 날 방치하고 있었지."

테트라 아낙스의 근처에도 가보지 못한 자가 놀랍게도 테트라 아낙스의 정책과 그 목표를 바로 이해하고 있다. 가장 강력한 이해자는 좋은 친구이거나 평생의 적이 되는 법이다. 아그니는 테트라 아낙스를 이해하기에 철저히 아웃로의 길을 걸었을지도 모른다.

"네가 봉기하는 건 테트라 아낙스의 책임 없이 뱀파이어들을 싹 몰아 죽이는 좋은 계기가 될지도 몰라. 뱀파이어의 지배자를 번거롭게 하는 건 다른 게 아니라 뱀파이어의 숫자 증가다. 하지만 왕 된 자가 백성들을 그런 이유로, 수를 줄여야겠다는 이유로 쳐 죽일 수는 없지. 네가 반기를 들면 절호의 찬스가 아닌가? 명분 세우기에 이만큼 좋은 게 없지. 그건 알고 있겠지?"

"상관없다."

아낙스가 본 예지가 어떤 것인지는 모른다. 그러나 앙리 유이는 이미 결정했다.

"설령 그 결과가 뱀파이어의 몰살이라도 난 상관없어. 어차피 인류의 수 대비 허용되는 뱀파이어의 수는 한계가 있지."

앙리 유이의 봉기는 어떤 이념이나 사상의 충돌 때문이 아니다. 철저하게 그의 자아실현을 위한 행동일 뿐, 아그니는 대번에 그걸 알아채고 혀를 찼다.

화를 내?

아니, 천만에. 아그니는 앙리 유이에게서 자신의 모습을 본다. 자신의 욕구를 위해 반역을 일으키고 거짓된 이상과 이념을 내세워 무수히 많은 뱀파이어를 장기 말로 조종하는 자.

그런 이에게 비난을 가할 만큼 아그니가 깨끗한 인물은 아니다.

하지만 비웃음 정도는 허락되겠지.

"혁명가는 결국 또 다른 독재자가 되지. 권력의 옥좌에서 내려다보는 세상은 다들 비슷한 것 같단 말이야."

앙리 유이 역시 아웃로 뱀파이어들을 곱게 보지 않는다. 그가 새로운 뱀파이어들의 왕이 된다면 필연적으로 뱀파이어들을 정리할 것이다. 그 사실을 아그니는 꿰뚫어 보았다.

아니, 릴리쓰의 아이로 처음부터 강렬한 사명을 받고 태어난 아낙스와 달리 앙리 유이는 뱀파이어라는 종족 전체에 약간의 애착조차 없다.

"과연… 네 끝은 어떻게 될까?"

아그니는 그 말을 남기고 담배를 입에 물었다.

3

테트라 아낙스, 아니, 테트라 아낙스 산하의 플렉스 메디칼이 한세건의 이름으로 유니세프와 함께 제3세계 아동들의 교육과 보건을 증진시키기 위한 기금을 조성하고 그 사업을 홍보하기로 결정한 직후, 한세건의 이름으로 가쿠슈인이 습격당하고 무고한 학생들이 살해당했다.

물론 수사 결과에서는 한세건의 소행이 아니라고 판명되었다.

한세건이 사용하던 것은 어디까지나 평범한 질소계 폭발물이었지만 현장에서 발견된 폭발의 흔적에는 질소화합물이 나오지 않았다. 게다가 한세건은 자신이 사용한 총탄, 도검, 기타 각종 장비들을 남기고, 일을 저지르기 전 반드시 범죄 성명을 발표했다. 모든 프로파일러들이 말하지만 이런 범죄 성명을 남기는 자는 억압된 분노, 사회에 대한 불만이 가득 차 있고, 그럼에도 불구하고 첫 번째 범죄, 두 번째 범죄를 성공적으로 저지른 그가 이제 와서 방식을 바꾸어 범죄 성명을 발표하지 않고 일을 저지를 이유가 없다.

그러나 이런 전문가의 의견에도 불구하고 방송은 연일 한세건에 관련된 특집을 쏟아내고 있었다.

당연히 플렉스 메디칼도 곤혹을 치르고 있었다. 이것은 뱀파이어들에게 매우 신선한 충격을 주었다. 지금까지 플레스 메디컬이 언론과 여론 때문에 곤혹을 치른 적은 없었다.

인간의 마음과 정신을 다루는 것이 테트라 아낙스의 특기였기 때문이다.

그 특기가 있어 테트라 아낙스는 어둠의 왕, 암흑 종족의 보호자로서 확고한 지위를 지키고 있었다. 누구도 테트라 아낙스에게 도전하지 않았는데 이는 그를 대체할 수 있는 자가 아무도 없었기 때문이다.

그런데 앙리 유이는 무슨 수를 썼는지 모르지만 테트라 아낙스를 그들의 특기 영역에서 두 번이나 능가하는 모습을 보여주었다.

앙리 유이라면 그를 대신할 수 있을지도 모른다. 게다가 테트라 아낙스와 달리 앙리 유이는 많은 것을 약속하고 있었다. 테트라 아낙스에게 불만을 가진 자들에게 있어서 앙리 유이 측이 제공하는 비약, 아웃레이지는 너무나 매력적이어서 넘어가지 않을 수 없는 유혹이었다.

물론 그것은 앙리 유이 측의 실패, 한세건과 서현을 제압하고 서울을 살육의 장으로 만든다는 계획이 좌초된 것을 모를 때의 이야기지만 앙리 유이 측은 철저히 소문과 여론을 통제해 자신들에게 유리한 것들만 전파시켰다.

혼돈의 바람을 타고 전운이 밀려오고 있었다.

4

"…휴. 이제 좀 나았군."

서현은 오래간만에 스트레칭을 하면서 자신의 몸 상태를 점검했다. 카타볼릭 때문에 몸은 무슨 포로수용소 들어갔다 나온 사람처럼 비쩍 말라 있었지만 정신은 또렷했다.

"골치 아프군. 원래부터 변신은 별로 안 좋아하긴 했지만… 후유증이 이렇게 심했던가? 몸이 썩었다는 게 팍팍 느껴지는구나."

서현은 자조했다. 자동소총으로 무장한 군대, 최신예 전차 등으로 무장한 세력과 싸울 때도 변신할 필요가 없었다. 그런데 2차 세계대전 때도 쓰다 버릴 법한 무기로 무장한 뱀파이어들 따위를 상대로 변신까지 해야 했다니.

앞날이 걱정된다.

"뭐, 그런데 이런 일 하다 보면 먹을 만한 사람 찾기도 쉽지 않겠는걸. 사람을 먹는다고 딱히 나을 것 같지도 않고."

폴리네시아나 남미 아즈텍에서는 인간을 고기로 잡아먹긴 했지만 식인은 대부분의 문화권에서 꺼려 하는 금기 중의 금기다.

하지만 서현은 죽일 거라면 먹는다.

사람에게…….

'잡아먹혀 죽을래, 아니면 권총으로 죽을래?'

이렇게 물어본다면 당연히 후자를 택하겠지. 잡아먹는다는 건 살육이 보편화된 지옥 같은 곳에서도 받아들이기 힘든 끔찍한 일이니까. 하나 애초에 대부분의 사람은 총으로 죽는 것도 선호하지 않을 것이다. 애초에 살인이란 행위 자체가 피해자와의 타협 따윈 있을 수 없는 행동이다.

더 깔끔하게 죽인다?

웃기지 말고 애초에 죽이질 말아야지.

그 정도 얄팍한 양심 따윈 있으나 마나 하다.

"먹으면 자원, 버리면 쓰레기. 음, 참 의미심장하다."

서현은 숙직실 옆 취사실에 붙어 있는 음식물 쓰레기 처리 관련 포스터를 보고 중얼거렸다.

어차피 죽일 거라면 먹는 게 보다 인간이라는 '자원'을 효율적으로 활용하는 일이 아닐까?

하지만 문명사회에서는 잡아먹을 만한 사람이 많지 않다. 그렇다고 먹는 게 최우선 목적이 되어선 안 된다. 먹기 위해서 저 사람을 죽어 마땅한 놈이라고 판정할 수 있기 때문이었다.

서현의 원칙은 분명하다.

그 원칙을 어기기 시작하면 자신 안의 야수성에 지고 만다. 아무리 릴리쓰의 아들, 직계 0세대 라이칸스로프라고 해도 그 안의 야수성은 흉폭하다. 마음대로 날뛰도록 고삐를 풀어버린다면? 서현 자신과 인류 전체에 크나큰 재앙을 몰고 오리라.

"후우……."

서현은 스트레칭을 끝마치고 아이소메트릭 훈련을 했다. 자신의 손으로 자신의 손목이나 다리를 잡고 당기는 힘과 미는 힘을 서로 대항하게 해서 근육을 단련하는 방식이다.

자세를 다양하게 바꾸면 전신의 모든 근육을 자극하며 웨이트트레이닝을 대신할 수 있지만, 이건 어디까지나 감옥에 갇힌 죄수가 아무 도구도 없는 상황에서 신체 컨디션을 유지하기 위해 하는 궁여지책이다.

제대로 된 설비를 갖추고 트레이닝하는 것에 비할 바가 못 된다. 다만 서현의 경우 어지간한 소형차는 팩 뒤집을 정도의 말도 안 되는 힘을 가지고 있어 일반 체육관의 장비보다는 차라리 아이소메트릭 훈련이 더 낫다.

'그러고 보면 한세건은 어떻게 훈련을 하는 거지? 언제 한번 물어봐야겠다.'

서현이 그런 생각을 하고 있을 때 숙직실 앞에 가벼운 픽시 자전거를 탄 소년이 멈춰 섰다. 픽시 바이크의 바퀴살에 홀로그램으로 처리된 애니메이션 캐릭터 카드들을 끼워두어서 바퀴가 돌 때는 형형색색으로 빛나더니만 멈춰서니 이건 또 말문을 막히게 하는 자태다.

'저거 마트나 영화관에 돈 넣고 뽑는 트레이딩 카드였지?'

서현은 그걸 보고 한숨을 내쉬었다. 그때 픽시 바이크에서 내린 소년 빼또쥬가 대뜸 서현을 발견하고 달려와 손을 벌렸다.

"어? 일어났어, 이사카? 그럼 용돈 좀 줘."

"'주세요' 겠지?"

"용돈 좀 주세요."

시키는 대로 고분고분하게, 아니, 그보다 좀 더 과하게 귀여운 척을 한다. 이런 녀석이 아니었는데 코스튬플레이인지 뭔지 하는 취미에 빠지더니만 남들에게 예쁘다는 소리를 듣는 것에 중독되어서 가식을 떨 때는 진짜 프로 가식꾼 면허라도 딴 것처럼 잘 떤다.

"하나 거절한다."

서현은 상큼하게 중지손가락을 세워주었다.

"앗, 너무해. 역시 유리안에게만 더 잘 대해준단 말이야."

"유리안은 너보다 더 어리잖아? 그리고 잘 안 대해주는데?"

"요새 장사도 잘되는데 푼돈 가지고 뭐라 하는 것 자체가 너무 야박한 거 아냐?"

"…그래?"

서현은 어깨를 으쓱해 보였다. 서현이 실신하다시피 드러누워 있던 사이 루스킨이 꽤 매상을 올렸나 보다.

루스킨은 훌륭한 수완으로 빠르게 사회에 적응하고 있었다.

"하지만 그게 네 건 아니지?"

서현은 심드렁하게 아이소메트릭 훈련을 계속해 나갔다.

"으, 나 요새 편입 때문에 열심히 공부하고 있는데 용돈 좀 올려주면 안 돼? 다른 애들에게 물어보니까 월 10만은 너무 적대. 편입 공부 때문에 아르바이트도 못 하잖아."

최저임금으로 월 90만 원 정도 받으며 아르쥬나에서 아르바이트해 본 서현의 입장에서는 아이에게 용돈을 한 달에 10만 원씩 준다는 게 이해가 안 간다. 그러나 한 달에 10만 원만 쓰라고 한다면 그건 또 더 절망적인 거겠지.

주는 입장에서는 큰돈인데 받아서 쓰는 입장에서는 하염없이 부족하다는 걸 서현은 안다.

그래도 여기서는 빼또쥬의 버릇을 좀 잡을 필요가 있다.

"빼또쥬, 고등학교 편입도 제대로 못 할 정도로 학력이 떨어지는 네 문제라고 생각되지 않냐?"

"그때는 설마 내가 학교를 가야 될 줄 몰랐지. 마피아들이 일거리를 많이 주는데."

"흥. 야, 정말 제대로 된 사람들은 마피아나 소년병으로 착취당하는 걸 싫어하고 학교에 가고 싶어서 안달이야. 좋잖냐, 평화로운 세계."

"평화롭진 않지. 앙리 유이인지 뭔지가 덤벼들잖아. 그래서 그거에 신경 쓰느라 공부도 잘 안 되고 스트레스가 쌓인단 말이야. 이 스트레스에서 날 구해주는 건 쇼핑뿐이라고."

흡사 쇼핑 중독의 여배우처럼 말한다. 쇼핑 물품이 서브 컬처의 제품이라는 게 좀 다르지만.

"아, 됐어. 더 논할 것도 없어. TV 보게 비켜."

서현은 투덜거리곤 아이소매트릭 훈련을 재개하며 TV를 켰다. TV에서는 어느 채널에서나 한세건과 그로 인한 일본의 반한 시위를 보여주고 있었다.

"난리 났군."

"그러게. 완전 스타야, 스타. 내가 자주 가는 커뮤니티 사이트에서도 난리던데."

"그래? 스타라고?"

방송에서는 반한 감정 때문에 매우 우려하고 있는데 일반 커뮤니티는 축제 분위기라고 한다.

"워낙 유니크한 범죄자니까 중2병 걸린 애들에게는 그렇게 멋있을 수가 없대."

'넌 안 걸렸냐?' 라는 의문이 들었지만 서현은 이야기의 흐름을 방해하지 않았다.

"천황은 전범 일족이니까 잘 죽였다는 의견도 많고… 한국 사람들이 일본이랑 감정이 나쁘다고는 들었지만 인터넷만 보면 왜 전쟁 안 벌이고 가만히 있는지 이해가 안 갈 정도던데?"

"원래 진솔한 대화는 서로 총구를 겨눴을 때 나오는 법이지. 모니터 너머로는 슈퍼에고와 이드의 제어를 받지 않는 에고가 마구 날뛰거든."

책임지지 않으면 뭔 소리든 할 수 있다. 여과 없는 인간의 진심이라는 건 애초에 동전 한 닢의 가치도 없는 쓰레기가 대부분이다.

"테트라 아낙스에 대항하겠다고 핵미사일을 쏘려 한 내가 할 말은 아니지만… 학교와 병원을 습격하는 건 변명의 여지 없는 쓰레기 짓 아닌가?"

그리 중얼거리며 채널을 바꾸어보았다. 다른 곳도 다 비슷하다. 이상하다. 전문가들은 한세건의 소행이 아니라고 하는데 계속해서 한세건과 이번 사건을 연관 짓는다. 언론이 완전히 한세건과 습격 사건이라는 프레임을 벗어나지 못하고 있었다.

누군가가 강제하고 있다.

테트라 아낙스? 그러나 테트라 아낙스는 아니다. 뱀파이어가 학교를 공격한 사건을 무마하기 위해 한세건에게 떠넘겼다는 점은 테트라 아낙스도 의심할 만하지만 이렇게 오래 이슈가 될 리 없다.

테트라 아낙스의 목적은 사건을 은폐하고 인류를 기만하는 것이다. 당연히 이런 일은 흐지부지, 없었던 것처럼 넘어가게 된다. 가쿠슈인이 가지는 상징성, 일본인들에게 터부시되는 천황 일족의 방계, 미야케 출신의 젊은이가 살해되었다는 중대한 사건 때문이라 해도 이렇게 오래 떠들게 내버려 둘 리가 없다.

앙리 유이의 소행이다. 앙리 유이가 테트라 아낙스를 깎아내기 위해 공격하고 있는 것이다. 이미 앙리 유이는 테트라 아낙스가 소유한 미국, 플렉스 메디칼의 네바다 건물에 헬파이어 미사일을 꽂아 넣는 것으로 자신이 테트라 아낙스의 예지와 감시의 눈에서 벗어난 존재임을 입증했다.

한 번 저지른 일을 두 번, 세 번 되풀이하지 못할 이유가 없다.

"좋아. 앙리 유이가 여기까지 테트라 아낙스를 몰아넣었군. 솔직히 말하면 짜증 날 정도로 부러운데. 난 몸이 부서져라 일했어도 못 한 짓을 저렇게 쉽게 하다니."

"에이, 이사카야 테트라 아낙스의 오라클 시스템에 정면으로 대항하고 있었잖아. 그게 얼마나 대단한 일인데."

"피하면 되는 재앙에 정면충돌했다고 칭찬받는 기분인데?"

서현은 그리 말하고 일어났다.

서현이 샤워를 끝마칠 때쯤에 강의찬이 찾아왔다.

"내 아버지를 족치자."

강의찬은 대뜸 패륜 선언을 했다. 하지만 서현은 놀라지 않았다. 이놈은 이러고도 남을 놈이다.

"세상의 빛과 소금이 부모를 후려갈기는 존속살해범일 줄이야."

늘 자신을 빛과 소금인 의사라고 주장하는 강의찬에게 한마디 쏘아준다. 하지만 이 정도로 면상에 흠집이라도 갈 놈이었으면 애초에 부끄러움을 좀 알고 조신하게 굴었겠지.

"저번 사건에 선동된 아웃로 뱀파이어들 말이지. 우리 아버지의 사주를 받은 놈들이야."

"당신 아버지가 당신의 납치 감금 살해를 사주했다고? 그거 왠지 납득이 간다. 내 자식이 이런 놈 같았어도 납치 감금, 살해를 해버리고 싶을 테니까."

서현은 그런 의미에서 말했지만 강의찬은 역시 눈 하나 깜빡하지 않았다.

"어쩔 수 없지. 부자지간이라는 게 원래 그런 법이니까."

강의찬은 아무렇지도 않게 부자지간의 정의를 달리했다. 깜짝 놀란 서현이 반발할 정도였다

"원래 안 그렇다는 건 소년병 전범 출신인 나도 안다. 의대 나온 작자가 그런 소릴 하다니… 빼또쥬를 학교 보내도 될까 의심스러운데?"

"안심해. 나는 학원 폭력물 만화 좋아해."

"……."

빼또쥬의 말은 불난 집에 기름을 들이부었다.

"그래서 왜 날 찾아왔지?"

"돕지 않을 건가? 내 아버지는 앙리 유이의 추종자 중 한국

제일의 유력자야. PSH나 사이비 교단 출신의 인간들과는 비교도 안 되는 핵심 인물이라고."

사이비 교단은 돈이 많지만 정계에 로비하는 데 한계가 있다. 대한민국에서 가장 강력한 정치력을 행사하는 곳은 개신교 교단. 정치헌금과 로비로 정치인을 구워삶는다 해도 그들이 개신교에게 밉보이고 싶지 않다면 다른 종교인들과는 거리를 벌릴 수밖에 없다.

반면 일반적인 재계 인물이라면 얼마든지 정치가들과 함께 갈 수 있다. 그런 점에서 앙리 유이의 아이들 중 가장 유력한 것은 강의찬의 아버지가 맞으리라.

"물론 돕긴 할 건데… 우리 너무 정 붙이지 말자고. 때로는 오가는 게 좀 있어야 관계가 쿨해지지 않겠어? 이대로 정 붙다가는 난리 나겠어."

서현은 그리 말하고 손가락을 동그랗게 말아 보였다.

과거의 그는 푼돈에 연연하는 성격이 아니었다. 그가 목표로 하는 건 보다 크고 추상적인 어떤 것이었다.

테트라 아낙스를 처단하고 자리를 빼앗아 번영을 누린다. 부귀공명을 자신의 것으로 한다.

그런 목표가 있기에 계속되는 살해 위협에서 살아남고 향후의 부귀공명을 빌미로 세력을 규합할 수 있었다.

하지만 정작 서현 자신이 그 목표를 원하지 않았다. 당시에는 몰랐지만 막상 테트라 아낙스가 죽고 서린이 새로운 테트라 아낙스가 되었을 때 서현은 그동안 자신이 세운 목표가 얼마나 끔찍한 자기기만이었는지 깨닫게 되었다.

물론 따지고 보면 어린 시절부터 뱀파이어와 라이칸스로프들에게, 마법사들에게 살해 위협을 받으면서 도망쳐 다닌 자에게 제대로 된 목표와 삶을 찾으라는 건 무리다.

그러나 프라이드가 강한 서현으로서는 그런 자기기만을 직면하게 되었을 때 자신을 용서할 수 없었다.

그러한 고통에서 그를 구해준 것은? 충실한 생활감이 가져오는 재미다. 거대한 목표, 장구한 계획이 가져오는 좌절과 고통에서 생활감이 그를 살려주었다.

그러니 푼돈이든 아니든 간에 일단 청구한다. 이건 서현이 새롭게 선택한 삶의 방식이니까.

그게 아니더라도 이 강의찬이란 남자에게 뭔가 청구하지 않으면 억울하다는 생각이 들었다.

“차량 100대를 주문하지.”

강의찬은 대뜸 그렇게 말했다.

“…뭐.”

그럼 푼돈이 아니게 된다. 깜짝 놀란 서현이 의자를 고쳐 잡고 자세를 바로 했다.

“내가 상속받을 회사에는 회사 법인차가 100여 대 있거든. 화물 운반용 차량과 영업용 차량, 임원들용 리스, 그 모든 걸 싹 갈지. 검은돈이 아니라 충분히 합법적인 돈인데 어때?”

“음… 잠깐, 루스킨?”

서현은 루스킨을 불렀다. 그러자 정비 중이던 루스킨이 정비

반용 앞치마를 벗어 던지고 무표정하게 말했다.

"승합차나 밴, 트럭 같은 영업용 차량들은 마진이 별로 안 남아요. 그리고 중고차보단 신차를 원할 거 아닙니까? 회사 영업용을 다 썩은 차량들로 교체할 리는 없고. 그런 짓 하면 세무조사 나옵니다."

무뚝뚝하고 차분한 어조로 왜 그게 안 되는가를 설명하는 루스킨이었지만 등 뒤로 돌린 손은 연신 꼼지락거리고 있었다.

마진이 별로 안 남는 상용차라 해도 100대를 한꺼번에 주문하겠다는 건 보통 큰 건수가 아니다.

어차피 앙리 유이의 추종자 세력은 야금야금 말려갈 필요가 있다. 기왕 하는 일, 하면서 실리도 추구하면 좀 좋은가?

'훌륭한 차팔이가 되었군, 루스킨.'

서현은 루스킨의 바람직한 변화(?)에 감탄하면서 강의찬을 바라보았다.

"죽이면 확실히 당신이 상속받는 건가?"

"물론이지. 그리고 이런 말 하긴 뭐하지만 난 이미 아버지 제약 회사의 주식을 되는대로 매입하고 있었어. 장내 매입과 장외 매입을 동시에 진행하고 있었지. 설령 아버지 애인들의 자식이나 사생아들이 덤벼든다고 해도 아버지 보유분만 상속하게 되면 경영권은 내 차지다."

언젠가 아버지를 밀어내고 회사를 차지할 생각이 만만이었다는 소리다. 이번 일이 아니더라도 결국 강의찬과 그의 아버지는 서로를 죽이지 않았을까?

"무엇보다 아웃레이지는 약이고, 내 아버지는 제약 회사를 가지고 있고 앙리 유이의 아이들이라 불리는 추종자 그룹이야. 당연히 서로 간에 모종의 관계가 있겠지?"

"……."

생각해 보면 너무나 당연한 일이다. 앙리 유이가 비약을 알약의 형태로 제공하는 이상 알약 제조 기계 정도는 있어야 하는 법이고 자신의 추종자가 제약 회사 사장이라면 당연히 모종의 관계를 맺지 않을 리 없다.

'마약상들은 어렵지 않게 알약을 제조하니까 그런 쪽으로 연결해서 생각하지 않았군.'

강의찬의 '매우 적극적이고 능동적인 상속'을 돕는 짓을 제쳐두고서라도 한 번쯤은 강의찬의 아버지를 만날 필요가 있겠다.

"그래, 그럼 구체적으로 어떻게 해야 하지? 그냥 덜컥 죽이면 싫어도 네가 용의자로 지명될 텐데? 게다가 상대가 한국에 있긴 한가?"

만약 이번 아웃로들의 서울 진군이 강의찬의 아버지가 꾸민 일이라면 그것이 실패한 순간 보복을 두려워해서 잠적하지 않았겠나?

설령 잠적하지 않았다 해도 기업주가 변사체로 발견되면 기업주가 죽기 전에 미리 이래저래 주식을 야금야금 모으던 아들이 용의자 1순위에 오르는 건 당연한 일이다.

강의찬의 집이 최근 습격당해서 수리를 하고, 부서진 가전제품 등을 내놓아야 했었다는 걸 생각하면 경찰들이 눈 뜬 장님이 아닌 이상 뭔가 골치 아픈 일이 진행되겠지.

하지만 강의찬은 호언장담했다.

"괜찮아, 내가 생각한 방법이 있으니까."

"음, 어떤?"

"한세건의 이름으로 하는 거지."

"……."

그때 끼익 하고 정비 공장 앞에 뭔가가 급브레이크를 밟는 소리가 들려왔다. 헬멧을 쓴 채로 한세건이 뛰어들어 왔다. 공교롭게도 강의찬과 서현이 나누고 있던 이야기를 들었던 모양이다.

"호랑이도 제 말 하면 온다더니."

강의찬은 당사자가 나타났음에도 불구하고 어깨를 으쓱해 보일 뿐이었다. 반면 서현은 궁금해했다.

"와, 자주 보네. 되게 심심했나 보다?"

"…네놈 쓰러져서 골골대던 시간이 꽤 길거든? 남들이 들으면 내가 맨날 찾아오는 줄 알겠다? 아니, 그보다 지금 전화로 날 불러낸 건 댁이잖아? 그런데 무슨 역적모의를 하고 있어?"

한세건은 강의찬에게 자신의 휴대폰을 들어 보이고 짜증을 냈다.

보아하니 강의찬이 이곳으로 오라고 한세건을 불러낸 것 같다.

"이번 일도 있고 해서 말이지."

강의찬은 자신을 노려보는 한세건의 눈빛을 덤덤하게 받아내면서 말문을 열었다.

앙리 유이의 아이들, 그것은 앙리 유이가 태초의 영과 유사한 존재, 신을 만들기 위해 모아둔 자질을 가진 고아들이었다.

표면적으로는 성공회 목사가 운영하는 고아원이었지만 그 이면에서는 각종 주술과 마법, 뱀파이어화의 실험이 자행되었다. 하지만 놀라운 것은 그런 피실험체인 앙리 유이의 아이들이 대부분 앙리 유이에게 충성심을 보인다는 것이었다.

사악한 영적인 존재와 교류하는 마법사들, 사법사의 수장이며 뱀파이어인 앙리 유이의 연구라면 응당 끔찍하고 잔혹한 일이 뒤따를 것이라 생각되지만 연구 과정은 아이들에게 고통스러운 일이 아니었고 오히려 그들의 능력을 개화시켰다.

특히 강의찬의 아버지 강석운은 강력한 초상 능력과 그것을 활용하는 법에 있어서 타의 추종을 불허했다. 그는 고아 출신임에도 불구하고 입지전적인 성공을 거두었고 대형 약국과 제약기업을 인수해 중견 제약 그룹을 이뤄내었다.

창의적인 연구보다는 특허료를 내고 복사하는 카피약과 칫솔, 치약, 구강청정제, 건강보조식품 등을 주력으로 하는 사업이었지만 그런 만큼 수입은 확실했다.

그런 강석운은 지금 앙리 유이의 명령을 실패하고 잠적한 상태였다. 하지만 강의찬은 아버지의 행동 패턴을 파악하고 있었다.

"우리 아버지는 밥 없이는 살아도 여자 없이는 못 살 사람이지."

아들의, 아버지에 대한 평가치고는 매우 괴팍하다. 한세건은 눈살을 찌푸렸다.

"살인자들에게서 도망치는 순간에도?"

"당연하지. 그 사람이라면 문지방 넘을 힘만 있으면 반드시 여자를 끼고 산다. 우리 아버지 취미가 다른 게 아니야. 유흥업소 종사하는 아가씨들을 역낚시해서 파멸시키는 게 취미지."

"역낚시?"

서현이 질문했다.

"파릇파릇한 젊은 여자애들이 뭐 좋다고 중늙은이 애인이 되겠어. 재산을 보고 하는 거지. 문제는 어쨌거나 우리 아버지는 중견 기업을 이끄는 진짜 부자란 말이야. 유흥업소 아가씨들이 메뚜기도 한철이라고 어쨌든 보통 월급쟁이보다 많이 벌긴 하지만 아버지 앞에선 뱁새가 다리 길다고 봉황에게 자랑하는 격이지."

메뚜기도 한철, 참 적나라한 말이다. 역시 세상의 빛과 소금.

"아버지 명의로 알짜배기 건물들이 수십 채나 깔려 있고 일 안 해도 열심히 장사하는 상인들 등쳐먹으며 빨아올리는 돈이 장난이 아니라고. 그러니 유흥업소에서 돈 잘 버는 애들이라도 아버지 돈 쓰는 거 보면 감당을 못 해. 그렇게 애들이 왕에게 간택된 정비 기분을 누리다가 상궁으로 급락하면 어떻겠어?"

"……."

서현과 한세건 모두들 말문이 막혔다.

"낙차를 이용해서 여자들 측에서 매달리게 하는 거야. 인기남의 증거라나 뭐라나."

"그러니까 너희 아버지가 유흥업소 아가씨들을 상대로 그런 짓을 한단 말이지?"

"그래. 그런 주제에 또 자기에게 매달리지 않고 다른 남자에게 공사 쳐서 가는 애들을 보면 가만히 안 있지."

"가만히 안 있으면?"

"자기 어장에서 탈출한 순간 상대방에게 그 여자 과거 까발리고 파멸시키는 취미가 있지. 대단한 양반이야."

다 늙은 중늙은이가 파릇파릇한 여자들 상대로 그런 왜곡된 연애를 즐기며 사는 게 취미라니 참으로 대단하다. 연애를 취미로 하는 노인네라니 어떤 의미에선 열정적으로 삶을 즐긴다고 할 수 있겠지.

"그래서 당신 같은 자식이 있는 거군."

서현은 왠지 모르게 납득했다. 한세건도 공감해서 고개를 끄덕였다.

"그런 부모 밑에서 자랐으면 애가 이렇게 망가질 법도 하지."

온 가족을 몰살당하고 테러범이 된 한세건과 어린 시절을 전쟁터에서 보내 어지간한 막장 가족쯤은 우습지도 않게 보던 서현, 둘 다 강의찬의 상태를 진심으로 동정했다.

"전범인 나보다 더 상태가 나쁘다니."

"…그건 아니지? 나는 이 세상의 빛과 소금이다. 많은 사람을 살린 우수한 의사라고. 그래서 말인데, 최근에 보면 앙리 유이

측에서 한세건의 이름으로 사람들을 죽이잖아?"

"하아……."

한세건이 긴 한숨을 내쉬었다.

"우선 말하지만 난 그런 이유만으로는 네 아버지를 치기 그런데?"

왜곡된 유흥 생활을 즐기며 살아가는 중늙은이, 서울로 뱀파이어를 진격하게 하고 그 와중에 자신과 드링크제 경쟁을 벌이고 있는 경쟁사의 공장을 습격해 기숙사를 몰살시킨 파렴치한 남자다.

죽일 이유는 충분하지만… 월야의 세계에서 보면 그는 별거 아닌 존재.

한세건이 방송국이나 경찰에 범행 예고를 해가며 죽일 만한 가치가 없다.

테트라 아낙스에게 도전한다는 것은 일종의 상징이었다.

저항, 반역, 반기.

무력한 자가 강대한 자에게 향하는 선전포고, 일단 한번 내뱉으면 주워 담을 수 없는 치명적인 저주다.

그런 걸 이런 시정잡배에게 하라고?

물론 앙리 유이로 이어지는 끈이기는 하지만 강의찬이 원하는 건 자신의 상속을 원활히 하기 위해서 한세건이 굳이 경찰을 부르고 자신의 성명을 발표하는 것이다.

"앙리 유이가 멋대로 당신 이름으로 사고를 치고 다니는데도? 이 타이밍에 한 번쯤 진짜가 모습을 드러내서 교통정리를 해줘야 할 판 아닌가?"

강의찬은 그렇게 물어보았다.

"뭔가 착각하는 모양인데. 나는 앙리 유이의 추종자 놈들이 가쿠슈인을 습격해서 무고한 학생들을 죽이고 민간인들을 살해하며 내 이름을 더럽힌다고 해도 전혀 꺼리지 않아. 왜냐면 나는 이미 끔찍한 범죄자고 더럽혀질 대로 더럽혀진 놈이니까."

"네 이름으로 아동과 영유아를 강간하고 벽에 똥칠을 하고 다닌다 해도 말인가?"

"……."

한세건의 표정이 날카로워졌다. 물론 강의찬은 어디까지나 한세건을 도발하기 위해 말도 안 되는 헛소리를 하고 있는 것이다.

이런 것에 낚일 정도로 멍청이는 아니지만 불쾌하다.

"내가 말하는 건 어떤 거악이 아니고서는 성명을 발표할 의미가 없다는 거야. 테러리스트가 성명을 발표하는 건 어쨌거나 그런 채널이 아니고선 자신의 의사를 밝힐 수 없을 때에나, 아, 그때에도 물론 정당화되지는 않지만 자신을 용납할 수 있는 최소한의 허들을 넘으려면 그 정도는 되어야 한다는 거다."

그러자 강의찬은 한 개의 파일을 건네주었다.

"이걸 보면 생각이 달라질 텐데. 재미있을 거야."

강의찬은 그렇게 장담했다.

한세건이 자료를 보니 과연, 이런 끔찍한 연애 놀이를 즐긴 사람답게 온통 사생아들 천지다. 문제는 그 사생아들 사이에 묘한 표식이 붙어 있다.

"뱀파이어?"

"그래. 전부 다는 아니지만 상당수가 뱀파이어지."

"흐음."

숫자가 만만치 않다. 이게 만약 뱀파이어의 군대라면 꽤 까다로운 적이다. 이전에 서울 진공을 막을 때도 그랬지만 다수의 무장한 뱀파이어와 개활지에서 싸우는 것은 여간 힘든 일이 아니다. 가져온 폭약과 탄약을 다 쏟아부었는데 몸으로 들이마시는 꼴을 보지 않았던가?

"꽤 되는군. 내 또래들도 있는데?"

"내가 함부로 연애를 하지 않는 건 내가 만나는 여자 중 이복형제가 있을까 봐 걱정해서지."

"네, 퍽이나 그러시겠군요. 아예 아침 드라마를 찍어라."

서현은 그렇게 투덜거리며 자료를 보고 한숨을 내쉬었다.

강석운에게 정실에서 본 자식은 강의찬이 유일하지만 그 외의 사생아들은 밤하늘의 별처럼 많다. 이들 중 상당수는 자연적으로 개화한 뱀파이어가 되거나 그도 아니면 뱀파이어의 피를 받아서 뱀파이어가 되었다고 한다.

"이번에 서울에 진격한 아웃로들은 어디까지나 아버지가 이끄는 세력의 극히 일부야. 자신의 사생아는 단 한 명도 없는, 종놈들만 모아서 보낸 거지. 그게 실패했으니 이제 진짜배기를 모아서 보낼 거다."

"그게 뭐?"

"원래 초능력자던 이가 뱀파이어가 된 거야. 거기에 앙리 유이가 푸는 비약, 아웃레이지를 더하면 어떻게 될까? 별거 없는 아웃로 뱀파이어라도 많이 상대하니 서현, 네가 앓아누워야 했잖아. 안 그래?"

"……."

확실히, 이건 심각하다. 초능력자, 초상 능력자들이나 마법사가 뱀파이어가 된다면 그건 호랑이가 날개를 단 격이다. 하물며 그들의 근원을 따져보면 앙리 유이가 연구를 하면서 만들어낸 부산물, 거기에 아웃레이지를 더하게 된다면 어떤 화학반응으로 어떤 결과물이 나올지 예측하기 힘들다.

"큰 싸움이 될 테니 미리 예고를 해서 민간인 피해를 좀 줄이는 건 어때? 그놈이 거악이라서, 범행 예고 선언을 통해 '나는 저항한다, 고로 존재한다' 라고 울부짖을 필요는 없어. 저항할 가치가 없는 시정잡배라 해도, 그로 인한 피해를 줄이기 위해서 예고하는 건 어때?"

"…그렇게 나오나."

한세건은 한숨을 내쉬었다. 강의찬에게 자신의 속내를 들킨 것 같아서 기분이 나쁘다.

한세건에게 있어서 범행 예고는 결국 저항의 선언이다. 테트라 아낙스는 한세건이 목숨을 걸고, 영혼을 불태우며 저항할 가치가 있는 폭군이다.

그러나 이 남자, 강석운은 앙리 유이와 연결되어 있다 뿐이지 흔한 시정잡배다. 죽일 가치는 차고 넘치지만 선언할 가치는 없다.

하지만 선언이 저항의 의미가 아니라 민간인 피해를 줄이기 위한 의미라면 어떨까?

그렇다면 할 수 없지. 범행 예고를 보낼 수밖에.

"이제 와서 말하지만 역시 가쿠슈인 습격 사건은 기분 나빠. 내가 왜 민간인 학교를 습격해서 사람들을 몰살시켜?"

"뭐, 남들이 보기에는 이것도 민간인 살해긴 하다만."

서현이 한마디 해주자 한세건이 끙 하고 관자놀이를 짓눌렀다.

5

배니싱 블러드의 뱀파이어, 카나가와 교지와 그 휘하의 뱀파이어들, 츠구미와 에두아르도는 간신히 서울 진공 사건에서 살아남아 도망쳤다.

한 번의 패배는 병가지상사.

하지만 이번 패배는 카나가와 교지에게 너무나 치명적이었다. 조직원 상당수를 잃어버린 것이다. 보통 일이 아니다.

야쿠자 영화에서는 매번 폭력 항쟁이 밥 먹듯, 숨 쉬듯 자연스럽게 일어나는 걸로 그려지지만 정말 그렇게 쉽게 항쟁이 일어나진 않는다. 야쿠자들이 스스로 극도니 뭐니 뭔가 있는 것처럼 말하지만 결국 그들이 원하는 건 돈과 이권이다.

돈도 이권도 얻지 못하고 조직원 상당수를 잃어버렸다면 은퇴밖에는 방법이 없다. 가지고 있는 모든 걸 조용히 내려놓고 뒷방 늙은이가 되는 수밖에. 아니, 그 정도면 다행이다.

앙리 유이가 그를 내버려 둘 리가 없다.

"젠장. 말도 안 돼. 뱀파이어 헌터 따위가 어떻게 그런… 라이칸스로프야 그렇다 쳐도."

츠구미는 투덜거리며 손을 털었다. 그녀의 앞에는 산산조각으로 해체된 사람의 시체가 나뒹굴고 있다.

"진정해라, 츠구미. 사람을 이렇게 마구 죽이면 곤란하지."

"괜찮아. 외국인 노동자 같았는걸. 경찰들도 확인하기 힘들지 않을까?"

"'같았는걸~' 이 아니지……."

에두아르도는 츠구미의 철없는 행동에 눈살을 찌푸렸다. 아웃레이지를 먹어서 능력을 각성한 츠구미와 에두아르도는 잦은 갈증에 시달리고 있었다. 사람을 먹고 싶다는 욕구가 너무 강하다. 한번 인간의 피를 마셔 버릇하면 이제는 참을 수 없다.

이전에도 그렇게 흡혈 욕구가 작지는 않았지만 통제 가능한 욕망이었다면 이제는 완전히 상륙한 폭풍우처럼 울부짖는다. 아무리 마음의 문을 닫아도 문짝을 두들기며 피를 갈구하는 욕망이란 이름의 태풍을 이겨내기 힘들다.

"너희를 말려야 할 처지다만… 나 역시 고통스럽군."

카나가와 교지는 그리 말하며 아웃레이지의 약병을 확인해 보았다. 이 약은 터무니없는 마약이다. 약을 먹으면 흡혈 욕구조차 가라앉는다. 하지만 그것도 잠시, 약효가 떨어지면 그보다 더 큰 욕구가 밀려온다. 매번 몰려올 때마다 덩치를 불리는 해일 같다.

"약이 떨어지지 않도록 조심해야 한다. 약을 먹어서 참기보다는… 사람을 먹어서 버티는 게 나아."

앙리 유이가 아웃레이지를 무한정 공급해 주겠다고 했지만 그것은 어디까지나 한세건과 서현을 상대로 의미 있는 성과를 거두었을 때다. 이렇게 패배하고 추하게 연명하고 있을 때라면 오히려 그들을 죽여서 테트라 아낙스 쪽으로 자신들의 정보가 흘러들어 가는 걸 차단하려 하겠지.

에두아르도는 한숨을 내쉬고 츠구미가 토막 낸 시신들을 최대한 쓰레기 더미 사이로 숨겨놓는 작업을 시작했다.

그때 갑자기 한 인영이 그들에게 드리워졌다.

막다른 골목의 입구에 젊은 남자 둘을 거느린 백발의 장년 남자가 으스대면서 서 있었다.

"이거, 이거. 참 수고가 많으십니다."

남자가 그렇게 말하는 즉시 에두아르도는 텔레포트를 해서 남자의 뒤에 섰다. 단번에 경추를 꺾어버릴 수 있는 위치로 간 그 순간, 장년 남자의 옆에 서 있던 두 청년이 움직였다.

깔끔하고 짧은 보디블로, 글러브를 낀 권투나 킥복싱보다는 맨손으로 몸통을 타격할 것을 전제로 한 풀 컨택 가라테 스타일의 보디블로가 에두아르도의 몸통을 찔렀다.

에두아르도도 괜히 야쿠자 생활을 한 게 아니라 그 일격을 막아냈지만…….

그다음 순간 에두아르도의 머리로 상단 돌려차기가 날아들었다. 보디블로를 제대로 회수하지도 않고 골반의 유연성을 이용해 돌려 찬다. 미처 방어하기도 전에 발차기가 에두아르도의 머리를 스쳐 지나갔다.

"큭!"

뒤로 한 걸음 물러선 에두아르도가 상대하려 했지만 두 다리가 풀썩 꺾인다.

스쳐 지나가면서 가한 타격이 절묘했다.

머리를 비스듬히 스치며 안의 뇌를 진탕시키는 공격, 물론 고위 뱀파이어는 영적인 면이 기괴하게 발달되어 있어 설령 뇌를 손상당한다 하더라도 잠시 동안 의식을 뇌 신경계가 아닌 영체에 맡기고 그사이에 재생력을 발휘해 뇌를 재생시킬 수 있었다.

그러나 통증을 지각하지 못한다면?

통증보다 마비가 먼저 찾아온다면 그때는 꼼짝없이 당하고 만다. 지금 같은 경우가 바로 그러했다.

"큭!"

츠구미가 에두아르도를 구하기 위해 뛰어들려고 했지만 그보다 먼저, 총탄 같은 것이 그녀의 머리를 강타했다.

명중한 것은 500원짜리 주화였다. 문제는 화살을 능가하는 속도로 날아왔다는 것이다. 시속 500킬로미터 정도의 속도로 날아온 500원 주화가 츠구미의 머리에 박히고 살 속에서 진동하기 시작했다.

마치 안경점에 설치된 초음파 세척기가 물을 진동시키는 것처럼 그녀의 머리 안에 박힌 동전이 그녀의 뇌수를 진탕시킨다. 츠구미도 버티지 못하고 허우적거렸다.

“그만해라, 의준, 의석.”

“예, 아버지.”

장년 남자의 제지에 두 남자가 손을 거두었다. 에두아르도와 츠구미는 겨우 정신을 차렸다. 상처는 순식간에 아문다. 하지만 몸의 상처야 그렇다 치고 정신의 상처는 극히 심각하다.

이렇게 쉽고 깔끔하게 제압당하다니. 상대가 보통이 아니다.

“이거 초면에 실례가 많았소. 당신들 선대와는 연이 좀 있어서, 허허. 하지만 당신들도 급하구만. 다짜고짜 공격해 오면 안 되지.”

장년 남자는 그렇게 말하고 웃었다.

“선대라면?”

카나가와 교지는 그렇게 물어보았다.

“물론 진마 자인이지요.”

장년 남자는 자인의 이름을 입에 올렸다.

“…진마 자인.”

“……”

이 남자는 대체 뭔가?

“옆의 놈들이 둘, 흡혈귀입니다.”

“큭……”

재생된 에두아르도와 츠구미가 카나가와 교지의 곁에 붙었다. 둘 다 잔뜩 긴장한 게 마치 털을 곤두세우고 하악질하는 들고양이 같다.

그 모습을 보며 장년의 남자가 웃었다.

"아웃레이지가 다 떨어지진 않았소?"

"…뭣?"

그다음 순간 장년 남자는 플라스틱 약통을 하나 던져 주었다. 무심코 그걸 받아 본 카나가와 교지는 알약이 가득 들어 있는 걸 보고 깜짝 놀랐다.

"당신은 대체……."

"소개가 늦었군. 난 강석운이오. 앙리 유이의 아이들 중 한국에서는 아마도 마지막인 듯하고, 당신들의 조력자지. 정 노인이 내 부하였소."

"그럼 당신이……."

카나가와 교지는 그 말을 듣고도 경계를 풀지 않았다. 정 노인의 조력자라면, 저렇게 강력한 뱀파이어들을 거느리고 다닌다면 어째서 정 노인이 서울 진공을 할 때 함께하지 않았는가? 게다가 앙리 유이는? 이미 테트라 아낙스에게도 버림받고 야쿠자들 사이에서도 세력을 잃고 있는 카나가와 교지의 일파에게 다시금 기회를 주려는가?

"안심하시오. 앙리 유이 님은 선량하신 분이라 한 번 실패한 정도로 당신들을 숙청하거나 하진 않을 것이오. 까놓고 말해서 당신들 능력은 이래저래 필요하거든. 그보다 우리와 함께 가지 않겠소?"

그리 말한 장년 남자는 자신의 리무진을 가리켰다. 캐딜락 리무진, 한국에서는 상조 회사에서 잘 쓰는 차량이지만 그런 의미에서 가져온 것 같지는 않다.

"…알겠소."

카나가와 교지는 자신에게 선택지가 그리 많지 않다는 걸 실감하고 혀를 찼다. 여기에서는 저 남자를 따를 수밖에.

"뱀파이어 헌터라는 것은 참으로 무력하고 한심한 존재요."

한국전쟁 시절 고아가 되었으니 이제는 환갑을 가뿐히 넘어야 할 나이인 강석운은 놀랍게도 장년 남자의 외모를 유지하고 있었다. 뱀파이어는 아니다. 뱀파이어는 오히려 그와 함께 온 두 명의 청년이다. 그들은 리무진 앞에 타 있고 강석운 자신은 놀랍게도 카나가와 교지와 츠구미, 에두아르도의 맞은편에 앉아 있다.

손을 뻗으면 닿을 만한 거리에서 문득 그가 말문을 열었는데, 그게 참 영문을 알 수 없는 소리였다.

"무슨 뜻이오?"

카나가와 교지는 직설적으로 물어보았다. 선종 신도도 아닌데 뜬금없는 화두 놀이 따위 할 생각이 없다.

"왜냐면 그들이 뱀파이어를 죽이는 만큼, 뱀파이어가 늘어나기 때문이지."

강석운은 그리 말하고 지팡이를 들었다. 예사롭지 않은 검은 윤기가 흐르는 지팡이를 살짝 올려 천장을 툭 치자 LCD 모니터가 내려왔다.

LCD 모니터에는 한세건의 모습이 찍혀 있었다. 바이크에 탄 채 놀랍게도 건물 위에 있는 모습, 건물 물탱크 위에 있던 그는 바이크의 스로틀을 당기고…….

물탱크가 쓰러진다. 건물의 위에서 물탱크가 떨어지며 물이 밑으로 쏟아지고, 한세건은 바이크에 탄 그대로 반대편 건물의 벽을 찍고 내려온다.

"세상에."

카나가와 교지는 무심코 탄성을 내질렀다.

저런 게 바이크로 가능하단 말인가?

만약 한세건과 직접 맞상대해 보지 않았다면 액션 영화의 특수 효과라고 믿었을 것이다.

"한세건, 우린 그를 주목하고 있었소. 사이키델릭 문 투약자들 중에는 이론상… 반드시 한 놈쯤은 태초의 영과 비슷한 저주령에 감염되어야 하는데… 지금까지 그 대부분은 커럽티드로 종말을 고했소. 하지만 김성희, 그 여자가 손을 봐서인지 아니면 실베스테르가 관리를 해서인지 이 친구는 커럽티드가 되지 않았지. 덕분에 한국의 아웃로 뱀파이어들은 아주 학살을 당했소."

"혼팅 말인가. 확실히 그가 다루는 혼팅은 그의 의지에 굴복해 도구로 변해 있더군. 게다가 유다의 힘도 그에게… 그래서 그를 원하는 게 아닌가?"

교지는 그렇게 물어보았다. 앙리 유이는 한세건을 확보해 주길 원했다. 하지만 카나가와 교지와 배니싱 블러드, 그리고 이 남자의 수하였던 정 노인은 실패했다. 서울에 진공하기 위해 올라올 때는 좋았는데 테트라 아낙스가 관여하면서 사람을 만나지도 못했고 결국 테트라 아낙스가 의도한 대로 서울 외곽에서 격파당했다.

앙리 유이와 테트라 아낙스가 주도하는 거대한 장기판 위에서 굴러다닌 기분이 들어 매우 기분이 더럽다. 그런데 그 앙리 유이의 추종자가 다시 접근하고 이렇게 리무진 시트 맞은편에 앉아 있다니 무슨 생각일까?

손만 뻗으면 죽일 수 있는 위치에 자신을 노출시키다니.

"원하긴 하지만 산 채로 잡기 힘든 놈이란 말이오. 하지만 아버님께서 원하시니 해야지."

"…아버님?"

강석운이 입에 올린 아버님은 마치 기독교인들이 그들의 신 야훼를 일컬을 때와 비슷한 느낌이 들었다. 물론 그것은 바로 앙리 유이를 말하는 거겠지.

"그래서? 왜 우리에게……."

"아, 제대로 설명을 안 했군. 안심하시오. 당신들의 능력은 당신들이 생각하는 것 이상으로 절실하게 필요하니까. 그 진공 한 번 실패했다고 당신들을 숙청하리라고 생각하는 건 크나큰 오산이오."

"……."

교지의 입술이 짓이겨졌다. 이 남자는 배니싱 블러드의 세 뱀파이어가 앙리 유이에게 버림받을까 봐 불안해하고 있다는 걸 단번에 알아챘다. 그게 또 치부를 들킨 기분이라 참을 수 없이 화가 났다.

"당신들에게 안정적인 거처와 자금, 그리고 무기를 지원해 주겠소. 게다가 이번엔 당신들을 직접 전선에 투입하는 우를 범하지 않겠소. 그저 연락책, 그리고 밀수책이 되어주었으면 좋겠소. 텔레포터들을 그냥 전장에 투입하는 어리석은 짓은 해선 안 되지."

교지가 화를 내든 말든 강석운은 자기 할 말을 했다. 그런 강석운의 말은 배니싱 블러드의 의사를 무시하는 행위였지만 그렇다고 화내기에는 또 묘하게 대접이 좋다.

"우리가 이 일을 거부할 거라고 생각하진 않소?"

"그럴 리가?"

"구체적으로 어떻게 할 셈이오?"

교지가 그렇게 물었을 때… 리무진 차량은 서울 도심의 한 호텔로 들어서고 있었다. 번잡해서 입구 근처에 교통 체증이 일어날 정도의 호텔이다.

호텔 로비에서부터 호텔 직원이 아닌, 한눈에 보아도 뱀파이어인 이들이 대낮부터 대기하고 있었다. 수는 꽤 된다.

게다가 이 정도의 수가 도심 한복판에서 전쟁을 벌일 경우 싫어도 난리가 날 것이다.

"우리는 기다리면 됩니다. 상대방이 우릴 찾아올 테니까."

강석운은 그리 말하고 먼저 차에서 내려섰다.

6

강의찬은 서현과 한세건에게 자신의 아버지의 은신처를 가르쳐 주었다.

"애인들을 데리고 간 곳이 이쪽이니까 확실해."

"…서울시청 앞 C 호텔이잖아?"

"법인 카드 사용 내역을 보니까 지금 여기 한 층을 다 빌렸어. 법인 카드로 한 층을 다 빌리고 다른 곳에 거주하고 있을 가능성도 있지만, 법인 차량들, 그리고 내 이복형제들이 이쪽에 집결하고 있더라고."

강의찬은 태연히 그렇게 말했다.

"정말 법인의 사유화가 심각하지 않냐? 이러니까 돈 내고 주식 산 주주들만 바보 되지."

"…지금 그런 이야기 할 때가 아니잖아? 빛과 소금, 확 찌개에 넣어버린다?"

한세건이 투덜거렸지만 그들의 앞, 싸구려 응접실 세트 테이블에 놓인 것은 피자였다.

"호텔에 머물고 있다면 예고장 날리면 안 되는 거 아닌가? 경찰들이 생각이 있으면 사람들을 대피시키겠지? 객실 손님들은 최우선 대피 대상일 테고."

서현이 피자를 찹찹 접어서 포개며 말했다.

"하지만 그냥 내버려 두면 너무 민간인 피해가 많이 발생해. 총이나 폭약 없이 싸워야 할 판인데?"

한세건은 그리 말하고 탁자 위에 놓인 버터나이프를 들었다. 날 없는 버터나이프를 잡자 나이프 표면이 일렁이며 죽은 사람들의 얼굴, 데스마스크가 희뿌옇게 떠오른다.

총화기 없이 도검과 격투술로 해결한다면 뭐, 가능은 하겠지만…….

"너 그걸로 피자 건들지 마라. 코로 엔진오일 들이켜는 수가 있다."

서현이 그리 말하자 한세건은 버터나이프로 이미 커팅된 피자를 마구 그었다.

"……."

"해보시든가?"

한세건이 서현을 비웃는다. 서현이 협박한다고 들어먹을 놈이 아니다. 반대로 한세건이 협박한다고 쫄 서현도 아니지.

"하아… 사람이 말을 하면 좀 들어야지."

서현이 자기가 먹으려고 접어놓았던 피자를 내려놓고 일어나려 한다. 분위기가 험악해지지만 한세건은 한술 더 떠서 버터나이프로 서현이 내려놓은 피자까지 쓱쓱 그었다.

"둘 다 그만. 왜 별거 아닌 걸로 싸워?"

분위기가 험악해지자 강의찬이 그들을 말렸다.

"아니, 저 자식이 먼저……."

"먹어도 무탈해. 괜찮아. 저주 따위 비과학적이야."

강의찬은 직접 피자를 입에 구겨 넣으며 말했다.

"그래, 비과학적이지. 그런데 그런 말을 뱀파이어 헌터와 늑대 인간 앞에서 하는군.”

한세건도 어이가 없는지 김이 다 빠졌다. 강의찬의 말에 피식 웃어버린 서현과 한세건은 다시 자리에 앉았다.

“확실히 총화기는 못 쓰겠지? 칼을 써야 하나?”

“육탄전엔 자신 있긴 한데. 그렇다고 뱀파이어들이 우리처럼 민간인 목숨을 챙길 것 같지는 않은데?”

C 호텔 인근에 오가는 사람 수만 해도 하루 수만 명… 창밖에 대고 아무렇게나 총을 갈겨도 지나가는 행인이 맞는다. 폭탄을 터뜨리면? 더 말할 것도 없다. 뱀파이어보다 사람이 백 배는 더 많이 죽을 것이다.

콩나물시루에 공 던지고 멀쩡하길 바라는 게 낫지. 서울시청 앞에서 총과 폭약을 쓴다는 건 대형 살인 사건 낼 생각 아니면 무리다.

“칼을 쓰게 되면 중장거리로 떨어질 경우 상대를 통제하기가 힘들어져. 그건 생각해 봤나? 수만 명이 돌아다니는 번화가라고.”

“예고를 한다면 어떻게? C 호텔을 직접 언급하지 않고 근처 다른 건물을 언급한다 하더라도 C 호텔 투숙객 역시 퇴거시킬 거야.”

민간인을 죽이기 싫으면 사람을 대피시켜야겠지만 그렇다고 처음 강의찬이 낸 의견대로 범행 예고를 발송해 버리면 그때는 객실의 손님들이 다 퇴거 조치 될 테니 그게 문제다.

퇴실하는 순간 습격하는 수도 있겠지만 이 인근만 해도 C 호텔, P 호텔, L 호텔, W 호텔이 있고 그 외 상가나 쇼핑센터에서 퇴거할 사람들까지 감안하면 대참사다. 한두 명이 아닐 텐데 그때 뱀파이어들만 노려서 잡을 수가 있나?

"차라리 민간인이 있든 없든 그냥 밀어버리는 건 어때? 뒷수습은 테트라 아낙스가 할 테고 서린에게도 좀 세상 일이 마음대로 안 풀린다는 걸 가르쳐 줘야지."

서현이 그리 말하며 찹찹 접은 피자를 입으로 가져가자 한세건이 째려보았다.

"네놈 예전에 그 주둥이로 자신은 사람을 죽일 권리가 없다고 하지 않았냐?"

"다들 신호등을 무시하고 무단횡단하고 있는데 나 혼자 신호를 지키기도 어색하잖아? 잘 알면서 물어보네."

"헛소리는 됐고. 난 민간인은 죽이고 싶지 않아. 절대로."

한세건은 그렇게 못을 박았다.

"그렇다고는 해도 여기서 맞서 싸울 셈이라니 제정신인가."

한세건은 C 호텔 인근을 돌아보며 혀를 찼다.

서울 도심 중심부의 C 호텔… 그 앞은 온통 번화가고 한국에서 가장 상황 대처가 빠른 곳, 경찰청장 되기 직전의 코스로 꼽히는 종로경찰서가 담당하는 곳이다. 여기저기 사복 경찰과 일반 경찰들이 항상 대기 중이라 저격수를 배치할 수도 없다.

"서울 진공이… 테트라 아낙스에게 부담을 주기 위해 뱀파이어들이 낸 고육지책이었다면 이건 그 업그레이드 버전이군."

강의찬의 아버지 강석운은 몸소 표적이 되어 시간을 끌려 하고 있었다. 테트라 아낙스나 한세건이나 앙리 유이를 찾아내고 그의 계획을 막기 위해서는 연결점이 필요한데… 그 연결점이 서울 도심 한복판에서 농성을 하고 있었다.

'날 건드려 봐라. 하지만 그러려면 대형 참사를 일으켜야 할걸?'

강석운은 그렇게 말하고 있는 것이었다.

"그래서 결국 할 건가?"

서현이 지하도 쪽을 사전 답사 하고 돌아왔다. 그 역시 고개를 절레절레 젓고 있었다.

이번 일은 보통 난제가 아니다. 하지만 한세건은 전혀 다른 방법으로 그 난제를 해결하려 한다.

'똑똑하긴 똑똑하단 말이야, 이 자식.'

서현은 한세건을 보며 내심 감탄했다. 대부분의 뱀파이어 헌터는 이 세계에 들어선 지 얼마 지나지 않아 죽게 마련, 하지만 한세건은 그 수라장을 거치고 지금에 와서는 거물이 되어 있었다.

그 원동력, 그건 바로 높은 작전 수립 능력, 수행 능력, 그리고 집중력이다.

"해야지."

"쓸데없는 짓에 너무 힘 빼는 것 같은데?"

서현은 주위의 경찰들을 바라보았다. 많다. 너무 많이 배치되어 있다. 서울시청과 한국은행, 국가 주요 시설이 밀집한 곳이라 늘 경찰들이 배치되어 있다. 물론 경찰들의 무장은 기껏해야

곤봉이나 공포탄이 대부분인 폴리스 액션 리볼버가 전부지만 저들도 서현과 한세건 입장에서는 '민간인' 이다.

미친 달의 세계를 거닐지 않는 평범한 인간.

그들을 해치지 않고 이 사람 많은 곳에서 과연 싸울 수 있을까?

"하겠어. 너, 날 도와라."

한세건은 결심하고 움직이기 시작했다.

"뭐 맡겨뒀냐? 도우라고 아주 명령을 하게?"

서현은 한세건을 따라 걸으며 투덜거렸다.

"그럼 뭐 하러 왔는데?"

"…심심하니까 적당히 구경하러?"

서현이 머리 뒤로 손을 깍지 끼며 남의 집 불구경하듯 키득거렸다. 약간 장난기 있는 말이니 농담이라는 걸 모를 리 없을 텐데 한세건은 정색했다.

"그럼 방해 안 되게 비켜 있고."

"거참… 도와달라고 애원하면 도와줄 수도 있는데?"

한세건이 손을 까딱여 서현을 불렀다.

"왜? 마음이 바뀌었나?"

"아니. 부탁할 테니까 저기 가서 엿이나 먹고 있어."

한세건은 거리에서 엿을 팔고 있는 엿장수 노인을 가리켰다. 서현은 잠시 엿이 의미하는 바를 떠올리다가 발끈했다.

"너 성격 진짜 나쁘다. 원래 친구 별로 없지?"

"갑자기 뭔 헛소리야?"

"핵심을 찔린 것 같은데?"

"…넌 뭐 친구가 많았냐? 그리고 학창 시절이나 어린 시절에 내성적인 사람이 학업 성취도가 높다는 통계가 있어."

한세건은 투덜거리며 주위를 둘러보았다. 서울시청에서 멀리 떨어져서 꽤 걸었다. 예금보험 공사 건물을 지나 종로구청 앞을 지났나? 그래도 아직 목적지까지는 많이 남았다.

"여기서부터는 좀 속도를 낼까?"

"하게? 정말?"

서현은 반신반의하며 물어보았다. 그때 한세건이 스마트폰으로 자작 앱을 열고 스위치를 눌렀다.

그 순간…….

서울시청 인근에 설치된 전광판이 일제히 명멸하더니… 한세건의 모습이 떠올랐다.

—안녕하십니까, 서울 시민 여러분. 한세건입니다. 오래간만에 여러분에게 소식을 전하게 되어 매우 유감으로 여기고 있습니다. 여러분은 가급적 제 모습을 안 보는 게 더 나았을 텐데 말이지요.

영상 속의 한세건은 무뚝뚝한 소리로 요설(饒舌)을 늘어놓기 시작했다. 그러나 그 요설을 늘어놓는 사람은 당대 제일의 사이코패스 폭탄마다. 주목하지 않는 사람이 없었다.

광장 내의 모든 사람들, 심지어 경찰마저 전광판으로 시선을 집중시켰다.

—이 영상을 11시 정각에 보고 계신다면 언론사와 경찰이 제 경고를 무시하고 여러분들께 저에 관한 사실을 숨기고 있었다고 생각하셔도 무방합니다.

한세건은 차분하게 말을 이어나갔다. 시청만이 아니라 광화문 쪽도, 모든 전광판이 다 한세건의 발언 영상을 틀고 있었다. 높은 건물 외곽에 설치된 옥외 전광판은 본래 사람이 접근하기 쉬운 곳이 아니다.

더구나 24시간 가동되는데 그런 전광판을 사람들 눈을 피해 기어오르는 건 보통 인간에겐 불가능한 일이다.

하지만 서현과 한세건이 어디 보통 인간이던가? 서현과 한세건은 건물과 건물 사이를 뛰어넘으며 전광판에 연결된 보드의 유선을 따서 언제든지 한세건이 미리 준비한 동영상을 틀 수 있도록 세팅해 두었다.

"정말 경찰이나 언론사가 입을 다물고 있었나?"

서현은 한세건의 뒤를 따라 걸으며 물어보았다.

"그럴 리가? 그냥 시간 차로 당도하도록 보내놨어. 범행 예고를 너무 순진하게 할 필요는 없지. 그랬다가는 경찰들이 우리 손에 죽을걸?"

한세건은 뻔뻔스럽게 대답하고는 종로경찰서 쪽으로 향했다.

영상에서 한세건은 경찰과 언론에 미리 언질을 했지만 그들이 그것을 무시하고 속였다고 주장하고 있었다. 하지만 사실은 영상이 송출되는 것과 거의 동시에 언론과 경찰에 경고장이 닿도록 세팅되어 있었다.

서울 중심가는 항상 사람이 많지만 그는 아무렇지도 않게 지나갔다. 서현 역시 사람과 사람 사이의 틈을 빠르게 지나갔다.

그러는 동안에도 영상 속의 한세건은 계속해서 가쿠슈인 사건은 자신의 행동이 아니며 이를 알면서도 정부나 경찰, 언론이 자신을 소재로 만들고, 그래서 모방범들이 더욱더 흉악한 범죄를 저지른다고 주장하고 있었다. 본인도 범죄자이면서 다른 범죄자, 자신의 모방범을 비난하고 있는 것이다.

이는 유니크함에 구애받는 걸로 보일 테니 프로파일러들에게 혼란을 주겠지. 그런 의도로 한세건은 일부러 어마어마한 대성공을 거둔 후 기고만장해진, 흔한 유명세를 탐하는 테러범을 연기하고 있었다.

영상이 그렇게 온 사람들의 이목을 집중시킨 사이 곧 그들은 종로경찰서 앞에 당도했다.

그와 거의 동시에 영상 속의 한세건이 선언했다.

—그래서 저는 제가 무고한 학생들을 죽이는 것보다 훨씬 유익한 일을 할 수 있다는 걸 입증하기 위해 종로경찰서 김대식 서장을 납치하려 합니다.

상대가 도심 한복판에서 일을 벌이길 원하는데 곧이곧대로 기어들어 가는 것은 바보짓이다.

하지만 시간을 끌면 끌수록 피해자가 늘어난다. 그렇다면 어떻게 해야 하는가?

한세건은 여기서 판을 뒤집었다.

뱀파이어 놈들에게 끌려가지 않는다. 오히려 뱀파이어들에게 자신의 판으로 나오도록 유도한다. 생각해 볼 것도 없이 이것이 전략 전술의 기본이다. 적의 소굴에서 싸우는 것은 어리석은 일이 아닌가?

"본래대로라면 그냥 내버려 둬도 호텔비 감당을 못 해서 나오겠지만 법인 카드라면 꽤 오래 버틸 수 있겠더라고. 그럼 뭐, 좋아. 일을 벌여서 이 일대에서 내쫓아주지."

한세건은 종로경찰서의 정면을 향해 CS탄을 던졌다. 청와대나 정부 청사, 대사관 쪽에는 병력들이 배치되어 있지만 역으로 종로경찰서는 인가된 병력 대부분을 항상 외부로 배치시켜 돌리고 있는 경우가 많다.

등잔 밑이 어둡다고 할까? 청와대와 서울시청, 정부 청사와 대사관 등을 지키느라 정작 경찰서 자신의 방어는 소홀히 하고 있었다.

한세건이 던진 CS탄, 즉 최루탄은 순식간에 경찰서 입구를 새하얀 연기로 뒤덮어 버렸다.

"컥!"

"뭐… 뭐야?!"

아직 전광판의 영상이 이들에게 전달되지 않았는지 경찰들은 갑자기 날아든 CS탄에 당황하고 있었다. 한세건은 추가로 최루

탄들을 까서 사이드암으로 싱커, 커브, 커터, 슬라이더, 각양각색의 변화구를 던져 넣었다. 적절한 위치로 날아간 CS탄들은 소량임에도 불구하고 경찰서 전역을 마비시켰다.

캡사이신 성분의 분말이 뿜어져 나오며 일대를 아수라장으로 만들었다.

“이곳에서 뱀파이어들을 내쫓는다고 해도 다른 곳에서 똑같은 짓을 하지 않을까?”

서현은 잽싸게 CS 사이로 판초우비를 걸친 채 뛰어든다. 방독면을 써도 CS탄의 캡사이신 분말은 피부와 점막을 자극해 사람을 무력화시키지만 서현은 판초우비를 휘둘러 바람벽을 만들고 경비 중이던 경찰들을 잽싸게 손으로 붙잡아 경동맥을 눌러 실신시켰다. CS 분무 속에서 실신시키면 죽을 수도 있기 때문에 그들을 옆으로 굴려놓아 가급적 CS 분무로부터 멀리하고 손을 털었다.

“혼자 여행 가면 아무 준비 없이 훌쩍 다녀와도 되지만 일개 사단이 움직이려면 무지막지한 작전 계획, 보급 계획이 필요해지지. 본거지 옮기는 일은 수 많은 쪽이 하는 게 더 고역이야. 해보자고. 누가 먼저 지쳐 나가떨어지는지. 난 적들이 원하는 방식으로 싸워주지 않을 거야, 절대로!”

한세건은 도폭선을 풀어내어 양손으로 잡았다.

일렁이는 혼팅이 도폭선에 스며들어 검은 영기로 변한다. 처음엔 아지랑이처럼 피어오르던 영기가 한세건의 손에서 그의 의지에 의해 단조되어 날카로운 가시처럼 변했다. 덕분에 도폭선은 기다란 저주의 철조망이 되었다.

한세건이 그 도폭선을 휘둘러 경찰서 벽면에 후려갈겼다. 마치 채찍으로 두부를 후려갈긴 것처럼 콘크리트 벽돌 구조 벽이 깎여 나가고 도폭선이 찰싹 달라붙는다.

한세건이 빙글 몸을 돌리며 전기 플러그를 당기자 도폭선에 맞물려 있던 클립이 떨어지는 것과 동시에 전기 불꽃이 뇌관을 점화시켰다.

도폭선이 폭발하며 벽이 파인다. 서장실 옆의 벽이 느슨해졌다.

"가라."

"그런데 굳이 종로경찰서장을 납치할 필요는 없잖아?"

서현은 그리 말하면서 훌쩍 뛰어올라 한세건이 부순 벽을 가볍게 밀었다. 그것만으로 구멍이 뻥 뚫리고 서현은 그 구멍으로 손쉽게 진입이 가능했다.

종로경찰서장, 김대식 총경이라는 명패가 놓인 책상에서 당황스러운 눈초리로 서현을 바라보던 남자가 권총을 권총집에서 빼려고 했다.

하지만 느리다. 경찰대학을 졸업한 이후, 과연 권총집에서 권총을 뺄 일은 있었는지 의문이다. 그게 아니더라도 서현에게 경찰용 폴리스 액션 리볼버는 너무 약하다. 위협조차 되지 않는다.

서현은 가볍게 경찰서장에게 뛰어들어 그의 목을 졸라 실신시키고 옆구리에 끼었다. 물론 엑토플라즘 마스크는 착용한 채였다.

“내가 호텔을 폭파시킬 명분이 없잖아.”

“그럼 이 사람을 납치할 명분은 있나? 이 경찰서장이 뭔가 죽을죄라도 지었나?”

서현은 한세건에게 종로경찰서장을 넘겨주며 물어보았다. 그러자 한세건이 어깨를 으쓱했다.

“이 김대식 총경은 원래 공안경찰로, 무고한 사람들 간첩 만들고 인생 망치는 데 도가 튼 인물이야. 공안경찰 일만 잘하는 게 아니라 돈 받아 처먹는 데도 매우 뛰어난 재주를 가지고 있어서 강남경찰서로 영전했을 때는 지역 유흥업소에서 20억을 빌려 다시 그 20억을 각각 다른 유흥업소 사장들에게 빌려주고 이상하게 연 45%의 고금리를 받았지. 그런 주제에 경무관 필수 코스라는 종로경찰서장으로 영전한 인물이야.”

“승진 가도를 달리시던 분이라 이건가? 이런 일 당하면 커리어가 끝장날 텐데.”

“이 녀석에게 당해서 한강에 투신자살하거나 분신자살한 사람이 헤아릴 수 없는데 커리어 끊기는 게 뭐 대수라고? 경찰복 벗어도 살아는 있잖아.”

한세건은 출세 가도의 공무원을 시궁창으로 떨어뜨리면서 눈 하나 깜빡하지 않았다. 하긴 뭐 대수인가? 뱀파이어에게 온 가족을 몰살당하고 뱀파이어 헌터 일을 하게 된 고교생도 있었는데.

“하긴, 공무원들은 자기네 커리어 살짝 금 가는 게 남들 죽는 것보다 대단한 일인 양 호들갑 엄청 떨어대더라? 한국도 그런가?"

서현과 한세건은 대한민국의 심장부, 종로경찰서를 털어버리면서 흡사 무슨 친구 집 놀러 왔다 놀러 가듯 가벼운 발걸음으로 움직인다. 경찰들이 미처 반응하기도 전에 유유히 경찰서장을 납치한 두 사람은 아무렇지도 않게 김대식 총경의 옷을 벗겼다.

경찰 제복을 벗기고 가지고 온 반바지를 입히니 러닝셔츠 차림의 배불뚝이 아저씨가 되었다. 나는 새도 떨어뜨리는 위세의 경찰서장이 홍콩 영화 등에서 엑스트라로 지나가는 인물 같다.

"별로 운동 안 했나 보네. 나이를 감안해도 경찰치고 군살이 너무 많아."

"총경쯤 되면 현장에서 실무를 안 뛰니까."

서현과 한세건은 김대식 총경의 몸매를 품평하며 그를 부축해 무려 택시를 잡아탔다. 종로경찰서장을 납치하겠다고 선언하고 당당히 택시를 잡아탔지만… 그 순간 서현과 한세건은 택시기사 앞에서 중국 북경어로 대화를 나누며 마치 중국 관광객인 양 행세했다. 러닝셔츠에 반바지 차림인 남자는 중국 화교에겐 매우 흔한 일이어서 그런지 택시 기사도 그러려니 하고 아무 의심 없이 그들을 차에 태웠다.

그래서 그들은 경찰의 봉쇄망이 펼쳐지기 전에 잽싸게 서울 중심가를 빠져나갔다. 대한민국의 심장부를 수호하는 종로경찰서장을 5분도 안 되는 짧은 시간에 납치하고 보란 듯이 농락해 버린 것이다.

게다가 농락은 여기서 끝이 아니었다.

드드득!

서울 광장에 모여 있는 시민들 모두가 자동소총의 발사음을 들었다. C 호텔로부터 시청을 향해 총이 발포되고 있었다.

“꺄아아악!”

“우아악!”

군 복무를 경험한 사람들은 이 총성이 녹음된 것이 아니라 진짜 총성임을 깨닫고 비명을 질렀다. 사람들이 패닉을 일으키자 시위 진압용 차량이 길을 막고 사람들을 인도한다. 전투경찰과 경찰기동대 지휘부는 이런 상황에 완전히 익숙한지 이내 혼란을 일으키는 시민들을 통제하기 시작했다.

“당했군.”

그 소리를 듣는 것만으로도 강석운은 일이 자기 뜻대로 풀리지 않음을 알고 혀를 찼다.

원래 계획은 만반의 준비를 갖춘 그들의 소굴로 한세건이 쳐들어오게 해서 쓴맛을 보여주는 것이었다.

아웃레이지로 강화된 뱀파이어들을 상대하기 위해서는 아무리 한세건이나 서현이라 해도 사람들의 이목을 완전히 숨기고 싸울 수 없었고, 그렇게 되면 이 모든 게 테트라 아낙스의 부담이 된다.

싸움도 걸고 테트라 아낙스의 목도 조르고. 일석이조라 할 수 있으리라. 그래서 한 일인데… 역시 한세건이 왜 뱀파이어 헌터로서 오래 살아남을 수 있었는지 알 것 같다.

상대가 그들의 의도를 간파하고 전혀 다른 방법으로 그들을 강제로 C 호텔에서 축출한 것이다.

—로비에 경찰들이 있습니다. 손님 여러분은 경찰의 수사에 협조해 주시면서 조속히 퇴실하시길 바랍니다.

호텔 내부 스피커로부터 당황을 감추지 못하는 여성 직원의 목소리가 울려 퍼졌다.

호텔 안에서 총성이 울려 퍼졌으니 당연한 조치다. 게다가 폭탄마, 한세건의 범죄 선언도 있지 않았던가?

"하지만 이때 당신들이 있어서 얼마나 다행인지 모릅니다."

강석운은 그리 말하고 자신이 모셔온, 배니싱 블러드의 뱀파이어들을 바라보았다. 카나가와 교지와 에두아르도, 그리고 츠구미는 황당한 표정으로 호텔 창밖의 아수라장을 지켜보고 있었다.

한세건의 범행 선언, 그로 인해서 서울 시내 곳곳이 들썩이고 있었다.

"이런 미친놈이었군."

배니싱 블러드의 뱀파이어들 대부분은 야쿠자 출신이다. 범죄를 저지르는 걸 자랑이나 훈장으로 여기는 자, 자신이 만만치 않은 존재임을 자랑스러워하는 불한당이다.

하지만 한세건 같은 짓은 도저히 못 한다.

애초에 범행 사전 예고라는 짓 자체가 보통 미친놈이 아니면 할 수 없는 일, 더구나 그들의 매복을 무산시키기 위해 고른 게 경찰서장 납치라니? 대한민국 공권력 전체에 싸움을 거는 짓이 아닌가?

"뭐, 좋아. 확실히 이런 놈이라는 걸 알겠어. 하지만 당신의 목표는 시간 끌기지? 괜찮은 것 같은데 그럼."

카나가와 교지는 그리 말하고 강석운에게 손을 내밀었다. 강석운이 카나가와 교지의 손을 맞잡자 그들은 호텔 방에서 사라졌다.

배니싱 블러드 덕분에 강석운과 그의 경호원들은 무사히 C 호텔을 빠져나갈 수 있었다. 하지만 호텔을 빌린 사실조차 지울 수는 없다. 향후 조사가 시작되면 별다른 일도 없이 법인 카드를 써서 호텔 플로어 한 층을 통째로 빌린 이유를 추궁받게 될 것이다.

"공권력의 역린을 자극해서 오히려 우리를 끌어낼 줄이야."

"어쩔 건가, 이제?"

카나가와 교지는 물어보았다. 처음에는 경계심을 가지고 있었지만 강석운이 배니싱 블러드의 뱀파이어들을 대하는 태도는 진실로 그들을 귀중히 여기고 있었다.

실제로 C 호텔에서 빠져나오는 데 그들의 활약이 큰 도움이 된 것도 사실, 그렇게 자존감을 회복하고 보니 과연, 텔레포트라는 특수한 능력은 있으면 있을수록 좋은 것이다. 시스템을 속이고 물자와 인력을 이송하는 데 있어 이 이상 가는 능력이 없다.

앙리 유이가 테트라 아낙스를 여러 방향으로 압도하고 있지만… 시스템을 장악하고 있는 것은 어디까지나 테트라 아낙스, 앙리 유이는 시스템을 피해서 도전해야 하는 반역자다. 그런 이들에게 배니싱 블러드의 힘이 얼마나 큰 도움이 될는지.

"우리가 전력으로서 소중하다면 왜 투입시켜서 죽게 만들었지? 한 놈이라도 건지면 좋을 텐데?"

츠구미는 대뜸 그 점을 물어보았다. 그러자 강석운이 어깨를 으쓱해 보였다.

"정 노인의 착오였던 것 같소. 아니면 당신들이 혹시 너무 적극적으로 나선 게 아니오?"

"아니, 분명히 한세건과 그 일파를 잡아 오라고, 당신들의 도움을 받으라고 했었지만 대전제는 우리가 직접 나서서 싸우는 것이었어."

츠구미가 그렇게 말했지만 강석운은 싱글벙글 웃기만 할 뿐이었다.

'일부러구만, 이 새끼들.'

카나가와 교지는 대충 그들의 의도를 짐작하고 있었다. 현재 배니싱 블러드는 더 이상 조직을 유지하지 못할 정도로 병력이 줄어 있었다. 기반을 잃은 그들에게 남은 선택지는 강석운에게 협력해 흡수당하는 것밖에 없다. 그게 싫으면 아무런 기반도 없이 살아가야 하는데…….

"우리를 떠날 것이오? 한국 말에 맨땅에 헤딩한다는 이야기가 있는데… 그 짝이 나지 않을까 걱정되는구려. 이쪽은 돈도 조직력도 있고 당신들은 유니크한 재주가 있으니 협력합시다."

"……."

강석운이 그렇게 말하자 좀 머리가 모자란 츠구미도 상대의 의도를 깨달았다.

"너희……!"

"자자, 진정하시고."

강석운의 두 아들이라는 뱀파이어들이 나섰다. 이미 에두아르도와 츠구미를 일격에 잠재웠던 놈들이다. 다시 싸우면 어떻게 될지 모른다고 츠구미는 생각했지만 머리와 달리 몸이 나가질 않는다. 한번 맛본 패배의 각인이 공포로 몸을 얼어붙게 했다.

"한세건이 어떻게 나오나 봅시다. 우리야 뭐 시간을 끌면 좋지. 그럼 난 애인들이나 달래러 가봐야겠소."

강석운은 그리 말하고 배니싱 블러드의 뱀파이어들 앞에서 몸을 돌렸다.

한세건과 서현은 택시를 타고 한강을 건넌 뒤 내렸다. 그때쯤에 비로소 종로경찰서장 납치 소식이 알려졌다.

반응이 느리다고 경찰들을 질타할 문제는 아니다. 경찰이 느리다기보다 그들의 움직임이 너무 빠른 탓이다. 대한민국에서 설마 경찰서가 단 두 명의 괴한에게 습격당할 줄 상상이나 했을까? 그것도 무기 탈취가 목적이 아니라 서장을 납치하려 하다니?

CS탄의 연기 속에서 콜록대다 겨우 태세를 정비했을 때는 이미 서장이 자리를 비웠다.

하지만 실무자들에게 있어서 총경인 서장은 원래 구름 위의 존재, 평상시도 있는지 없는지 모르는 인물이다. 서장실 옆 벽이 무너져 있고 서장이 자리를 비우고 있지만, 서장이 자리 비우는 게 어제 오늘 일은 아니었다. 그리고 만약 여기서 서장이 납치당했다고 하면 서장의 경력에 치명상이 될 텐데 부하들이 멋대로 어떻게 처리할 수 있는 일이 아니지 않는가?

그렇게 눈치 보는 사이 정신 차린 과장 한 명이 총대를 멨다. 서장이 납치당했다는 걸 가정하고 종로 인근에서 밖으로 나가는 길의 검문소에 검문을 지시했다. 서장실 벽이 구멍 나고 경찰서 전체에 CS탄이 터진 상황인데도 아직 납치를 확신할 수 없는 것은, 만약 서장이 불한당들의 습격에서 대피했는데 납치당했다고 상부에 보고해 버리면 돌이킬 수 없기 때문이다.

총경에서 경무관으로 승진하기는 철판에 바늘 꽂기나 다름없다. 잘못된 보고라도 흠집 하나 잡히면 지금까지 쌓아온 경찰 인생이 한 방에 물거품 되는 것이다.

이런 그릇된 관료 문화 때문에 그들이 우왕좌왕하는 사이 한세건과 서현은 이미 한강 다리를 건너가 종로를 벗어났다. 한세건과 서현이 빠져나간 다음에 검문을 시작했으니 도심이 마비되어 버리기만 할 뿐, 아무 성과도 없었다.

"자, 그럼… 해볼까?"

검문을 유유자적 빠져나간 서현과 한세건은 미리 준비한 모터바이크로 바꿔 탔다. 검문이 시작되어 도시가 막힐 것은 예상하고 있었다. 그래서 그들은 오토바이 퀵 서비스로 위장하고 밀집된 도심의 흐름을 무시하며 빠져나갔다.

인적이 드문 곳으로 간 그들은 오토바이 뒤에 매단 비닐 백과 노끈 뭉치에 물놀이 기구용 발 펌프로 공기를 넣었다.

순식간에 부풀어 오른 비닐봉지는 흡사 사람이나 시체를 포박한 것처럼 보였다. 게다가 안에는 성인용품인 바이브레이터가 들어 있었는데, 가짜 시체 안에 넣어 골목에 던져놓으니 부르르 떨리는 게 흡사 사람이 움직이는 것 같았다.

"뭐, 자세히 보면 그냥 떨리는 거고 진동음도 들린다만… 발견자 입장에선 소름이 돋겠지?"

서현은 그리 말하고 키득키득 웃었다. 이것 때문에 고생할 경찰들은 좀 불쌍하지만 C 호텔을 무대로 뱀파이어 무리와의 전쟁을 벌이는 것보다는 모욕 좀 당하고 끝나는 게 낫지 않겠는가? 뱀파이어들과 싸우면 경찰들은 필연적으로 죽었을 테니… 죽는 것보다는 모욕당하는 게 낫지.

서현과 한세건은 그렇게 도시 곳곳에 가짜 시체를 뿌리고 그 시체 근처에 경찰서장의 제복과 소품들 일부를 놓았다.

게다가 빼또쥬와 루스킨도 이 작업을 진행 중이니 순식간에 도시 곳곳에 가짜 시체와 경찰관 제복의 소품들, 모자나 장갑, 견장 등이 발견될 것이다.

"그럼 이제 이 김대식 총경은 어디에 놓을 거지?"

서현은 한세건에게 전화로 물어보았다.

—개인적으로는 광화문 세종대왕상 위에 피에타의 예수그리스도처럼 알몸으로 걸어놓고 싶지만 광화문 쪽은 지금 들어가기 위험하고. 아쉬운 대로 강남구청 앞 유흥업소 거리에 버려야지.

한세건의 대답이 들려왔다.

"…거참. 이런 걸로 재미있어하면 성격 나쁜 것 같은데… 재미있네."

서현은 한세건이 저지르는 짓에 동참하면서 자신의 인간성에 대해 약간 실망했다.

경찰들은 총력을 다해 서울, 경기 곳곳에 봉쇄망을 펼치고 검문을 강화했지만 한세건을 발견하지 못했다. 그리고 다음 날 새벽, 강남구청 앞의 유흥가 쓰레기 더미에서 알몸에 검은 비닐봉지로 몸을 두른 김대식 총경이 환경미화원들에 의해서 발견되었다.

7

한세건에 의해 능욕당한 경찰들은 미쳐 날뛰고 있었다.

그 옛날, 한세건은 보란 듯이 시내 한복판에서 건물들과 타워크레인을 폭파시켜 대한민국의 공권력을 만천하에 욕보였다.

그런데 한동안 잠잠하다 싶더니 이번엔 종로경찰서장을 납치해 알몸으로 버려놓은 것이다. 한세건으로 보이는 유사 사건들을 제외하고 그가 한 게 명확한 일은 이번이 두 번째.

고작 두 번째면 별거 아니라고 생각할지도 모르나, 매 건이 크고 과격하다.

분노한 경찰들은 한세건을 잡기 위해 다시금 총력을 기울였지만 그들이 어디 얼굴을 바꾸고 인간의 주의를 의도적으로 산만하게 하는 마법의 존재를 알 수 있을까?

결국 허탕을 칠 수밖에 없었고 인터넷은 그야말로 들끓었다.

덕분에 가쿠슈인 습격 사건은 완전히 묻혀 버렸다. 따지고 보면 가쿠슈인 습격 사건이 훨씬 피해자가 많은 사건임에도 불구하고 임팩트가 다르다.

무차별 살인 사건과 예고 범행. 둘 다 강력 범죄긴 하지만 격이 다를 수밖에 없다. 게다가 그 예고 범행이 어디 보통 범행인가?

무역 11위권의 국가의 수도, 그 수도 한복판을 지키는 심장부의 경찰서장을 먼저 예고하고 납치한 뒤 털끝 하나 안 다치게 하고 다시 돌려보냈다. 이에 비하면 가쿠슈인 학살 사건은 미국 콜롬바인 고등학교의 총기 난사 사건 확장판에 불과하다.

이제 가쿠슈인 학살 사건이 한세건의 소행이라고 믿는 사람은 아무도 없게 되었다.

이건 한국만의 반응이 아니라서 일본에서도 가쿠슈인 사건이 한세건의 소행이 아니라는 건 정설이 되었다. 다만 우익 단체들은 여전히 재일 교포나 북한의 계략, 좌파의 준동이라고 주장하며 시위를 하고 있었다.

정작 그 사건을 일으킨 한세건은 아지트에서 푹 쉬고 있었다. 국도와 고속도로, 다리에 검문소를 설치하고 경찰들이 눈에 불을 켜고 그를 찾아다니고 있지만 그는 전혀 다른 얼굴, 다른 신분으로 위장하고 있으니 잡을 재간이 없다. 아무리 경찰이 이번 일로 자존심이 상해서 미쳐 날뛴다 해도 성과도 없는데 언제까지 야근을 계속할 수는 없을 거다.

"서울 한복판에 불을 질렀더군, 한세건. 우리 아버지를 조지라고 했더니만 왜 애꿎은 경찰서장을 괴롭혀?"

강의찬은 그렇게 물어보았다. 말만 들으면 뭐 경찰서장이 학교에서 괴롭힘당하는 어린아이처럼 무력하게 느껴진다. 그러나 생각해 보면 경찰서장은 권력자이고 공권력의 집행자다.

종로경찰서쯤 되면 서울의 심장부를 지키는 핵심 위치다.

그런 이가 괴롭힘을 당하다니… 가당키나 한 일인가?

한세건은 어깨를 으쓱해 보였다.

"그보다 이번 일로 너희 아버지 반응은 어때?"

강의찬과 그 아버지 강석운의 부자 관계는 이미 루비콘 강을 건넜다. 앙리 유이의 열정적 추종자인 강석운과 철저한 개인주의자인 강의찬은 애초에 한배를 탈 수 없었지만 그래도 지금까지 강석운은 강의찬을 내버려 두었다.

문제는… 강의찬이 한세건과 끈이 닿게 되면서 점점 강석운의 눈 밖에 나기 시작했다는 것이다.

이제 서로를 죽이려 하는 부자지간이 되었는데 왜 한세건은 그에게 그 아버지의 근황을 물어보는가?

하지만 강의찬은 대답했다.

"당연히 난리가 났지. C 호텔에 낡은 카빈 소총을 설치하고 자동 발사 시킨 모양이야. 덕분에 C 호텔 전원 퇴거 조치를 취하고 로비에서 사람들을 조사하고 그러다 보니… 한 플로어를 전부 빌린 미친놈이 있더라."

"그래서? 조사받았겠군."

"뭐, 사주가 멋대로 법인 카드로 호텔을 긁고 자기 애인들을 불러들여서 으쌰으쌰했다는 게 되어서… 이사회에서는 난리가 났어. 다만 어차피 그 회사는 아버지 혼자 만든 거나 다름없어서… 이사들이야 다 허수아비고. 괜히 주식에 손댄 주주들만 피 보는 거지."

강의찬은 그렇게 말했다. 아무래도 강석운은 중견 상장 기업의 오너다 보니 강의찬이 직접 만나는 위험을 감수하지 않아도 그의 상황을 알 수 있었다.

"그래서, 이제 어떻게 나오지?"

"아마도 여기 서현의 사업체를 직접 공격하지 않을까 하는데?"

철저히 음지로 숨어 있는 한세건과 달리 서현은 새로 얻은 깨끗한 신분을 활용해 사업을 하고 있다. 한세건에 의해 자극받은 뱀파이어들이 서현의 사업장을 강습할 가능성이 높겠지. 그래서 한세건은 적들의 습격이 예상되는 지점에 모션 센서와 감시 카메라를 깔아두고 대기 중이었다.

이것에 대해서는 서현도 이미 알고 있었기에 만반의 준비를 하고 있었다.

"그런데 이것들은 왜 안 와?"

한세건은 샷건을 분해, 정비하면서 그렇게 물어보았다.

"…글쎄. 공격 준비가 늦거나… 아니면."

강의찬은 힐끔 한세건을 바라보았다. 이놈은 굉장히 똑똑한 놈인 것 같은데 몰라서 묻나 궁금해서였다.

8

한세건이 예상 못 한 게 하나 있다면…….

보통 사람들은 종로경찰서장을 주머니 속 잔돈처럼 쓱 꺼내서 납치해 가는 놈이랑 상종하려 하지 않는다는 것이다.

그리고 그건 보통 뱀파이어들도 마찬가지였다.

강석운이 준비한 아웃로 중에… 앙리 유이에게 충성심이 강하지 않은 자들은 죄다 도망쳐 버렸다. 그냥 도망친 것도 아니다. 원래 강석운이 그들에게 보상으로 주기로 한 아웃레이지, 앙리 유이의 비약마저 털어 갔다.

"다 도망쳐 버렸군요. 역시 들개는 들개일 뿐입니다. 길들여지지도 않고 길들일 가치도 없지요."

강의준은 아버지에게 그렇게 보고했다. 병사들이 적전 도망을 한 셈이지만 강의준은 어차피 저런 잡병들에게 기대도 하지 않았다. 하지만 꽤 튼튼한 주철 금고를 비틀어서 열다니, 보통 아웃로들이 할 수 있는 일은 아니다.

"역시, 선금으로 아웃레이지를 좀 준 게 잘못 아닐까?"

의준이 그런 의문을 품자 배다른 동생 의석이 키득키득 웃었다.

"뭐, 그 녀석들을 그냥 데리고 다녔으면 우리도 덩달아서 그놈들 일광욕 안 시키게 행동을 제약해야 했는걸. 그리고 어차피 그놈들 가져간 약 다 쓰지도 못해."

의석은 단언했다. 도망친 아웃로들이 그 약을 다 쓰지 못할 거라고. 쫓아가 죽이겠다는 뜻일까? 하지만 의석은 별다른 살기 없이 손 위에 쌓아둔 동전을 빙글빙글 돌리다 팜(Palm:마술사들이 손바닥에 동전이나 카드를 숨기는 테크닉)을 해 보이며 놀고 있었다.

이들은 강석운의 사생아로, 둘 다 모친이 다름에도 불구하고 서로 간의 우애가 돈독했고 자신의 아버지를 존경하는 인물이었다.

보통의 자식이라면 자신의 아버지가 부정을 저지르며 여러 사생아들을 만드는 걸 좋아할 리 없지만 강의준과 강의석은 그 모든 것이 보다 더 적합한 자질을 가진 이를 만들기 위한 일종의 연구이자 수행이라고 여겼다.

그 성과물이 바로 자신들이다.

"의석아, 의준아. 도망자들을 처단해라. 우리의 위치가 한세건에게 흘러들어 갈 수 있으니."

강석운은 그리 말하고 쓴웃음을 지었다. 현재 그들은 C 호텔에서 퇴거해 급한 대로 신도림 D 호텔로 옮긴 상태였다. 이번엔 전략을 바꾸어 한세건의 습격을 대기하지 않고 자신들이 공격해 들어가기로 했으니, 그들의 거처가 적에게 알려지는 걸 원하지 않는다.

"알겠습니다."

두 형제는 아버지의 명을 받들어 거리로 나갔다.

아웃로 뱀파이어들은 매우 비참한 삶을 살고 있었다. 태양광하에서 손상을 입는 그들은 정상적인 일을 할 수가 없었기 때문이다. 그래서 아웃레이지, 앙리 유이가 만들어내었다는 비약은 매우 중요한 것이었다.

그 아웃레이지를 한국에 유통하고 있던 인물이 바로 강석운이다. 그는 이 약을 주는 대신 자신을 도와 한세건을 물리치자고 했다. 한세건 손에 죽은 아웃로 뱀파이어들이 밤하늘의 별보다 많을 지경이니 모든 뱀파이어가 혹했다.

무엇보다 그가 제공하는 비약, 아웃레이지와 그의 재력이 탐났다. 호텔에서 잠을 자고, 밥을 먹고, 태양을 두려워하지 않고 살아갈 수 있다. 당장 그런 상황이라면 누구라도 응할 것이다.

그러나 한세건이 대뜸 종로경찰서장을 납치하는 모습을 보니 다들 생각이 바뀌었다.

"테트라 아낙스 소유의 빌딩을 폭파시킬 때부터 또라이라고는 알고 있었는데…….”

“안 돼, 글렀어. 역시 이 새끼는 격이 다른 또라이 새끼야.”

그들은 결국 강석운이 보유하고 있던 예비분의 아웃레이지를 탈취하고 강석운의 곁을 떠났다. 강석운이야 아웃레이지 중독을 이용해서 뱀파이어들을 컨트롤할 생각이었겠지만 그러기엔 너무 많은 약을 한꺼번에 보유하고 있었다.

“이 정도면 다 공평하게 나눠도 1년 치는 되겠지?”

가산 디지털 단지의 재개발 구역에 멈춰 선 뱀파이어들은 약탈해 온 약을 재보고 나누기 시작했다. 누가 가져왔는지 조리용 전자저울이 있어서 그걸로 다들 무게를 재보았다. 약의 총량은 30킬로그램. 약간만 투약해도 바로 효과를 보는 마약류라는 걸 감안하면 이 정도 양이면 서울 시민 전체를 중독자로 만들고도 남을 양이다.

뱀파이어들은 신이 나 있었다. 이 약의 유효기간이 어느 정도인지 모르겠지만 코카인이나 매스암페타민 같은 마약을 기준으로 생각해 보면 유통기한이 무제한이라고 봐도 과언이 아니다.

그럼 뭐, 이 정도 양이면 평생 쓰고도 남겠다.

다들 들떠 있을 때 그들 중 한 명이 그래도 이성적인 질문을 던졌다.

“그 강석운이란 남자, 뱀파이어는 아니지만 앙리 유이 계파의 인물이야. 그것도 꽤 고위 간부. 그런 작자의 짐을 털고 무탈할까?”

“그럼 넌 분배에서 빠지든가.”

"아니, 그런 이야기가 아니라."

방금 전까지 이성적이던 뱀파이어도 대뜸 분배 제외 이야기가 나오자 이성이 날아가 버렸다.

그나마 이성적인 또 다른 뱀파이어가 투덜거렸다.

"뭐, 뒤탈이 걱정되긴 하지. 그런데 냉정하게 생각해 보자고. 우리가 안 털고 그대로 그 밑에 있으면 그놈들은 우릴 비스트에게 던져줬을 거라고. 차라리 자살을 하고 말지, 비스트와는 못 싸우겠어."

"맞아, 맞아. 우리가 언제부터 앙리 유이 편이었다고. 사실 테트라 아낙스가 받아준다고만 하면 바로 갈 거거든? 앙리 유이보고 알아서 해보라고 해. 한세건을 잡으면 그때 인정해 주지."

한국에 남아 있는 아웃로 뱀파이어들은 한세건을 미치광이 중의 미치광이로 인정했다. 상대가 미친개라는 걸 알면서 감히 건드려 보는 건 용기가 아니라 어리석음이다.

자신들이 만반의 준비를 하고 C 호텔에 대비하고 있었을 때라면 모를까, 이제 역으로 한세건이 진을 치고 있는 곳으로 쳐들어간다?

차라리 자살을 하고 말지, 그런 짓은 안 한다.

"그리고 우리가 뭐 안 털고 그냥 나오면 그럼 내버려 뒀을 것 같아? 절대 안 그렇다고. 그런 놈들은 원래 입막음 무지 좋아하거든. 그럴 바엔 이렇게 노후 준비 하고 나오자고."

뱀파이어들은 자신들이 강석운을 턴 것을 합리화했다. 그런데 듣고 보니 그럴듯하다.

"괜히 한세건이랑 박 터지게 싸우지 말고 우리 이득이나 보고 튀자고. 우린 원래 그렇게 살았어."

아웃로들이 그렇게 말할 때였다.

텅…….

그들이 머물고 있는 건물 옆으로 난 철길을 따라 둔탁한 소리가 울려 퍼졌다. 뱀파이어들의 모골을 송연하게 하는 기분 나쁜 소리였다.

"…설마 벌써?"

뱀파이어들은 즉시 권총과 나이프로 무장했다. 강석운이 한세건과 싸우라고 그들에게 지급한 무기다.

몇몇은 수류탄까지 손에 쥐었다

"야, 생각을 좀 하고 들어. 그걸 까려고?"

"도심 한복판에서 무슨 짓이야?"

아직 가산 디지털 단지에 출근한 사람들이 퇴근도 하지 않았을 시간이다. 그들이 그렇게 수류탄을 든 흡혈귀들에게 핀잔을 주고 있는데 그중 한 명이 고개를 도리도리 저었다.

"이, 이거 내 거 아냐!"

"뭐?!"

"씨발! 당장 창밖으로 던져!"

깜짝 놀란 뱀파이어가 잽싸게 수류탄을 창밖으로 던졌지만 미처 날아가기도 전에 공중에서 폭발하며 파편들이 쏟아져 내렸다.

"아윽!"

"젠장!"

뱀파이어들이 수류탄 파편을 맞고 비명을 지르는 동안 그들 사이로 한 인영이 뛰어들었다.

강석운의 사생아, 의준이었다. 그는 대뜸 뱀파이어들 사이로 날아들더니 화보에서나 볼 법한 이단옆차기를 깔끔하게 펼쳤다.

투칵!

이단옆차기가 뱀파이어의 목에 명중하는 순간 목뼈가 피부 밖으로 튀어나왔다. 놀란 뱀파이어들이 총격을 펼쳤지만 의준은 총탄을 몸으로 받아내었다.

보통 아웃레이지로 능력이 강화된 뱀파이어들은 총탄쯤은 우습게 몸으로 받아먹고 재생력으로 상처를 메운다. 그러나 의준의 경우는 좀 달랐다.

아예 총탄이 박히지 않는다.

아무르의 호랑이, 볼코프가 사용하던 강체 능력이다. 의준의 혈인 능력이 바로 그 강체 능력이었다.

의준은 후굴서기로 무게중심을 뒤로 주어 총탄을 받아낸 뒤 다이빙하듯 몸을 아래로 던지며 정권지르기로 뱀파이어의 복부를 꿰뚫어 버렸다.

"쿠엑!"

"제길!"

다른 뱀파이어들이 당황하는 사이 딱 하고 소리가 울려 퍼졌다. 몇몇 뱀파이어가 소리 난 곳을 보니… 핑거 스냅으로 딱 소리를 낸 장본인 의석이 양복 차림으로 터벅터벅 걸어오고 있었다. 마치 무대 위에서 공연하는 마술사처럼 어딘가 걸음걸이마저 사람의 시선을 끄는 인물이었다.

"이 자식들이!"

몇몇 아웃로 뱀파이어는 의준에게 달려들어 육탄전을 벌이고 있고 다른 몇몇은 의석에게 돌아섰다. 강체 능력과 육탄전을 벌이는 의준은 그야말로 태풍과도 같아서 그와 대적하는 뱀파이어들은 손길 발길이 닿을 때마다 산산조각 나고 있었다.

하지만 의석은 형인 의준과 달리 남자치고는 가녀린 체구를 가지고 있었다. 패션모델이 되기 위해 거의 기아에 빠진 사람처럼 호리호리한 체구는 거구의 '가라테카' 인 의준에 비해 훨씬 심적인 부담이 적었다. 저 정도라면 상대할 만하다.

그러나…….

의석이 손을 들어 올리자 이상한 일이 벌어졌다.

그들의 몸에서 재생력으로 자연히 밀려나야 할 수류탄의 파편이 갑자기 진동을 일으키기 시작한 것이다.

"컥!"

처음에는 부드러운 떨림 정도였지만 순식간에 주파수가 올라가 이제는 그 파편들이 박힌 곳이 끓어오른다. 게다가 의석은 그렇게 왼손을 들어 올려 뱀파이어들의 몸에 박힌 파편을 제어하면서… 반대편 손으로 카드 덱을 풀었다. 금속으로 만들어진 트럼프 카드들이 촤르륵 풀려나더니만 스스로 날아가 뱀파이어들의 목과 어깨, 팔다리에 꽂혔다.

위이이이잉!

카드가 진동하며 살이 타오른다.

"아아아악!"

누군가가 손으로 그 카드를 떼어내려 했지만 손을 댄 순간 손가락이 잘려 날아가 건물 천장에 부딪힌 뒤 바닥에 떨어졌다. 피가 사방으로 튄다.

"이 정도로 우리를 쓰러뜨릴 수 있을 것 같냐? 우린 바로 그 아웃레이지를 먹었다고!"

하지만 뱀파이어들은 압도적인 두 형제의 공격 앞에서도 주눅 들지 않았다. 일방적으로 두들겨 맞고 있긴 하지만 그들은 놀라운 재생력으로 그 상처들을 빠르게 회복시켰다.

"진마에 버금가는 능력을 가지고 있다. 반면 이놈들은 고작 두 놈! 쫄지 마! 그리고 재생하는 친구를 지켜줘! 로테이션한다!"

재생 능력자들은 의식이 날아가지만 않으면 약간 휴식하는 것만으로 전력을 유지할 수 있다. 이리되면 머릿수가 많은 쪽이 절대적으로 유리해진다. 만약 누군가 기절하면 다른 이들이 그를 구조해 재생될 약간의 시간만 벌면 되니까.

그런데…….

퍽!

그 약간의 시간을 벌 수가 없다.

의준의 연속 공격이 매우 거칠게 다가오는 모든 것을 쓰러뜨리고 의석의 강철 카드가 흩날리며 뱀파이어들을 쓰러뜨린다. 게다가…….

콰직!

의준이 다른 뱀파이어들을 물어뜯더니 그대로 들어 올려 피를 흡수한다.

"어윽……."

구속력에서 비교가 안 된다. 일단 상처가 나자 피가 펑펑 쏟아져 나와 의준을 향해 흘러든다.

"너희 따위가 감히 아버님을 배신하다니."

"비스트를 상대할 때 총알받이로 얌전히 굴었다면 향후 우리가 만들 세계에서 살 수 있었을 텐데 소탐대실이 이런 거지, 뭐. 하루 벌어 하루 먹고사는 놈들이 긴 훗날을 어찌 생각하겠어?"

의석과 의준, 두 형제는 그리 말하며 비웃고 있었다. 그때… 한 뱀파이어가 수류탄을 내던지고 자신은 창밖으로 몸을 날렸다.

깜짝 놀란 의준이 그를 추격하려 했지만 뱀파이어는 이미 건물 앞을 지나는 철도 위로 떨어져 열차의 지붕 위로 착지했다.

"크……."

의석이 카드를 날렸지만 그보다 먼저 열차가 지나갔다.

"놓쳤군."

"뭐, 한 놈이니까. 어쩔 수 없지. 약은 회수했고."

"아니, 그런데 저놈이 혹시 한세건에게 가서 우리 정보 부는 거 아냐?"

"설마. 한세건은 흡혈귀라면 슈바이처든 간디든 아인슈타인이든 닥치는 대로 죽일 놈이라던데?"

"아냐, 몰라. 멍청한 놈들의 상상력은 종종 허를 찌르는 법이거든. 아버님께 보고하지."

"음… 형도 참. 쓸데없는 생각을……."

의석은 자신이 뿌린 카드를 회수하고 아직도 살아 있는 뱀파이어들의 몸통을 들어 올려 그 피를 쥐어짜 자신의 머리에 쏟아부었다. 입을 벌려 마실 것도 없이 피부를 통해 혈액이 흡수되며 그의 몸에서 뜨거운 김이 모락모락 피어오른다. 마치 남는 수분을 증발시켜 내보내는 듯한 장면이었다.

"젠장. 개새끼… 나쁜 새끼. 테트라 아낙스나 앙리 유이나 언제부터 날 챙겨줬다고 지랄인가 했더니만 바로 본색 드러내다니……."

철도에 떨어져 간신히 탈주한 남자는 원래 작은 공장을 운영하던 평범한 가장이었다. 주로 차량에 들어가는 볼트를 납품하던 그는 대기업의 하청 압력에 의해서 빚만 짊어지고 공장을 정리해야 했다. 그러고도 너무나 많은 빚이 남아서 결국 그는 자신의 재산을 아내에게 주고 파산을 할 수밖에 없었다.

그리고 빚쟁이를 피해 도망치며 노숙자로 살아갔다. 그 와중에 그만 뱀파이어에게 습격을 당했고, 죽지는 않았지만 뱀파이어가 되었다.

사업이 망하고 더 이상 떨어질 곳이 없을 줄 알았다.

그러나 뱀파이어가 되면서 그보다 더 떨어졌다. 아, 물론 장점은 있었다.

노숙자들 간의 폭력에서 절대적 우위를 점하게 되었다. 하지만 햇살을 피해 살아야 하는 제약이 너무 강했다. 지하도가 있는 곳이 그의 터전이 되었지만 경찰의 단속이 너무 심했다. 한여름에도 몸을 꽁꽁 싸매고… 햇살 아래 나가면 살이 타들어가는 건 피할 수 있었지만 그렇게 한 번 태양 밑을 나갔다 오면 너무나 컨디션이 저하되어서 주체할 수가 없었다.

밤에 사람을 습격하고, 낮엔 죽은 듯이 자고…….

사업이 망한 날 노숙자가 되는 걸 결심하면서 그래도 아내와 아이들 장래에 누를 끼치지 않게 범죄자는 되지 말아야겠다고 다짐했는데 정신을 차려보니 강도 짓을 하고 있고 사람을 죽이기까지 했다.

그런 그에게 약 한 알만 먹으면 태양을 극복할 수 있다는 유혹은 치명적이었다.

저 반짝이는 불꽃 너머 초롱아귀가 입을 벌리고 있다는 걸 알면서도 현혹되는 물고기처럼… 그는 아웃레이지에 중독되었다.

하지만 이것 역시 나락이다.

"대체 앙리 유인지 뭔지 그런 놈들이… 우리 처지를 알기나 해? 아윽……."

남자는 머리를 싸맸다. 아프다. 구역질이 난다.

아웃레이지의 약효가 떨어져 가는 게 느껴졌다. 젠장. 방금 전엔 그렇게 많은 약이 있었는데. 조금이라도 주머니에 챙겨둘 걸…….

그래도 가야 했다. 추격당하긴 싫었다.

문득 아내와 아이들을 보고 싶었다.

아니, 이제 아이들이라고 할 수도 없겠지. 그가 노숙자가 된 지 벌써 7년째다.

강산이 변한다는 10년만큼은 아니지만 아이들은 하루만 지나도 쑥쑥 자라는 법, 7년의 시간이면 아마 몰라보게 변해 있겠지.

그가 원해서 노숙자가 된 게 아니다.

그가 원해서 뱀파이어가 된 것도 아니다.

어디까지나 타력에 의해서 그의 운명은 파괴되고 이제 허망하게 자신을 쫓아오는 햇살 속에서 갈 곳을 잃고 방황하고 있었다.

그렇게 생각하니 너무나 억울해 눈물이 난다. 하지만 탐욕스러운 뱀파이어는 눈물을 흘리지 못한다. 빌어먹을 구속력이 피와 살, 단 한 점도 밖으로 내뱉으려고 하지 않으니까.

"…울고 있나, 뱀파이어?"

그때 누군가가 그에게 말을 걸었다.

낮은 바이크의 시동음과 함께 누군가가 그를 내려다보고 있었다. 뱀파이어들 사이에 전해지는 모습과 다르지만 남자는 그가 바로 한세건이라는 걸 느꼈다.

"그냥 알코올중독자면 어쩌려고 그랬어? 카메라로 보고서 뱀파이어를 알아보다니 재주도 좋다."

맞은편에 회색 머리칼의 청년이 착지한다. 2층 정도 높이의 담벼락을 어렵지 않게 뛰어넘는 모습이 범상치 않다.

"그 정도 재주도 없이 뱀파이어 헌터를 하는 게 아니야."

한세건은 그렇게 대답하고 남자를 바라보았다. 남자는 한세건에게 대뜸 이렇게 말했다.

"D 호텔… 신도림… 놈들이 거기 있어."

"…음?"

정보를 아무런 조건도 없이 먼저 불었단 말인가? 뱀파이어끼리 갈라섰다는 건 보기만 해도 알 수 있지만 어째서?

"물론 공짜로 알려준 건 아냐……. 조건이 있어."

"난 뱀파이어와 거래를 하지 않아."

한세건은 그렇게 말했지만 남자의 시선은 이미 초점을 잃고 있었다. 우드득 소리가 들린다. 남자의 몸이 안정을 잃고 변형되고 있었다. 아웃레이지의 약효가 다하면서 원래의 VT와 아웃레이지의 저주가 상충하고 재생력이 구속력을 능가해 폭주하기 시작한다.

커럽티드로 변해가는 중이다.

"커럽티드로 변하면 죽이기도 귀찮아. 처단……."

서현은 그리 말했지만 그때 뱀파이어 남자가 말했다.

"애들이 보고 싶어."

남자는 그리 말하고 손때가 묻은 낡은 지갑을 꺼냈다. 꼬깃꼬깃 손때가 묻은 천 원짜리 몇 장과 코팅되어 있지만 들떠 있는 사진이 들어 있었다.

한세건의 손이 멈췄다.

"그냥 열심히 살았는데… 안 됐어. 안 되더라. 뭘 해도. 난 그냥 그 약을 먹으면 대낮에 돌아다닐 수 있다고. 멀찍이서 한 번만 보면 되는데……."

"……."

서현이 한숨을 내쉬었다. 이러는 와중에도 남자는 커럽티드로 변해가고 있었다.

"내가 할까?"

"아니, 내가 한다."

"헛소리하지 마. 네 말대로 나는 쓰레기 중의 쓰레기야. 이런 건……."

그러나 서현이 말을 잇기도 전에 한세건의 손에서 도폭선이 풀려 나왔다. 마치 살아 있는 뱀처럼 허공을 가른 도폭선이 단번에 남자의 미간을 꿰뚫었다.

그리고 저주의 힘을 담아서 폭파!

더 이상 이 남자를 고통스럽지 않게 하기 위해서 애쓴 보람이 있는 걸까? 남자의 의식은 단번에 끊어졌다. 한세건은 도폭선을 연거푸 더 날려 남자의 육신을 한 조각 남김없이 토막 냈다.

"……."

서현은 그 모습을 보고 혀를 찼다.

뱀파이어가 만약 자신을 살려달라는 조건으로 정보를 들고 왔다면 한세건은 쉽게 이 남자를 죽였을 것이다. 그러나 어떤 거래 없이 그냥 자신이 아는 바를 말하고 동정도 구걸하지 않고 죽었다. 눈물 콧물 질질 짜며 애원하는 것보다 더 안 좋다.

실제로 한세건은 그 때문에 굉장히 찝찝해하고 있으니까.

'이런 녀석은 절대 오래 못 버틸 텐데.'

몸은 멀쩡해도 정신이 오래 못 버틸 거다. 그러나 한세건은 이런 상태로 여전히 살아 있다. 보통 사람들이라면 벌써 오래전에 미쳐 버렸을 상황을 수년째 이어오고 있었다. 이런 외줄타기 같은 걸 언제까지 할 건가?

"…이게 아이들인가."

한세건은 남자의 손에서 떨어진 사진을 회수했다.

"버리는 게 좋을걸."

서현이 그렇게 충고했지만 한세건은 말을 무시하고 그 사진을 챙겨 넣었다.

9

신도림 D 호텔은 역에 붙어 있는 쇼핑몰, 백화점과 함께 조성된 대규모 건물이다. 서울 시내에 특급 호텔이 너무도 부족해서 부랴부랴 만들어진 이 건물 안에 강석운과 그의 사생아들이 한세건과의 싸움을 준비하고 있었다.

하지만 강석운은 방침을 바꾸었다.

그들의 휘하에 있던 뱀파이어 중 아웃로들이 이탈했기 때문이다.

"고작 한 놈 놓친 거라 해도 이건 틀렸다. 이제 물러서야 할 때다."

그러자 그의 사생아들이 당혹스러워했다.

"고작 한 놈인데요?"

"무엇보다 한세건은 평소 뱀파이어와 상종하지 않기로 유명한 놈입니다. 과민 반응이 아닐까 싶은데요."

"아니, 아니다. 과민 반응 해서 나쁠 것 없지. 한국을 뜨고 일본으로 가자. 마침 일본에는 진마 아그니가 있다고 하니까……."

강석운이 그리 말하자 두 아들의 표정이 일그러졌다. 그들은 이미 자신이 진마에 버금가는, 아니, 그 이상의 존재라고 믿고 있었다. 그런데 아버지가 자신들을 내버려 두고 진마 아그니를 높이 평가하는 것을 보니 기분이 상했다.

"아그니라는 작자를 믿는 건 바보짓이라던데요."

"믿지는 않지. 이용하자는 거지."

"뭐가 되었든 우리 손에서 처리하고 싶습니다. 한 번쯤 부딪칠 기회는 주셨으면 하는데요. 한세건이란 놈이 과연 그렇게 소문대로 대단한지."

강석운의 사생아인 뱀파이어 형제들은 자신감에 가득 차 있었다. 그런 상황에서 한세건의 위험함을, 그가 얼마나 뱀파이어들에게 위험한 존재인지, 얼마나 화끈하고 흉악한 범죄자인지 역설해 봐야 역효과만 나리라.

실제로 그들이 포섭했던 아웃로는 한세건이 무서워 도주했지만 이들 형제는 오히려 자신들의 명성을 드높일 기회로 여기고 있었다.

"그놈이 그렇게 유명해 봤자 인간 아닙니까? 이 기회에 죽여서 우리의 이름을, 새로운 '계승자' 들의 실력을 만천하에 보이지요."

그들은 자신을 계승자라 칭했다. 과거 테트라 아낙스가 멸절하려 하는 뱀파이어들의 계통을 보전하기 위해 인공적으로 진마를 만들어내고 그들에게 '계승자' 라는 이름을 붙여주었는데, 그들 역시 자신들이 앙리 유이에 의해 만들어진 새로운 진마라고 주장하는 것이었다.

이쯤 되자 강석운도 자식들의 설득을 포기했다.

"거참… 자식 이기는 부모 없다더니만, 어쩔 수 없구나. 그래, 그럼 좋은 성과 있기를 바란다."

강석운은 그렇게 말하고 애인들과 함께 공항을 가기 위해 호텔을 나섰다.

호텔의 출구는 46번 국도 반대편 뒤쪽 길로 이어져 있었다. 고층 건물들 사이로 난 좁은 길이라 저격하기에 좋은 곳은 아니다. 여기서 나와 간선로를 따라 김포 공항으로 간 뒤 거기에서 비행기를 타고 일본으로 떠난다. 강석운은 그런 준비를 하고 차에 올라탔다. 큼지막한 리무진 차량에는 젊은 여성들이 대기 중이었다.

"자, 그럼 가볼까?"

강석운은 여성들에게 손을 내밀었다. 여성들은 강석운을 떨리는 눈으로 바라보고 그의 손을 잡고 함께 리무진에 탔다.

그런데 차량이 막 지하 주차장을 빠져나왔을 때였다.

"…오래 기다렸습니다. 거참 엉덩이 무거우시군요."

호텔 입구 로비에서 지하 주차장 쪽을 보고 있던 남자가 걸어나왔다. 강석운의 아들 강의찬이었다. 강의찬도 엄청난 동안이지만 강석운은 그보다 훨씬 더 심해서 부자간이라고 믿어지지 않을 정도다.

"밀어."

강석운은 운전기사에게 명령했다.

밀어라. 그게 설마 무슨 뜻인지 모를 사람을 없을 것이다. 간만에 만난 부자지간에 있을 수 있는 일은 아니나 이들 부자는 그러고도 남는 사이였다.

"……."

운전기사는 아무런 말 없이 액셀러레이터를 깊게 밟았다. 대형 엔진이 풀가동되면서 리무진 차량이 무섭게 뛰쳐나갔다.

하지만 강의찬은 눈 하나 깜빡하지 않았다. 예상외의 일이 벌어져야 놀라지.

이건 이미 예상하고 있던 반응이어서 놀랄 것도 없다. 이미 대처할 방법도 생각해 뒀고.

쿵!

튀어나오는 차량의 보닛에 뭔가가 떨어지며 차가 튀어 올랐다. 차량의 서스펜션이 하늘에서 떨어진 것의 충격을 받아내었지만 그 반발력으로 인해 뒤집어졌다. 지하 주차장의 경사면에서 차가 들썩이며 튀어 올라…….

콰드드득!

뒤집어졌다. 다행히 차체가 워낙 긴 차량이라 주차장의 벽면에 걸려서 완전히 뒤집어지진 않았지만 벽면이 긁히고 차량이 크게 뒤틀렸다.

"폐차해야겠군."

짧은 머리칼의 청년이 공중제비를 넘고 지상에 착지했다. 서현의 그룹에 속한 라이칸스로프, 루스킨이었다. 그가 높은 건물 외벽에서 뛰어내려 리무진의 보닛과 엔진 위에 착지한 것이다. 그 반동만으로 차가 튀어 올라 이 꼴이 되었다.

그러나… 그때 로비에서 두 청년이 튀어나왔다. 한 명은 잽싸게 루스킨과 강의찬에게 강철판으로 만든 카드를 날리고 다른 한 명은 대뜸 루스킨에게 돌격해 와 풀쩍 뛰며 도약 지르기를 날렸다. MMA나 킥복싱 시합에서 슈퍼맨 펀치, 혹은 캥거루 펀치라 불리는 것으로, 달려드는 기세가 로켓 같다. 하지만 루스킨은 가볍게 그 공격을 피해냈는데…….

퍽!

깔끔한 옆차기가 루스킨의 옆구리에 꽂혔다. 루스킨의 몸이 날아가 호텔 로비 유리창에 충돌하고 그대로 두꺼운 강화 유리를 깨부쉈다.

피잉…….

한편 강의찬을 향해 날아간 카드는 공중에서 뭔가에 부딪혀 튕겨 나갔다.

그리고 낡은 바이크를 탄 청년이 모습을 드러냈다.

"…한세건인가? 진마사냥꾼? 저걸 믿고 설마 알몸으로 뱀파이어 앞에 나선 건 아니지요, 형님?"

카드를 든 청년 의석의 손에서 작은 소용돌이가 휘몰아친다. 카드들이 나선을 그리며 움직이는데 어찌나 빨리 회전하는지 그야말로 색의 회오리로밖에 보이질 않는다.

“홍길동전도 안 봤냐? 호부호형도 허락받고 해야 하는 거야. 호부는 너희가 허락받았을지 몰라도 호형을 허락한 적은 없다.”

강의찬은 그리 말하면서 무덤덤하게 옷에 묻은 먼지를 털었다.

“세상의 빛과 소금이라고 내 고학력을 너무 자랑했더니 대학 문턱도 못 밟은 애들이 워낙 반발을 해서 말이지. 약간은 성의를 보여야 할 상황이거든. 거참. 인텔리인 내가 이 무슨 짓을…….”

강의찬은 그렇게 말하고 천천히 뒤로 물러났다. 무서워서 물러난다기보다는 그냥 길거리에 함부로 버려져 있는 음식물 쓰레기를 피하는 듯한 태도였다. 초능력자이긴 해도 뱀파이어를 눈앞에 두고 여유롭지 못할 텐데 이러는 걸 보면 간이 부은 건지 아니면 정말 뭔가 다른 숨겨둔 재주가 있는지 모르겠다.

그러나 의석은 한세건에게 신경이 쓰여서, 함부로 손을 내지 않고 있었다. 한세건만이 아니라 그 리림도 와 있을 테고, 한세건 역시 범상치 않은 기세다.

“커윽… 아이구야. 이거 뭐…….”

루스킨이 투덜거리며 유리 파편을 털고 일어났다. 주위 호텔 직원들이 놀라고 일부는 경찰을 부르려 하고 있었다.

“귀찮군.”

의석이 카드를 날려 호텔 로비의 직원과 보안 요원들에게 쏘아 보냈다. 그 순간 한세건이 움직였다.

‘예상보다 훨씬 강하지만 수가 적군. 차라리 잘되었어. 탄약

을 덜 마실 테니.'

한세건은 뱀파이어 형제, 의준과 의석을 보며 그렇게 생각했다. 저들 둘, 이미 강의찬에게 이야기를 듣긴 했지만 어머니가 다른데도 아버지가 같아서 그런지 강의찬과 비슷해 보였다.

'정말 콩가루 집안이군. 만만치 않은 뱀파이어들인 것 같은데.'

한세건은 오른손 하나만으로 매뉴얼 바이크를 조작하면서 왼손으로 권총을 겨누어 쏘았다. 의석이 호텔 안으로 내던진 카드가 권총탄에 맞아 떨어진다.

날아가는 투사체를 옆에서 쏴서 떨구는 미친 짓을 하다니… 한세건 자신이 생각해도 놀랍다.

아무런 근거 없이 할 수 있을 것 같은 생각이 들어서 했는데 된다.

하지만 카드들은 너무 많았다.

몇몇은 총탄에 맞지 않고 그대로 날아가고 몇몇은 의석의 손에서 부채처럼 펼쳐져 총탄을 받아냈다.

히이잉…….

드르릉…….

마치 고급스러운 악기처럼 울어대는 카드들의 소리가 거슬린다. 알루미늄 합금으로 만들어진 것 같은 얇은 카드가 총탄을 막아내다니 이상하다. 권총의 관통력이 아무리 빈약하다 하더라도 저런 얇은 걸 못 뚫을 리가 없는데?

'뭐, 서현은 커튼으로 기관총탄도 막았지. 금속을 제어하는 혈인 능력인가? 파군 계열?'

한세건은 총탄을 막아내고 있는 의석에게 돌진했다.

던지는 카드에 현혹당하면 안 된다.

의석이 던져대는 카드를 막겠다고 계속 멀찍이서 총질을 하면 오히려 사람들의 피해가 더 늘어난다. 차라리 이때, 총으로 카드를 계속 쏴 떨어뜨릴 것처럼 보이면서 돌격해 기습해 버리는 게 제일이다.

한세건은 틈을 보인 의석에게 돌진해 그를 끝내려 했다.

하지만 그때 다른 뱀파이어, 의준이 의석의 앞에 나서서 자세를 잡았다.

한세건이 대뜸 권총을 미간에 대고 갈겼지만 의준은 총탄을 그냥 몸으로 받아냈다.

"하?! 겨우 이거냐?"

질겨진 섬유질의 근육층이 권총탄을 고스란히 받아낸다. 분명히 사람에겐 치명적인 무기가 살짝 가죽만 좀 찢고 들어가다 만다. 직접 손을 대고 때리는 무기가 아니라 멀찍이서 발사하는 권총이지만 손맛이 둔하다.

'이놈은 절대 이걸로 안 쓰러진다.'

단번에 깨달은 세건은 반사적으로 다음 수에 들어갔다. 바이크 차징, 앞바퀴를 들어 시속 60킬로미터 이상으로 들이받으면 어떤 뱀파이어의 신체 능력보다 더 묵직한 강타를 날릴 수 있다. 바이크의 무게가 뱀파이어에게 치명적이기 때문이다.

그러나… 이 뱀파이어는 피하려 하지 않는다. 오히려 대지에 뿌리내린 거목처럼 몸을 웅크리고 단단히 굳히더니만 스프링처럼 튀어 오르며 바이크의 바퀴를 향해 지르기를 날렸다.

"뒈져!"

'충돌하면 튕겨 나간다.'

이 뱀파이어의 주먹은 오토바이의 서스펜션째로 날려 버릴 정도의 위력이 담겨 있다. 물론 질량 차이는 어쩔 수 없어서 치는 놈도 나가떨어질 테지만 재생력에 자신이 있는 놈이겠지.

찰나에 그걸 깨달은 한세건은 바이크를 돌려 아슬아슬하게 의준을 스쳐 빠져나갔다.

그 순간 공기를 가르는 소리와 함께 의준의 옆차기가 튀어나왔다.

"겁쟁이는 늘 이런 거에 걸리지!"

루스킨이 맞았던 것과 똑같다.

자신을 피해 옆으로 돌아가는 상대의 옆구리를 찌르는 옆차기가 창처럼 예리하게 튀어나왔다. 하지만 루스킨을 겁쟁이라고 하는 건가?

'뭐, 내가 라이칸스로프 놈의 명예를 생각해 줄 이유는 없지.'

한세건은 그리 생각하며 능수능란하게 바이크를 조종해 옆차기를 피해냈다. 이미 루스킨이 당하는 걸 봤다. 이런 공격이 나올 거라는 건 예측했지만…….

끼익!

한세건의 바이크가 급정지하며 바닥에 스키드 마크를 남겼다. 타이어 타는 역겨운 냄새가 피어오른다. 한세건은 피했지만 바이크에 옆차기가 명중했다. 프레임이 뒤틀리고 기름이 새기 시작한다. 제대로 맞지 않고 스친 것인데도 이 정도의 위력이라니…….

"쯧, 못 쓰겠군."

한세건은 이 뱀파이어들의 수준에 놀라워했다. 한국에서 좀 한다 하는 뱀파이어들은 보이는 족족 죽였는데도 아직 이런 뱀파이어가 남아 있을 줄이야. 게다가 이놈들은 인간이던 시절부터 체술을 훈련해 왔음에 틀림없다.

"허명만 높았군. 뱀파이어 헌터, 별거 아닌데?"

의준의 몸에 박힌 권총탄은 한세건의 혼팅이 고스란히 담겨 있어서 뱀파이어에게도, 사람에게도 치명적인 독기를 품고 있었다. 그러나 의준은 손바닥으로 가볍게 그 저주를 털어냈다.

"미리 말해두지만 그까짓 쇳덩이 오토바이, 삼백 킬로그램이나 되나? 주먹 한 방에 폐차될 거니까 그까짓 걸로 날 어찌하겠다고 생각하지 말라고. 넌 무에타이나 킥복싱을 좀 한다고 하지? 나는 공수도를 좀 했는데 어디 남자답게 주먹으로 말하는 게 어때?"

의준은 주먹을 내밀며 한세건을 도발했다.

하지만 한세건은 뱀파이어가 떠드는 동안 권총탄창을 교체했다.

"뱀파이어. 듣기 싫은 목소리로 꽥꽥거리는데… 나는 네놈들과 언어로 뭔가 소통하고 싶지 않아. 너희는 인간을 고깃덩이 이하로 생각하는데 내가 왜 너희랑 말을 섞어서 감정 노동까지 해야 하지?"

바로 몇 시간 전 커럽티드로 쓰러진 남자도 그랬다. 일방적으로 자신들이 인간인 척한다. 필요할 때는 얼마든지 인간을 한갓 고깃덩이로 전락시켜 버리면서 자신들의 가치는 지키려고 한다.

그렇지만… 감정은 흔들린다.

안다.

한세건은 어디까지나 인간, 감정이 있고 마음이 있는 존재다. 그리고 그런 감정과 마음은 흔들린다. 죽는 순간, 죽음을 앞둔 순간… 아무리 끔찍한 살인귀라도 진솔하게 죽음을 맞이하는 그 순간, 감정은 소모된다.

"그래? 그렇게 말하는 것 자체가 뱀파이어에게 구애받는 게 아닌가?"

"물론 그렇지. 그래서 보이스 레코더에 녹음했다가 틀까 생각 중이야. 새로 만나는 뱀파이어마다 이런 걸 말해줘야 하는 게 곤혹스럽거든."

그 모습을 보고 의준은 흥미가 동하기 시작했다. 한세건은 피곤하고 지친 듯한 모습으로 말한다. 정말 지친 건지… 아니면 뱀파이어를 상대하는 데 지쳐 있는 건지 모르겠다. 자신이 경험이 많다고 어필하고 싶은 건지, 정말 경험이 너무 많아서 물려 있는 건지. 어느 쪽이든 간에 저건 방심이다.

마수 한세건을 잡을 수 있겠는걸?

의준은 입맛을 다시며 동생에게 말했다.

"넌 저 호부호형을 금한 형님이나 좀 예의 바르게 대접해 줘

라. 그리고… 라이칸스로프도 좀 제거하고."

"뭐? 이것들이 지금 뭐라고? 와, 내가 이런 놈들에게 호구 취급 당하다니. 기분 더럽네."

루스킨이 자신의 몸에 박힌 카드와 손에 잡힌 카드를 들며 어이없어했다. 몇 장은 미처 막지 못해서 몸에 맞았지만 의준이 그러하듯 루스킨 역시 근육으로 카드를 붙잡아 긁힌 상처 몇 개만 있을 뿐이었다.

하지만 루스킨이 허벅다리에 꽂힌 카드를 뽑아낼 때였다.

위이이잉!

갑자기 카드가 격렬하게 진동하기 시작했다. 순식간에 뜨거워져 루스킨은 저도 모르게 비명을 질렀다.

"크악!"

루스킨의 손에서 카드가 떨어지는 순간 카드들이 스스로 날아들어 루스킨을 난도질했다. 놀란 루스킨이 허우적거리며 호텔 로비의 바닥 위를 굴렀다.

"지금 딴 데 볼 정신이 있나?!"

한세건이 바이크에서 내리다 루스킨의 비명을 듣고 시선을 돌린 순간 의준이 뛰어들었다. 좌우 몸통 지르기를 날리고 앞차기 짧게 한 번, 앞차기와 앞 손으로 시선을 전방에 쏠리게 한 뒤 시선 사각에서 깎아 차는 발차기를 날린다.

풀 컨택 공수도의 전형적인 상하 콤비네이션이다. 전방에서 날아드는 짧고 빠른 공격에 정신 팔린 사이, 후방을 급습하듯 강타하는 하이킥. 이것은 에두아르도의 신경계를 파괴해 단번에 그를 꺾은 킥이다. 한세건이 맞기라도 하면 죽는다.

아래쪽으로 시선을 끌고 위쪽을 공격하는 거야 어느 무술에서나 하는 거지만 먼 거리에서는 때람뚜와(무에타이 킥)로 후려갈기고 근접할 때 공방과 캐치로 게임을 풀어나가는 무에타이보다 풀 컨택 공수도가 훨씬 더 콤비네이션에 치중한다.

글러브를 사용하는 현대의 시합 룰에서는 무에타이에 빛이 바랜 것 같지만 이렇게 보호구 없는 실전의 싸움에서는 오히려 더 쓸 만하다. 게다가 뱀파이어의 완력이 더해지면 어차피 세게 때리는 것보다 정확하게, 많이 때리는 게 중요하다.

파워보다 컨택이라고 해야 할까?

그런 점에서 공수도의 공격 스타일이 무에타이보다 컨택이 좋다고 할 수 있었다.

하지만… 한세건은 발을 들어 간단한 밀어차기로 의준의 접근을 차단했다.

'무에타이 하는 놈들의 밀어차기?! 예측하고 있었다!'

의준은 콤비네이션 도중에 들어오는 밀어차기를 배로 받으며 퉁 밀었다. 균형을 잃게 만들고 부메랑 던지듯 길게 후려 차는 라운드 하우스 킥을 준비한다. 마치 정밀 조준 한 포에 포탄을 장전하고 발사하는 것처럼 의준의 공격은 치밀하게 포석을 깔며 진행되었다.

하나 한세건은 간단히 균형을 유지하고 뒤로 물러나며 아래에서 위로 검을 퍼 올리듯 쳐 올렸다. 맨손 격투를 하나 싶었는데 갑자기 검이라니?

"칵!"

몸을 강화시키지 않았다면 다리가 끊어졌을 것이다.

"이 양아치 새끼가!"

강의준이 욕설을 퍼붓는 사이 한세건의 손에서 칼자루가 반전했다.

처음의 일격은 검도를 하는 사람들이 보면 어설프기 짝이 없는 공격이었을 것이다.

현대 검도의 격자 부위는 면, 갑, 손목의 세 포인트를 중심으로 한 점수제, 아래에서 위로 올려 베는 동작은 고류 검도나 서양 검술 연구회에서 하고 있지만 한세건의 올려 베기는 그 어느 것도 아닌 어정쩡한 어퍼 스윙이었다.

하지만 이것은 함정이다. 처음의 퍼 올리는 듯한 어설픈 베기와 격이 다른 말끔한 사선 베기가 강의준의 관자놀이를 노리고 날아들었다.

처음의 올려치기가 어설픈 것은 검을 맨손으로 상대하는 자가 가지는 강박관념을 이용하기 위해서였다.

검의 안쪽 간격으로 뛰어들고 싶어 하는 강박관념을 유도하기 위해 느슨한 1격을 미끼로 던지고 치명적인 2격으로 미끼를 문 적수를 참살한다.

그것이 한세건의 전투 방식이었고 강의준은 제대로 걸렸다.

"흡!"

하지만 강의준은 머리로 검을 받아냈다. 스테인리스 스틸로 만들어진 싸구려 일본도는 강의준의 몸통을 뚫지 못해 날이 깨지고 슴베가 휘었다. 이번의 공격은 강의준의 강체를 거의 깨뜨릴 뻔했지만 그보다 검이 못 버텼다.

그리고 강의준의 카운터가 한세건의 안면에 꽂히… 지 못했다.

한세건은 팔로 상단 훅 가드 비슷하게 커버를 올리나 싶더니만 그대로 앞으로 뛰어들어 수평 팔꿈치 찌르기를 날렸다.

"컥!"

의준은 순식간에 피투성이가 되어 뒤로 물러났다.

'강체 능력은 뼈와 근육, 피부의 섬유 구조에만 닿는 극단거리 염력으로 조직 구조를 강화하는 식으로 작용한다. 서현이 쓰는 섬유를 이용해 총탄을 받아내는 것은 그 연장 선상, 하지만 아웃레이지로 혈인 능력을 깨웠다면 아직 응용력이 부족해 안구에까지 강체화를 하진 못했을 거야. 역시… 예상대로군.'

한세건은 그 와중에도 몸을 보호하며 물러나는 의준의 반응을 높이 평가했다. 일반적인 뱀파이어와 달리 이놈의 공수도는 상당히 수준급이다. 안구가 으깨지는 부상, 피가 튀어 시야가 가려진 순간 놈은 뒤로 물러나면서 밀어차기, 그리고 멀리 휘두르는 발차기로 한세건을 밀어내려 하고 있었다.

하지만 한세건은 격투기 시합을 할 생각이 없었다.

바이크 슈트에서 고기의 살 속에 파묻혀 있던 기생충들처럼 튀어나온 철사가 의준을 덮치고, 한세건이 몸을 획 뒤로 빼자 철사에 연결된 플러그가 빠지며 전기불꽃이 튄다.

펑!

의준의 몸에 감긴 철사들, 도폭선이 일제히 폭발했다.

한편 루스킨은… 신나게 맞고 있었다.

"젠장, 아주 사랑의 손길이… 으악!"

무수히 많은 카드가 제각각의 방향에서 날아들어 루스킨을 난도질한다. 안전면도기로 슥 그은 정도, 피부만 살짝 긋는 정도의 부상인가 싶어 무시할라치면 반드시 묵직한 공격이 날아온다. 자잘한 빗방울 속에 생명이 위급할 정도의 우박이 섞여 있는 격이다.

"썅……."

루스킨은 욕설을 퍼부으며 이를 갈았다. 그의 각인 능력은 염동력, 대개 염동력은 범용성이 강하고 뛰어난 능력이지만 그건 어디까지나 컨트롤과 파워가 고루 좋을 때 이야기다.

'야구로 치자면 구속과 제구가 다 같이 좋아야 한다, 뭐 그런 이야기가 될까? 내 능력은 왜 이따위지?'

루스킨은 투덜거리며 각인 능력을 시도해 보았다. 루스킨도 최근 살짝 카타볼릭 상태에 빠져 있는지라 능력을 발산하니 허기가 밀려온다.

그렇게 애써서 발출한 염동력은… 루스킨을 향해 날아오는 카드들을 순식간에 짓이기며 저 카드 날리는 젊은 뱀파이어에게 날아든다.

'헉!'

적과의 전투 중엔 표정 관리를 해야 하는 법이지만… 순간 의석은 당황했다. 의석은 금속 물질에 약간의 염을 불어넣는 것만으로 아주 효과적으로 금속 물질의 분자구조를 자유자재로 보강하거나 진동, 발열시키는 게 가능했다.

그런데 루스킨의 각인 능력에 접촉하는 순간 카드에 담아둔 염으로 강화하는 정도로는 턱도 없는 힘이 느껴졌다. 루스킨은 마치 블랙홀이라도 만들 수 있을 것 같은 무지막지한 힘으로 카드를 구겨 박살 내버렸다.

이런 능력자란 말인가?!

그런데…….

어째 이상하다.

밀도가 남다른 공기가 느릿느릿… 의석을 향해 날아오고 있었다.

뭐지? 의석은 의아해하며 한 장의 카드를 그곳으로 쏘아 보내봤다. 이번에도 무지막지한 힘에 의해 카드가 으깨지면서 충격을 주었지만 이번에는 의석도 대비하고 있었기 때문에 그렇게 놀랍진 않았다.

아니, 다른 의미에서 놀랐다.

…느려!

목숨이 오가는 전투 상황, 상대가 의도적으로 이쪽을 경멸하기 위해 저러는 게 아니라면 순전히 이런 능력일 것이다.

거대한 로드롤러, 기체중량 수백 톤짜리 초대형 로드롤러가 천천히 기어오는 느낌이랄까? 닿으면 위험하다는 건 알겠는데 안 닿으면 되는 일이다. 그렇다고 넓게 펼친 것 같지도 않다.

'아오, 샹. 이거 안 통하네.'

루스킨은 상대가 자신이 발출한 염동력을 무시하고 피해서 오는 걸 보며 짜증을 냈다. 루스킨의 격투전 능력은 수준급이고 재생력도 어마어마하지만 상성이 별로 안 좋다. 투척 무기를 주로 쓰는 놈이라면 골치 아프다.

탕!

하지만 그때 이변이 일어났다.

막 카드를 날리던 의석의 옆구리에 피가 퍽 튀었다. 깜짝 놀란 의석이 카드를 부채처럼 펼쳐 막아내려 했지만…….

입에 나이프를 문 한세건이 한 손으로 바이크를 질질 끌며 다른 한 손으로는 USAS—12를 옆구리에 끼고 정말 무성의한 자세로 총격을 퍼붓는다.

퍼퍼퍼퍼퍽!

의석의 몸이 고기 파편으로 변한다.

"한세건!"

루스킨이 놀라자 한세건이 투덜거렸다.

"적일 땐 세지만 동료일 땐 약한 게 만화책에서나 나오는 건 줄 알았는데… 이런 부실한 거에게 당하고 있었나?"

"아… 아니거든? 상성이 안 맞을 뿐이다."

루스킨이 부끄러워했다. 보통 동료가 좀 미진해도 전투에서 같은 편, 전우인 이상 좀 살살 다루는, 섬세한 말재간이 있어야 하지 않나? 아무리 라이칸스로프를 뱀파이어 바로 다음쯤으로 보는 한세건이라지만 이런 상황에서 활약 못 했다고 핀잔주는 게 심히 아프다.

차라리 욕설을 퍼부어대면 그러려니 하겠는데 그냥 진심으로 실망하는 걸 보니 차라리 욕을 먹고 두들겨 맞는 게 낫겠다.

"이 자식! 고작 이 정도로……."

그때 먼저 한세건에게 토막 났던 의준이 몸을 일으켜 세웠다. 하지만 한세건은 휘발유를 질질 흘리는 바이크의 스로틀 레버를 당기고 바이크를 밀어버렸다. 미처 완전히 재생하지 못한 의준의 몸에 바이크가 꽂히고 한세건의 샷건이 불을 뿜었다.

퍼엉!

의준의 몸이 다시 불기둥에 휩싸였다.

"크……."

의석은 배다른 형이 당하는 모습을 보고 몸을 돌렸다. 저 멀리 호텔 로비 옆 택시 정류장에는 기둥에 기대어 선 강의찬이 강 건너 불구경하듯 보고 있었다. 왠지 모르게 그 모습이 얄미워 의석은 강의찬을 향해 카드를 쏘아냈다. 지금 이 생사의 기로에서, 왜인지 모르지만 자신이 위험해질지언정 저 작자를 죽이고 싶다는 생각이 앞선 것이다.

그것은 뭐랄까?

정실 자식에 대한 첩실 소생의 질투?

하지만 아버지의 사랑은 첩실 소생인 그들에게 있는데? 정실의 자식이라고 말하면 조선시대를 벗어나지 못한 것 같지만 그 외엔 설명할 길이 없는 이 기묘한 관계에서 강의찬은 오히려 아웃사이더였다.

그럼에도 불구하고 강의찬에 대한 미움이나 시기심이 차올라 의석은 카드를 날렸다.

텅!

그 카드는 투명한 무형의 힘에 막혀 더 나가지 못했다.

"이 자식! 이제 좀 얌전해졌군!"

루스킨은 한세건에게 맞아서 집중력이 흐트러진 의석의 앞을 막아섰다.

"젠장, 맘대로 해라. 앙리 유이 님의 세력에서 우린 그야말로 새 발의 피니까. 어차피 네놈들은 다 죽어! 아니, 죽는 것보다 끔찍한 꼴이 될……."

의석은 카드를 날리며 그렇게 외쳤지만 그 순간 루스킨의 러시안 훅이 의석의 턱과 목에 꽂혔다. 하악이 날아가고 목뼈가 부러지면서 튀어나간 머리가 아직 성한 호텔 유리창에 부딪혀 튕겨 나갔다. 마치 트램펄린처럼 탄력 있게 머리를 튕겨 보낸 것이다.

그렇게 튀어나간 의석의 머리가 바닥에 피를 뿌리며 강의찬의 앞에 멈춰 섰다. 아스팔트 위로 피와 살점이 널려 있는 끔찍한 모습을… 고작 주먹 한 발로 연출해 내다니 루스킨의 괴력이 새삼스럽게 실감 가는 장면이다.

"으… 그르르륵……."

폐를 잃고 헐떡이는 의석의 입에서 거품이 나왔다. 그 모습을 보며 의찬은 한숨을 내쉬었다.

"뭐… 그래. 이 정도로 고개를 낮추니 성의를 봐서 호부호형을 허하노라."

"……!!"

그 순간 의석의 눈이 부릅떠졌다. 목소리는 나오지 않았지만 머리를 잃은 몸이 허우적거리며 난동을 부리는 걸 보면 분노했음에 분명했다. 머리만 날아가 굴러떨어진 걸 고개를 낮추었다고 하다니… 이런 변태적인 헛소리를 보았나?

드럼탄창을 교체하던 한세건도 그 소리를 듣고 컥 하고 헛숨을 내뱉었다.

"대단하다… 미친놈."

뱀파이어들도 고개를 절레절레 젓는 월야 공인의 미친놈 입에서 항복 선언이 튀어나왔다.

"음. 뭔가 느낌이 안 좋은데?"

서현은 후방에서 대기 중이었다. 이미 몇 차례 배니싱 블러드 멤버들의 텔레포트로 요인이 이탈하는 상황을 경험한 그들은 아예 적들이 텔레포트로 사람을 구하러 올 때 요격하기로 하고 서현이 후방에서 대기하기로 했었다. 텔레포터를 상대로 추적이 가능한 인물은 서현뿐이었기 때문이다.

그런데 어찌 된 일인지 배니싱 블러드의 개입이 없이 끝났다.

서현이 저격 포인트에서 뛰어내려 지상에 착지했다. 8층 정도 높이를 가뿐히 뛰어내려 지상에 착지해도 흠집 하나 없다. 좀 두꺼운 연석에서 도로로 뛰어내린 정도? 카타볼릭 상태임에도 불구하고 서현의 신체 능력은 상상을 초월하는 경지에 이른 것이다.

하지만 그런 초인이 식은땀을 흘리고 있었다.

"아……."

루스킨에 의해 지하주차장으로 굴러떨어져 통로를 가로막고 있던 리무진이 두 동강 나 있었다. 그리고 안의 여성들과 운전사, 강의찬의 아버지 강석운도 깔끔하게 토막 나 있었다. 인간은 도저히 할 수 없는, 기계를 써야 가능한 깔끔한 절단이다.

"신호하기 전엔 내려오지 말라니까… 배니싱 블러드가 그들을 들고 튀어버리면……."

한세건이 투덜대며 다가왔지만 이내 혀를 찼다. 그들이 의석, 의준 형제와 싸우는 동안 별다른 기척도 없었는데… 이미 죽여서 입을 막다니.

"그 여자 유령인가?"

"…약간 다른데."

여자 유령, 윈슬렛이 나타날 때는 뭔가 전조를 느낀다. 하지만 이건 너무 깔끔하다. 게다가 영감이 뛰어난 한세건이 아무것도 느끼지 못했다.

"어쨌거나 경찰들부터 피하지요. 당혹스러워하는 건 나중이고."

루스킨은 그리 말하고 밖으로 달려 나갔다. 한세건과 서현이 뒤따라서 거리로 사라졌다. 셋 다 지형지물을 인간의 상식선을 넘어 뛰어다니기 때문에 다른 사람들에게는 막다른 골목, 도저히 지날 수 없는 길이라고 여겨지는 높이를 아무렇지 않게 폴짝 폴짝 뛰어넘었다. 지하도를 건너지 않고 뛰어넘어 신도림 동쪽으로 빠져나온 그들은 아무렇지 않게 옷을 갈아입고 미리 주차시켜 둔 차량으로 이동해 빠져나갔다.

10

"젠장, 이거 인정하지 않을 수 없군."

빛과 소리가 요란한 파칭코 게임장 안에서 스마트폰으로 뉴스 기사를 검색하던 아그니는 혀를 찼다.

한세건의 솜씨 덕분에 그가 저지른 일은 순식간에 묻혀 버렸다.

가쿠슈인 학살의 장본인인 아그니도 한세건이 벌인 일이 훨씬 더 세련되고 희극적이라고 여겼으니 말 다 했지.

아그니는 패배감에 몸서리쳤다.

"뭐, 우리의 목적은 어디까지나 소요니까요. 테트라 아낙스에게 처리하고 분석해야 할 정보량을 늘리면 되는 겁니다."

소년은 아그니를 찾아서 들어오다 눈살을 찌푸렸다. 미성년자인 그가 들어올 곳이 아닌 것 같은데 주위 사람들은 그가 들어오든 말든 크게 신경 쓰지 않는다. 하긴 아이를 대동한 주부도 보인다.

그러고 보니 파칭코 앞 주차장에 차를 세우고 애를 넣어둔 채로 파칭코를 하던 주부가 애를 일사병으로 죽게 한 적이 있었던가?

"어디 다녀온 거냐?"

"할아버지를 죽이고 왔습니다."

"할아버지? 흠, 뱀파이어 놈에게 할아버지가 있나?"

"뭐, 전 좀 특별하니까요."

"그래. 할아버지를 죽여서 유산이라도 땡겨 받았나? 있으면 이 카드에 1만 엔만 좀 충전해 줘."

아그니는 자신의 파칭코 카드를 소년에게 건네주었다. 그러자 소년의 눈살이 찌푸려졌다.

"그러고 보니 너, 이름이 뭐였지?"

"아담. 강아담입니다."

"…학교에서 놀림받겠다?"

"그래서 개명 신청을 해둔 상태지요. 하지만 당신은 절 아담이라고 부르세요."

"왜?"

"그게 제 본질이니까."

"아담이 본질이라니 어이없는 놈이구나. 모처에서는 그 여고 앞에서 코트 입고 나체 쇼 하는 노출증 변태를 아담이라고 부른다더라. 응? 그런 게 네 본질이냐?"

아그니는 소년에게 핀잔을 주고 다시금 슬롯머신을 돌렸다. 그런데 그때였다.

우우웅…….

갑자기 기이한 소리가 들리기 시작했다. 깜짝 놀란 아그니가 소리의 떨림을 좇아 고개를 들었다.

환풍구가 떨리고 있다. 하지만 극히 작은 소리다.

그런데 어찌 된 일인지 그게 아그니 입장에서는 다른 어떤 소리보다, 현란한 파치슬롯 게임장의 게임기 소리보다 더 크게 들렸다.

이런 상황을 아그니는 잘 알고 있었다.

'테트라 아낙스의 처형 부대?'

테트라 아낙스의 처형 부대. 나이트워커가 직접 움직일 때, 인간의 의식에서 뱀파이어와 그들의 존재를 분리할 때의 느낌이다. 아그니는 깜짝 놀랐지만 곧 자신이 앉아 있던 기계에서 파칭코 카드를 빼냈다.

"하. 기어이 못 참고 덤벼들었나, 테트라 아낙스? 전대 아낙스가 왜 날 안 건드렸는지 이해를 못 하나 보군?"

아그니는 씨익 웃음을 지었다.

11

플렉스 메디칼의 간부들은 골치 아픈 일에 휘말려 있었다.

하필이면 그룹 차원에서 광고를 집행하고 유니세프에 기부를 결정한 순간, 일본에서 한세건의 소행이라는 가쿠슈인 살인 사건이 일어났다.

한국 지사, 일본 지사를 철수시키고 동아시아 지역을 싱가포르 지사에서 담당하고 있으니 망정이지, 만약 일본 지사가 아직 남아 있었다면 우익 단체의 테러로 쓴맛을 봤을지도 모른다.

다행히 그 후 한세건이 직접 나서서 해괴한 방법으로 가쿠슈인 살인 사건이 자신의 소행이 아님을 입증해 주었다. 물론 그 방법이 대한민국 수도 서울의 한복판, 청와대와 정부 청사, 대사관들과 서울시청 등 주요 시설이 밀집한 지역을 담당하는 종로경찰서의 서장을 납치하는 일이었으니 별반 나을 게 없다.

플렉스 메디칼은 상당한 후폭풍에 시달리게 되었다.

"앙리 유이라는 천둥벌거숭이가 이렇게 날뛰다니."

싱가포르 지사의 매니저, 제니퍼 리는 지끈거리는 머리를 짓눌렀다. 이런 상황이 오고 있음에도 불구하고 테트라 아낙스는 처형 부대, '나이트워커'의 돌입을 승인하지 않았다. 그 때문에 테트라 아낙스의 하부에서는 새로운 리더에 대한 불만이 팽배하고 있었다.

하지만 제니퍼 리는 왜 서린이 처형 부대 투입을 꺼려 하는지 잘 이해하고 있었다.

그 옛날부터 대놓고 테트라 아낙스의 율법에 도전하는 이들은 테트라 아낙스의 처형 부대에 의해서 처단당했다. 하지만 지금 이 사건은 일반적인 아웃로 사건과 다르다.

상대의 역량을 도저히 가늠할 수가 없고…….

정보도 적다.

사건이 벌어진 지역, 그러니까 한국과 일본은 치안이 너무 좋기도 하다. 테트라 아낙스의 처형 부대, '나이트워커'는 중무장화기로 밀어붙이는 전투 스타일을 가지고 있다.

그런 이들이 치안도 좋은 지역에서 활동하다가 상대가 만만치 않아서 인간들에게 노출된다면?

난리가 날 것이다.

게다가 만약 그런 어려운 조건을 무릅쓰고 출격한 테트라 아낙스의 처형 부대까지 제압당한다면?

그때는 그야말로 끝장이다.

지금 당장은 테트라 아낙스의 가호를 받으며 번영을 누리고 있는 뱀파이어들도 대세가 기울었다고 여겨지면 손바닥 뒤집듯 태도를 뒤집을 것이다. 테트라 아낙스의 지배력이라는 건 거대 은행과 같다.

모두가 그를 제왕으로 인정하면 그의 권위는 하늘을 찌른다. 말 한 마디에 나는 새를 떨어뜨리고 뱀파이어들에게 자결을 명할 수도 있다.

하지만 사람들이 하나둘, 뱅크런을 일으켜 그 은행으로부터 떠난다면? 백성 없는 왕에게 무슨 가치가 있는가?

지금 상황에서 테트라 아낙스는 서두를 필요가 없다.

정보가 없는 지금, 서둘러 봐야 실수만 하게 될 테고 테트라 아낙스에게 요구되는 수준은 매우 높기 때문에 실수하는 모습을 보여선 안 된다. 뱀파이어들 사이에서 거의 신적인 존재로 여겨지고 있었는데 그가 인간적인 실수를 한다?

그럼 위엄이 손상되고 여기저기 반기를 드는 놈들이 일어나게 될 것이다.

애초에 이 싸움은 단기전이 되면 앙리 유이에게만 유리한 싸움이다.

테트라 아낙스는 밤의 제왕으로서 이 세계의 지배자다. 당연히 이 세계를 이루는 시스템, 하드웨어와 소프트웨어가 전부 그의 것이니 어디를 때려도 테트라 아낙스가 맞게 되어 있다.

적어도 싸움을 하려면 상대가 명확히 드러난 후 싸워야 하는 법이다. 그런데…….

"매니저, 나이트워커 일본 측 부대에서 현재 앙리 유이의 세력을 발견해서 확보하기 위해 교전 중이라 합니다."

"뭐?! 누가 허락했어?!"

"야전 지휘관의 독단적인 판단으로……."

"웃기지 마! 우리 일족, 그러니까 테트라 아낙스 중 독단적인 판단으로 사고 칠 만한 사람은 없다고!"

제니퍼 리는 부하 직원의 보고에 당혹스러워했다. 예지자, 선지자의 부하라는 건 타성에 젖을 수밖에 없는 직업이다.

이미 결과가 정해진 일을 수행하는 데 익숙해진 이들이 독자적으로 판단하고 일을 저지른다? 그런 게 가능할 리가 없다.

앙리 유이 측에서 쓰는 수단, 테트라 아낙스의 예지를 교란하는 수단이 만약 테트라 아낙스의 것과 같다면 처형 부대 나이트워커를 움직일 수도 있으리라. 불길한 예감이 들었다.

"교전 상대는… 진마 아그니. 가쿠슈인 습격 사건의 장본인입니다."

"뭐? 진마 아그니라고?"

제니퍼 리의 예측이 정확했다. 테트라 아낙스의 관리 레벨에서 진마 아그니는 위험도로 따지면 최상급, 월야의 세계에서 아그니는 눈앞의 탐욕 때문에 항상 근시안적으로 움직이는 소탐대실의 아이콘으로 취급받고 있지만 그가 가지고 있는 혈인 능력, 급속산화는 특급 살상력을 가진 흉악한 기술로 인정받고 있었다.

일반적인 파이로키네틱스 능력이 운동에너지로 분자를 진동시켜 열을 끌어 올려 발화시키는 것이라면 아그니의 발화 능력은 산소와 빠르게 결합시키는 것……. 일반적인 파이로키네틱스로는 불붙기 전에 먼저 녹아내리는 물질들이, 아그니에게 걸리면 눈부신 불꽃을 발하며 타버리는 것이다.

과거 테트라 아낙스의 심복 중 하나인 앨리엇의 보고서에 의하면 아그니의 능력은 빠르게 성장하고 있다.

이 추세라면 이제 곧 혈인 능력의 5스테이지에 접어들 테고 그렇게 되면 표적을 보고 직접 정하는 게 아니라 인근의 산화물 전체에 조건부로 능력을 걸 수 있게 될 것이다.

일반적인 발화 능력은 물체를 보고 정신을 집중해 능력을 걸면 불이 붙는다.

0.5스테이지의 인물들은 원거리에서 능력을 걸지 못해 손에 쥐고 있는 것, 신체가 접촉하고 있는 것만 불사를 수 있다고 하기도 하다.

기존 아그니의 능력은 4스테이지, 능력을 예약해서 걸어둘 수 있는 단계에 접어들었는데, 5스테이지에 접어들면 영역을 설정하고 그 안에서 산소와의 반응도가 어느 수치 이상인 물질, 예를 들어 폭약의 신관이나 화약을 점화시킨다고 조건을 설정해 능력을 쓸 수 있다는 뜻이다.

마법사인 다른 흡혈귀들과의 만남이 그의 능력 활용도를 가속시킬 수 있다고, 엘리엇의 보고서에는 그런 우려가 담겨 있었다.

그런데 화약 무기를 쓰는 나이트워커가 아그니와 격돌한단 말인가?

잘못하면 최악의 결과를 낳게 되리라.

과연…….

—나이트워커, 일본 분대, 소식 두절!

—맙소사… 이렇게 빨리!

일본 측 병력을 관할하는 사무실에서 비명 소리가 터져 나왔다. 제니퍼 리는 그 말을 듣고 입술을 깨물었다.

최악의 사태가 벌어졌다.

테트라 아낙스의 2천 년 왕국이 지금 몰락하기 시작했다.

• ☾ • See You Next Moon •